D1051330

COLLECTION
FOLIO CLASSIQUE

Victor Segalen

René Leys

Édition présentée, établie et annotée
par Sophie Labatut
enrichie de documents nouveaux

Gallimard

Les documents des p. 319 à 347 sont reproduits avec l'autorisation des Héritiers de Victor Segalen et de la Bibliothèque nationale de France.

PRÉFACE

On s'accorde pour présenter Victor Segalen comme un voyageur sans relâche, un « homme des lointains[1] *», un aventurier de l'Extrême-Orient — monde exotique et mystérieux, encore largement inexploré au début de ce siècle, « pays blanc sur la carte, plein de reculé et fourmillant de monstres*[2] *». Mais quand il s'agit d'associer à ce profil de pèlerin infatigable une définition de ce qui fait sa personnalité d'écrivain, la tâche s'avère moins aisée, tributaire même des fluctuations qu'a connues sa notoriété littéraire.*

En 1913, au moment où il entame le premier manuscrit de ce qui deviendra René Leys, *Segalen n'est personne, ou presque, dans le* who's who *des créateurs :* Les Immémoriaux, *son premier roman, est paru en 1907 à compte d'auteur et* Stèles, *son premier recueil de poèmes, vient d'être imprimé à ses frais, en Chine où il réside, à quatre-vingt-un exemplaires « non commis à la vente » selon ses propres termes. Ces deux ouvrages, aux-*

1. L'expression est de Jean-Louis Bédouin (*Victor Segalen*, 1963, Seghers, coll. « Poètes d'aujourd'hui »).
2. Victor Segalen, *Équipée*, séquence 20. La préface est émaillée de citations signalées ou implicites de ce livre.

quels s'ajoutent quelques articles, lui ont valu la considération de Huysmans, Saint-Pol-Roux, Remy de Gourmont, Jules de Gaultier, Debussy ou Claudel, mais il est totalement inconnu du grand public, et même des gens de lettres. En 1922, lorsque René Leys *paraît en volume chez Georges Crès (après une publication dans la* Revue de Paris *en 1921), on se souvient davantage d'un auteur atypique, disparu prématurément en 1919 :* Les Immémoriaux *a désormais ses premiers adeptes,* Stèles *(paru chez Crès dans la « collection coréenne » en 1914) ou* Peintures *(1916) ont réveillé quelques passions particulières, quelques intérêts influents et déclarés, que continuent d'alimenter les éditions posthumes, menées par les amis et la famille, toujours fidèles. Mais l'émergence de cet écrivain fut des plus lentes : c'est ainsi que la parution des ouvrages aujourd'hui reconnus comme importants s'est étalée sur environ soixante-dix ans*[1].

Le sillon creusé par son œuvre s'est progressivement élargi cependant, grâce aux multiples facettes de sa production : les amateurs de récits de voyage y ont longtemps puisé la matière de leurs rêves et de leurs souvenirs ; les lecteurs d'autres poètes de la Chine (Claudel, Perse ou Michaux) y ont lu des contrepoints originaux ; les historiens de l'Empire céleste s'y sont documentés ; les ethnologues ont été les premiers à souligner l'importance des Immémoriaux *pour la connaissance de la culture maorie ; les archéologues ont loué ses*

1. On pourrait énumérer, outre *Les Immémoriaux, Stèles, Peintures* et *René Leys* : *Odes* (1926), *Équipée* (1929), *Thibet* (1963), *Le Fils du Ciel* (1975) et l'*Essai sur l'Exotisme* (1978), auxquels il faudrait ajouter ses travaux archéologiques et esthétiques sur la statuaire chinoise.

recherches sur la statuaire chinoise; les philosophes ont fait référence à sa théorie de l'exotisme; enfin, les poètes ont apprécié ses tentatives de renouvellement du genre, au premier rang desquelles on place communément Stèles, *recueil de poèmes (entre versets et prose) établissant une correspondance avec l'esthétique des stèles funéraires ou commémoratives chinoises, ces «monuments restreints à une table de pierre, haut dressée, portant une inscription*[1] », *dont le texte est encadré selon* certaines *proportions, accompagné d'une épigraphe en caractères non traduits tirés d'un classique chinois, que formule ou commente la lettre du poème.*

Aujourd'hui, toutes ces lectures particulières convergent pour exhumer enfin une œuvre véritable, multiple et complexe, certes, mais qui n'est plus vue sous l'angle spécifique d'un intérêt singulier. D'un statut de curiosité littéraire, elle quitte peu à peu les marges des pages d'histoire littéraire pour prendre place dans un panthéon à part entière.

Il reste cependant une trace importante de ce long cheminement : cette nébuleuse de lectures toujours quelque peu spécialisées, ajoutée au fait que les œuvres de Segalen portent sur des contrées lointaines et mal connues de l'Occident, ont fait beaucoup pour classer l'écrivain dans la catégorie des poètes savants, ceux qu'on ne peut pas lire sans une encyclopédie et un dictionnaire bilingue français-chinois à portée de la main. Ésotérique poète de la distance, complexe voire compliqué, inaccessible, hiératique, stélaire — chinois, *en somme, et dans tous les sens du terme —, telle est l'image qui reste associée à sa personnalité.*

1. Ce sont les premiers mots de la préface de *Stèles.*

Il faudrait alors, pour entrer en Segalénie, arborer préalablement un visa, passer par le sas de l'exégèse complète des Classiques confucéens, taoïstes et bouddhistes ou par la connaissance intime des arcanes cosmologiques, politiques et urbanistiques de l'Empire céleste défunt. À ce prix, on pourrait être intronisé dans un cercle réservé et jouir à bon droit de ce sésame : Segalenians only.

Ce serait faire peu de cas de la valeur artistique de cette œuvre et surtout nous empêcher de lire vraiment Segalen.

La personnalité de l'homme joue cependant un rôle important sur l'ensemble de sa production et son itinéraire personnel est assez atypique, ou plutôt étonnant pour le retracer rapidement ici : jeune Breton que sa mère destine d'abord à la prêtrise, il se révolte contre l'autorité maternelle et conçoit un dégoût sans fond pour le culte catholique ; trop myope pour être capitaine de vaisseau, il devient médecin de marine, lui qui déteste la mer, « vaste saumure » où s'abîment les Fleuves impassibles ; après une adolescence rythmée par la musique et la bicyclette, contre toute attente, il se met à écrire, mais se passionne aussi pour l'ethnographie des îles pacifiques peuplées de Maoris privés de mémoire, pour l'archéologie chinoise (pionnier, il exhume, seul, la plus ancienne statue connue de l'époque, datant des Han, et localise « sur la foi des textes » le tumulus fameux de Qin Shihuangdi, premier empereur de la Chine entouré des sept mille statues d'argile mortuaires qu'aujourd'hui le monde entier va visiter), pour la muséographie (il eut longtemps le projet, jugé alors impertinent, de faire de la Cité interdite un musée) ; médecin aux armées pendant la Grande Guerre, il se porte volontaire sur le front de l'Yser, après avoir combattu la peste en Mandchourie et servi comme médecin personnel le fils du président de la République chinoise ; curieux, nerveux, cavalier doué, il entreprend des raids qui nous sembleraient aujourd'hui fous à travers la Chine inexplorée et demeure en même temps, songeur et casanier de l'Imaginaire, dans une tour d'ivoire toute personnelle, sa « chambre aux porcelaines ». Ses goûts littéraires, artistiques et philosophiques sont étonnamment contemporains et modernes résolument, de ce moderne en cours à la Belle Époque (d'abord Nietzsche, Wagner, Gustave Moreau, Huysmans, Mallarmé et Rimbaud, puis Claudel, Gauguin et Debussy), alors même qu'il est politiquement réactionnaire et reste en marge des avant-gardes visionnaires qui vont bientôt régler le pas de l'art au XXe siècle : l'Esprit nouveau, les cubistes, les tout jeunes surréalistes, Dada, les œuvres d'Apollinaire, de Proust, tout cela semble être passé à côté de lui.

En ce sens, son attachement au *Mercure de France* ou ses vieilles accointances avec le symbolisme ou l'esprit « fin de siècle » font que certains critiques le font basculer esthétiquement vers un XIXe siècle finissant plutôt qu'à la période auréolée et vitupérante de l'aube de ce siècle. Mais la plupart du temps, sa figure reste tout à fait en marge — à peine liée même aux autres poètes de la Chine : Claudel, son aîné, poète dévorateur du monde, est trop connu pour servir d'étalon à l'obscur médecin de marine, et *Connaissance de l'Est*, point de comparaison possible, est un de ses livres les moins lus ; Saint-John Perse, son cadet proche, s'est toujours défendu d'avoir jamais pu lire une seule ligne de Segalen — alors même qu'il possédait l'édition princeps, très rare, de *Stèles* — et réfutait toute analogie possible avec *Ana-*

base ; *Michaux, enfin, voyageur sans complaisance, mais sans dégoût ni préjugé de supériorité, conscient d'être lui aussi un* barbare en Asie, *Michaux arrive vingt-cinq ans après Segalen en Chine — c'est-à-dire après une révolution, plusieurs changements de régime, l'accès au pouvoir du Guomindang et la montée en puissance du parti communiste. Il resterait un mot à dire de Malraux, mais là aussi, les temps ont changé la physionomie du monde et de la Chine :* La Condition humaine, *qui date de 1933, fonde l'épopée d'un autre univers.*

Segalen arrive en Chine, cette Atlantide, en 1909. Ce n'est pas sa première expédition exotique, puisqu'il a séjourné en Polynésie (envoyé en mission, il arrive au moment de la mort de Gauguin, dont il essaie de sauver quelques œuvres d'une pantalonnade funèbre), et qu'il a, au gré de ses traversées océanes, abordé plusieurs ports bercés par les alizés (Aden et le fantôme du « double Rimbaud[1] *», Ceylan et ses « chemins couleur de chair de mangue*[2] *», d'autres escales encore). Mais le choc chinois est décisif : il est spatial, il est culturel, il est symbolique. Car la Chine est alors, et pendant quelques mois encore, l'antique empire du Milieu, une ruine vivante, en pleine décadence, certes, mais ô combien somptueusement parée du poids de l'histoire : plus de deux mille ans de stabilité politique sous la houlette d'un empereur fils du ciel. Mais ce sont vraiment les derniers jours de la dynastie Qing : en 1911, la Révolution chinoise destitue le « dernier empereur », Puyi, « cinq ou six ans d'âge…*

1. C'est le titre d'un essai de Segalen sur Rimbaud.
2. Claudel, *Connaissance de l'Est*, « Le Cocotier », cité souvent par Segalen.

infantile... et [...] quatre mille ans de Raison Historique[1] ».

Le XIXe *siècle a vu les étapes pénultièmes de l'inévitable désagrégation de ce pays : à la gestion incapable et inconséquente des empereurs mandchous s'est ajouté le vampirisme insidieux, parfois patent, des grandes puissances colonisatrices. Les guerres de l'opium, les rébellions des Taiping et surtout des Boxers en 1900, ont fini d'affaiblir la Chine, moribonde, qui cède à tout va ses avantages économiques, financiers, territoriaux à la voracité des grandes puissances (Angleterre, France, Allemagne, États-Unis, Japon, Russie). Les Qing (les Purs) contractent des emprunts, ouvrent des comptoirs, des espaces exterritoriaux (celui des Légations, c'est-à-dire des ambassades, à Pékin, le port de Tianjin — Tien-Tsin — où se cantonnent des centaines de soldats, sans compter les Macao et autre Hong-Kong). Les mouvements réformistes, implantés dans le sud de la Chine, toujours rétif à l'endroit des ordres venant de la Capitale du Nord, s'ancrent dans un réseau ancien de sociétés secrètes très organisées, redoutablement efficaces. C'est là qu'émerge la figure de Sun Yatsen, que l'Histoire a figé aujourd'hui dans l'image monumentale du fossoyeur principal de la Chine impériale.*

Le 10 octobre 1911 (dixième jour du dixième mois : « double-dix »), une révolte qui éclate sur le Fleuve Bleu, à Wuchang (aujourd'hui intégrée à Wuhan), met le feu aux poudres et enflamme la Chine qui, quelques semaines de combats, de confusion et de déclarations d'indépendance plus tard, voit le Régent se retirer au profit d'une assemblée constituante prévoyant de faire de l'empire

1. *René Leys*, p. 120.

autocratique une monarchie constitutionnelle, puis, à la suite d'événements plus alarmants, l'Empereur lui-même abdiquer et décréter la fin de l'empire et l'avènement de la Première République chinoise. Le 12 février 1912, c'est la fin de l'ancien régime en Chine. Le président élu, Sun Yatsen, a fini par laisser son fauteuil à Yuan Shikai, ancien dignitaire de l'empire, censé favoriser une transition moins brutale vers le progrès des peuples. Ensuite, l'histoire nous apprend que ce dernier, vipère cachée dans le nid des colombes, voulut rétablir l'empire à son profit, en son nom, et qu'il se proclama nouveau fils du ciel, dans la grande tradition des coups d'État dynastiques, mais qu'il mourut bien vite, sans descendance impériale. Segalen, qui le côtoya, l'appelait « Yuan-Poléon premier ». C'était une manière plaisante de parler de quelqu'un qui, choisi pour assurer un passage sans violence excessive, laissa la Chine aux mains des Seigneurs de la Guerre.

C'est donc dans cette période charnière que Segalen découvrit, vit et vécut la Chine. Il assista aux dernières splendeurs, un peu fatiguées, des empereurs cloîtrés dans la Cité interdite, de 1909 à 1911, puis à leur chute sourde et à l'avènement de la République. Cela lui déplut profondément : esthète avant d'être politique, de toute façon antidémocrate convaincu et acide, il a cru assister à une fin du monde. L'ordre cosmologique et sacré, miraculeusement préservé depuis des milliers d'années en Chine, venait d'être renversé par une histoire moderne stupide et aveugle, gargarisée de progrès, menée par des idées occidentales inadaptables, aux antipodes du système de pensée chinois. En somme, un effet pervers de la colonisation — dont il était un fervent adversaire. Les beautés de la Chine supérieure (compa-

rable pour lui à l'Égypte pharaonique qui aurait miraculeusement survécu) saccagées par des analphabètes, voilà à peu près comment pourrait se résumer la vision qu'il avait de la Révolution de 1911.

Pour autant, Segalen n'était pas un défenseur des Qing : pâles, falots, las, éteints, il déplorait qu'ils tombent lourdement, sans grandeur, en négociant des indemnités. Il disait regretter les temps épiques des conquêtes grandioses, lorsque les chevaux mongols déferlaient sur la plaine et que l'Histoire s'écrivait « du bout du sabre[1] » : goût pour la chanson de geste idéalisée et toujours recommencée, rêverie de l'intellectuel épris d'action.

Et ses intérêts se rivaient sur le portrait imaginaire qu'il traçait de l'empereur Guangxu, oncle et prédécesseur de Puyi, qui n'avait pas, pourtant, brillé de la lumière d'Attila : d'abord inféodé à la fameuse Cixi (Ts'eu-hi), sa tante et régente, il avait mis au point un vaste mouvement de réformes (les « Cent Jours » chinois), qui auraient pu en faire un monarque éclairé s'il n'avait été très vite déclaré fou par Cixi, mis hors d'état de régner, enfermé dans une île de la Ville impériale, pour y être sans doute assassiné au moment où Elle agonisait dans une autre partie du Palais. Doux, intelligent, artiste, Guangxu n'incarnait pas vraiment ces pages de l'histoire écrites avec du sang. Les rumeurs persistantes concernant sa neurasthénie, la tendresse que Segalen éprouvait envers la pâleur maladive d'un Des Esseintes — lui qui avait soutenu sa thèse de médecine sur l'utilisation des névroses par les écrivains naturalistes et éprouvé visiblement plusieurs fois, de manière fulgurante, l'aiguillon de la dépression nerveuse — firent que Guangxu devint un des pôles les

1. C'est le titre d'une stèle.

plus importants de sa production littéraire. Segalen lui consacra de nombreuses lettres et dossiers documentaires, plusieurs stèles, et presque deux romans : c'est lui qui est le Fils du Ciel, *c'est avec lui que commence* René Leys[1].

Qu'on ne s'y trompe pas : parler de la Chine et de Segalen en Chine, c'est parler de René Leys. *Car le roman reprend entièrement cette trame chronologique, ce temps scindé en deux moments dont « les contours ne s'enferment plus, [dont] les coins se heurtent et les creux tintent le vide[2] » : le temps mythique, cyclique, éternel de la Grande Chine impériale d'une part, contre lequel vient se briser le temps linéaire et irréversible de l'Histoire moderne.* René Leys *reprend aussi, dans la parole du narrateur, les réflexions que Segalen a pu se faire dans ces « moments chinois[3] » — à tel point qu'on associe fort*

1. Dans *Le Fils du Ciel* (projeté dès 1909, écrit à plusieurs reprises, jamais terminé, paru en 1975), un historiographe employé à la cour des Qing donne les annales quotidiennes du règne de Guangxu, de sa majorité à sa mort. Ce texte officiel, plein d'euphémismes, a pour contrepoint des poèmes écrits par l'Empereur, et les décrets de la cour (sans compter les références historiques, implicites celles-là, qui sont celles du lecteur occidental). Dans *René Leys*, le narrateur est en Chine pour tenter d'élucider le décès mystérieux de Guangxu. Il consigne le résultat de ses recherches dans un journal, tenu à partir du 20 mars 1911. Au cours de cette investigation passionnée mais marquée par l'insuccès, il rencontre un jeune Belge, René Leys, qui semble étonnamment au courant de tout ce qui concerne la Cité interdite et ses occupants, morts ou vivants. Cette rencontre finit par éclipser les premières recherches, tout en restant conforme, symboliquement, à la quête initiale du narrateur. La fin du roman crée le cadre d'une troisième et ultime éclipse, qui laisse le narrateur pantelant.

2. *Stèles*, « Empreinte ».

3. Segalen appelait « moments chinois » les heures privilégiées, imprégnées de tout ce qu'il considérait comme formant

souvent l'auteur et le personnage dans une même identité. Les impressions pékinoises, les chevauchées libres et muettes d'admiration dans la capitale, le ciel pur, « sans tache », garant de l'ordonnancement du monde, les histoires racontées d'une « bonne voix confidentielle » le soir, dans la cour résonnant des boômantes *tours mongoles, tout cela est* vécu. *À tel point d'ailleurs que Segalen, humoriste, émaille ses manuscrits de notes piquantes : « trop vécu pour être écrit », « roman écrit sur documents vraiment humains », « cycle* VÉCU *» — et va jusqu'à faire une promotion fictive de son œuvre*[1], *en proposant de faire une remise sur la dédicace du livre par l'auteur, par le « héros encore vivant de ce livre » et, pourquoi pas, sur « la double signature » (cinq centimes chaque paraphe).*

Cette plaisanterie signale des circonstances d'écriture un peu particulières. En effet, l'incroyable René Leys eut un modèle in vivo *non moins fantasque : Maurice Roy*[2], *jeune homme brun, que l'on voit encore sur une unique photographie conservée. On dit qu'il était beau — de ce genre de beauté convexe et douce au visage de la Belle Époque. Yeux sûrement très noirs, regard perçant, presque tous les traits de René Leys :*

> Lui : grand, mince, beaux yeux de velours sombre ; cernés, excavés, sérieux soudain ou distraits sur une autre pensée. Profil Ém[ile] Lossouarn[3]. Soigné de sa personne. Poignée de

l'âme, le *génie* de la Chine. C'était le premier titre envisagé pour ce qui devint *Stèles*.

1. Voir l'Annexe I.
2. Sur Maurice Roy : voir la notice et la chronologie.
3. Cousin de Segalen.

main franche. Parole et prononciation empâtée un peu de quelque provincialisme, ou bien déformée par l'abus du chinois qu'il parle s'il le veut comme un vrai Pékinois.

Instruction Européenne moyenne. N'a pas dépassé la Seconde. Écriture quelconque. Beaucoup d'imagination. Qualités grandes d'observation : bonne vue, (oreille peut-être un peu dure ?), champ de conscience très étendu. (Oui, toujours)

Agit et raisonne maintenant en Chinois avec les Chinois, mais semble les dominer. Il les connaît mieux je crois qu'eux-mêmes ne le connaissent.

L'étonnant est son âge : 19 ans[1] !

Les coïncidences abondent et l'on distingue à maintes reprises la vie réelle s'immiscer dans le roman : trame dramatique exploitant la chronologie bipartite de la Chine pendant cette année 1911, moments pékinois personnels de Segalen, persistance rétinienne de l'image de Maurice Roy, tout nous signale que l'œuvre fait signe sans cesse vers une somme de données extérieures à elle, du domaine de la réalité et de l'histoire, événementielle ou personnelle. Mais le cadre est délibérément et fermement celui d'une fiction : on se gardera d'identifier l'auteur au narrateur[2] ; on ne mélangera pas non plus Maurice

1. *Annales secrètes d'après MR*, in *René Leys*, édition critique, Chatelain-Julien, 1999. La présente édition doit beaucoup à l'édition citée, dont elle propose en quelque sorte un vademecum.

2. Cependant, il y a quelque chose de piquant dans le fait que Segalen se transpose et se caricature sous la forme d'un voyageur en Chine, béat devant la magie impériale, mais fina-

Roy, confondu piteusement à l'automne 1911, puis revu par hasard, « insipide, gentil, fini[1] », *et René Leys, dont la voix bien timbrée vient graver la majesté impériale en touches d'or dans la « mosaïque à fond noir des cieux du Ciel où règnent les Régents défunts*[2] »*; René Leys dont la fonction de miroir magique, réfléchissant les plus secrets désirs du narrateur avant même qu'il pense les avoir formulés, débouche finalement sur de si lourdes conséquences. On ne confond pas un vulgaire mythomane, humain trop humain, et Schéhérazade*[3].

Fiction, *donc, que tout cela, au sens où Segalen l'entendait souvent — fabrication, création, réalisation d'un objet culturel, à partir d'une composition logique, cohérente, homogène et vraisemblable, incarnation et concrétisation en quelque sorte d'une construction de l'esprit : c'est ainsi qu'il voyait l'ordre impérial chinois, en symbiose avec toute la symbolique philosophique et populaire, équilibre parfait entre le Réel et l'Imaginaire, comme « l'admirable* fiction *de l'Empereur fils du Pur*

---

lement plus que néophyte, puisqu'il se laisse berner par un vaurien (un « fameux noceur », ne cesse de dire Jarignoux), affabulateur et habitué à fréquenter les quartiers marginaux et périphériques, quand tout est censé se jouer dans le milieu du milieu. On pourrait dire aussi qu'en plus d'une autodérision très marquée, Segalen se livre à une sorte de psychanalyse rétrospective, peut-être salutaire.

1. Lettre à son épouse du 1er mars 1917 (citée in *René Leys*, édition critique, Chatelain-Julien).

2. *René Leys*, p. 82.

3. Segalen, grand amateur des *Mille et Une Nuits*, en préparait une édition bibliophilique, dans la « collection coréenne » qu'il dirigeait pour Georges Crès. Ce fut *Aladdin ou la lampe merveilleuse*. Par ailleurs, la comparaison entre René Leys et Schéhérazade a déjà été évoquée dans les *Cahiers de l'Herne* consacrés à Segalen.

Souverain Ciel[1] *». Le matériau de* René Leys *(la Chine, Pékin, le Palais, l'Empereur), s'il est référentiel, est donc déjà marqué par l'invention. En cela Segalen est d'ailleurs, comme le bureau du narrateur, « impeccablement chinois » : se délestant de la chinoiserie (Loti disait « Chine de paravent »), il s'enfonce plutôt dans le réseau de significations et de correspondances que tisse la culture chinoise, là où tout fait système — symbolique, politique, philosophique, cosmogonique, urbanistique, social, familial à la fois. Faisant preuve d'une connaissance avancée de l'esprit chinois, il n'oublie pas cependant que tout en Chine, justement, est une construction de l'esprit, une stratification de significations et de conséquences sur les conduites individuelles, une hiérarchisation édictée en préceptes dès longtemps inculqués. Et puis il sait qu'il sera toujours un étranger en Chine, un barbare, même lettré, en Asie : c'est aussi le prix et la condition de l'exotisme et du choc du Divers, de ce qui est autre que soi. Qu'on en soit sûr : Segalen écrit moins sur Pékin (en tant que lieu de la Chine fondamentale et du système impérial) que sur la* représentation *de Pékin.*

Les aspects de cette représentation sont triples, car elle joue sur trois registres différents : celui d'une sensibilité et d'une histoire personnelle, puisque Pékin n'est pas n'importe quelle ville aux yeux de Segalen ; celui d'une culture étrangère qu'il s'agit de comprendre de l'intérieur grâce à l'acuité redoublée de l'« exote[2] *» ; celui d'un*

1. Lettre du 6 novembre 1911 à ses beaux-parents (citée in *René Leys*, édition critique, Chatelain-Julien). Nous soulignons.
2. Dans l'*Essai sur l'Exotisme*, Segalen utilise abondamment ce terme : le vrai « exote » est celui qui ressent dans sa chair l'exotisme, c'est-à-dire le fait de se sentir autre que ce que l'on

cadre permettant d'appréhender un monde différent, relevant davantage de la culture occidentale.

Il joue donc d'abord sur les conditions de sa propre représentation mentale et physique de Pékin, sur son propre souvenir, essayant de ressusciter une période abolie de son existence : car si l'arrivée à Pékin a lieu en 1909, s'il y vit surtout en 1910 — moment où il rencontre Maurice Roy, leur amitié s'éteignant à l'automne 1911 —, le premier jet de René Leys, son premier projet même, ne date que d'octobre 1913. Deux ans sont passés, avec leur cortège de modifications profondes, historiques et intimes (Segalen a, entre-temps, réalisé son œuvre maîtresse, Stèles). L'oubli, jumeau du souvenir, a sans doute effacé plusieurs impressions pékinoises, mais c'est la cohérence interne de l'œuvre, surtout, qui a présidé à certaines évictions, à certaines suppressions, comme celle de l'habitude aimée de monter sur les remparts de la Ville tartare et d'y contempler la capitale étalée : dans René Leys, le regard ne peut pas passer par-dessus le mur et risquer un coup d'œil indiscret sur la Cité interdite, il n'est donc pas question de se hausser sur les toits de la ville. Cohérence y fait loi. Par rapport à l'amitié qu'il vécut avec Maurice Roy même, les choses ont été largement modifiées : là aussi, c'est la logique dramatique de l'œuvre qui décide du sort du personnage — au point de l'immoler à sa toute-puissante vraisemblance —, objet symbolique, poupée de papier, presque poupée vaudou (les « pointes enfoncées un peu partout » sont évitées de justesse dans les dernières séquences).

---

rencontre au cours des voyages, et plus généralement au cours de la vie, et de tirer parti de cette différence dans une sorte de dialogue métaphysique avec ce « Divers ».

Maurice Roy, en un sens, est véritablement sacrifié à René Leys, tout comme le Pékin des années 1910 est métamorphosé en cadre romanesque.

Ensuite, on peut dire que Segalen tire parti d'une deuxième forme de représentation : celle de la Chine vue par les Chinois eux-mêmes. Dans René Leys *abondent les allusions, les citations, les références (tacites, implicites, mentionnées mais non dévoilées ou explicites, toute la gamme y est). La Chine y est moins vue directement, comme un phénomène réel ou même comme un objet culturel et historique, qu'à travers l'écran supplémentaire d'une parole, individualisée ou collective (que ce soit celle de René Leys, de Wang et de Jarignoux, ou bien celle des textes chinois cités, maximes et clichés européens repris en chœur), une parole qui aurait égrené, on ne sait trop quand, le conte mythique d'un âge d'or contemporain. Le narrateur s'y fait toujours un intermédiaire, un transmetteur, un* média *(ou* médium*), puisque finalement son journal ne fait que relater des conversations, c'est-à-dire la parole des autres, qu'il assortit d'un commentaire (d'un monologue ?). On comprend alors que dans ce conte enchâssé, où l'objet est nimbé d'irréalité à force de discours stratifiés, le merveilleux segalénien soit présent, et que tout soit toujours, par force, symbolique, en correspondance systématique et métonymique : à chaque lieu correspond une signification, une implication, un signe du cosmos. Chaque déplacement des pions sur le plan de l'échiquier qu'est Pékin crée un événement, chaque transformation du regard sur la ville instaure un nouvel ordre du monde. Les modifications que subit cette scène transformable scandent d'ailleurs les grandes étapes de l'intrigue : il n'est pas anodin de passer de l'espace pékinois initial, « chef-d'œuvre de réa-*

lisation mystérieuse[1] *», horizontalité fortement délimitée par les arrêts verticaux, véritables frontières, que forment les murailles, où tout est organisé et aimanté autour du milieu, pivot de la ville et des déplacements des personnages qui ne cessent de le contourner, au même espace, mais dont le milieu s'oublie pour ne plus laisser matériellement place qu'à la périphérie, où les personnages se perdent, image même du divertissement (et qu'est Ts'ien-men-waï, sinon justement l'extérieur, la distance et l'éloignement par rapport au Ta-Neï de la Cité interdite, topographiquement et linguistiquement inscrits*[2] *?). Il n'est pas anodin non plus que cet espace plan s'enrichisse soudain d'une profondeur, qui le projette tout d'un coup dans un programme à trois dimensions, à travers la révélation essentielle et initiatique du nom de la Capitale du Nord. C'est ce nom qui semble faire accéder enfin à la chose en soi qu'est Pékin, dans une visée presque cratyléenne et proustienne — « Noms de Pays : le Nom ». Dès lors, l'espace final de Pékin mime la situation des personnages : « tourné bout pour bout », les contraires y dansent un pas de deux et les repères, symétriques, opposés ou parallèles, fondent et se perdent, car l'altérité devient unicité. Le vrai Tao est là : « Un engendre Deux. Deux engendre Trois. Trois engendre tous les êtres du monde*[3] *», un (le narrateur) a cru en*

1. *René Leys*, p. 39. C'est une des expressions fondamentales du roman.

2. *Nei* signifie intérieur (Ta-Neï, *danei* : le grand intérieur, c'est-à-dire la Cité interdite) ; *wai* signifie extérieur (Ts'ien-men-waï, Qianmenwai : le dehors de la porte Qianmen). Ces deux éléments sont récurrents dans *René Leys*.

3. *Tao-tö king* (*Daodejing*), précepte 42. Traduction de Liou Kia-Hway, Gallimard, 1967, coll. « Connaissance de l'Orient », p. 80.

l'existence du monde (sa *Chine), puis, voulant l'atteindre, se retrouve épouvantablement face à soi. Le narrateur croyait parler de Guangxu, mais le roman opère une première substitution, et c'est René Leys qui prend la place de l'empereur fascinant. Puis le dialogue en communion que le narrateur croit avoir établi avec René Leys se change en monologue : mensonge d'une part, doutes et accusations de l'autre. Enfin, l'équilibre entre les deux personnages dissociés s'affaisse lorsque René Leys meurt et que le journal est relu : il disparaît, physiquement et par sa parole fondatrice, puisqu'elle se révèle rétrospectivement n'être que le reflet du désir du narrateur. Lipogramme, que cette histoire construite en spirale autour d'un pivot qu'on croit caché et qui n'est finalement qu'inexistant. Lorsque le deux redevient un, que le narrateur ne peut plus s'éviter, l'espace urbain, l'espace symbolique et l'espace du dedans s'évident brusquement, comme aspirés de l'intérieur, et renvoient à l'ineffable nausée, au grand vertige :*

> Moi, courbé sur moi-même et dévisageant mon abîme, — ô moi ! — je frissonne,
> Je me sens tomber, je m'éveille et ne veux plus voir que la nuit[1].

Espace littéraire aussi car, chose tout à fait remarquable, c'est cette structure par substitution et son tribut d'angoisses touchant au sentiment d'identité (découverte d'un couple, de l'âme sœur, puis brusque privation et retour à la solitude, mais qui n'est plus vécue comme une unicité sereine) qui forme la véritable dynamique de

1. *Stèles*, « Les Trois Hymnes primitifs ».

l'intrigue. La dramatisation n'est pas sous-tendue en effet par la seule structure de récits enchâssés; elle ne vient pas non plus du sort poignant réservé à la famille impériale, à René Leys ou même au narrateur choqué, dans la mesure où presque tout effet de pathétique est exclu du roman. Non, la véritable énergie vient de la montée en tension progressive, qui impose une brusque torsion des perspectives, par effet rétrospectif et rétroactif. La lecture en boucle est imposée de l'intérieur, ce qui accélère le mouvement rotatif et débouche sur une angoisse profonde : qui suis-je, face à l'autre qui est moi ? quelle est la part de réalité de l'autre devant moi ? « est-ce là le dépositaire choisi ? A-t-il perdu la forme de mon âme ? Plutôt, est-ce mon âme dont la forme a gauchi[1] ? »

Enfin, le roman met en place une dernière forme de représentation de la Chine impériale et de Pékin en particulier : celle qu'en ont donnée les prédécesseurs de Segalen, simples voyageurs aux récits bigarrés ou écrivains déjà estampillés. Le narrateur ne cesse de parler de l'attitude des Occidentaux en Chine, qu'il s'agisse de résidents stylisés, typifiés (aurait dit Balzac) et devenus personnages de roman, sur lesquels on s'attarde, comme Jarignoux, ou de petits faits vrais relevant de l'histoire des mœurs : les réflexions des « suiveurs » en sortant de l'audience impériale auprès du Régent, par exemple, ou le leitmotiv de l'épisode du Siège des Légations, fondateur d'une identité collective, donnent un instantané des mœurs occidentales *en Chine. Plus visibles encore, les références littéraires saturent le discours : « l'école du document humain » — c'est-à-dire le naturalisme, école et disciples postérieurs —, Loti, les romans-feuilletons,*

1. *Stèles*, « Empreinte ».

les livres à grande diffusion (trois francs cinquante), sont des allusions constantes dans René Leys. *Il faut alors se rendre à l'évidence : Segalen met sans cesse son roman dans la perspective de la production littéraire française. On est donc bien loin d'un auteur chinois : n'en déplaise à ses détracteurs et à ses* aficionados, *Segalen est un écrivain français, de langue française, écrivant comme tous les autres sur un palimpseste infini formé de toute la bibliothèque culturelle et personnelle dont il hérite ; la Chine en est le sujet — comme on parle d'un sujet de dissertation.*

Le premier écrit français par rapport auquel le roman se situe est un récit de voyage à peu près oublié de nos jours, mais que Segalen connaît bien car c'est son ami très cher, Augusto Gilbert de Voisins, qui l'a composé. Ce dernier y relate leur expédition commune dans la Chine de 1909-1910. Or certains éléments sont communs à René Leys *et* Écrit en Chine, *puisque Voisins y transpose sous forme épistolaire les anecdotes narrées, mises en scène, et rendues saillantes de leur séjour.* René Leys *ne peut évidemment pas apparaître comme un pastiche de ce livre, mais une sorte de compétition, même paradoxale, n'est pas à exclure. Peut-être même certains passages parodiques sont-ils possibles, dans l'épisode de madame Wang par exemple. Cependant,* Écrit en Chine *n'est un point de repère que par son appartenance au genre du récit de voyage, qui forme la grande majorité des écrits sur la Chine, et duquel Segalen essaie de s'écarter constamment, épidermiquement pourrait-on dire :*

> J'ai toujours tenu pour suspects ou illusoires des récits de ce genre : récits d'aventures, feuilles de route, racontars — joufflus de mots

sincères — d'actes qu'on affirmait avoir commis dans des lieux bien précisés, au long de jours catalogués[1].

Loti, surtout, forme le filigrane de René Leys. *Car n'est-ce pas plutôt le roman de Segalen qui retrace, seul, les uniques, authentiques et véritables derniers jours de Pékin ? Pour Segalen, Loti n'est qu'un charlatan, un bonimenteur : il a fait du tourisme colonial en Chine, y a promené son ignorance et a tout retranscrit, à son habitude, dans un livre d'un insupportable égocentrisme. À l'opposé de l'« exote » selon Segalen, bien loin de l'égotisme prétendu, il a tout négligé du Divers, de son plaisir et de son exigence. Or son influence est écrasante, et c'est à travers lui qu'on connaît Pékin en France à l'époque. Injustice criante de l'absence de reconnaissance littéraire, vexation de l'auteur qui se voit dérober un titre sur lequel il a fondé ses espérances*[2]*, amertume personnelle aussi : alors que Segalen, épris de l'empire du Milieu, arrive dans une Chine régie par un faux empereur (le Régent), Loti, lui, est entré et a séjourné dans la Ville impériale et dans la Cité interdite, lors de l'invasion de Pékin en 1900. Arrivé trop tard dans un monde trop vieux, Segalen aurait su voir ; Loti, lui, a étalé sa méconnaissance satisfaite et rassise dans les couvertures de soie jaune. Sacrilège. Évidemment, tout relève encore d'une représentation, celle que Segalen se forme des textes*

1. *Équipée*, première séquence.

2. En 1911, Pierre Loti et Judith Gautier ont fait paraître un livre de circonstance, intitulé *La Fille du Ciel*, qui relevait pour Segalen de la bouffonnerie — une bouffonnerie cruelle cependant dans la mesure où cela discréditait un peu son projet, lui tout à fait sérieux, du *Fils du Ciel*.

et de l'audience de Loti, car dès que l'on se plonge dans Les Derniers Jours de Pékin, *on constate que, si l'exotisme segalénien n'est effectivement pas le propre de son récit, l'esthétique bizarre et fantaisiste n'y est pas tellement développée, et qu'on y retrouve certaines formulations de Segalen, d'ailleurs communes à la plupart des voyageurs en Chine, sur les grandes murailles majestueuses mais antiques, rongées de grandes lèpres grises par exemple.*

Mais le texte caché est, fondamentalement, autre : en 1913, à la naissance du « chantier » René Leys, *selon l'expression de Segalen, il désespère de mener à bien* Le Fils du Ciel. *À lire sa correspondance, on voit que ce livre constituait sans doute son projet le plus important, par le sujet sacré qu'il ambitionnait de traiter sans le déflorer et par la forme typiquement chinoise mais compréhensible de tous qu'il essayait de mettre en pratique. Là encore, ce sont les principes de l'Exotisme qui président à la conception du livre : tout comme* Les Immémoriaux *retraçait l'itinéraire de tout un peuple, dépossédé de sa mémoire, à travers la figure d'un jeune Maori — mais cela par des chemins* intérieurs, *le point de vue, la voix, la* parlure *étant ceux de Terii —,* Le Fils du Ciel *propose une vision, une forme et un style* chinois. *En effet, un historiographe de la Cour mandchoue y tient les annales de la période Guangxu ; le style est donc celui de tout écrit officiel, solennel, contourné et euphémisant ; la vision, celle d'un eunuque employé au Palais, inféodé aux traditions millénaires. Cela donne des textes anachroniques et sinueux, où l'on distingue des flous savants, des pudeurs de formulation, des craintes, transformations d'une réalité violente par le langage — comme s'il avait le pouvoir magique de changer le destin. On y trouve par exemple le récit d'une visite officielle de délégations étrangères au Palais, transposée dans le mensonge officiel : alors que la Chine est exsangue et cède sous les coups répétés des puissances occidentales, l'annaliste continue de parler de pays vassaux, feudataires, barbares, de « Porteurs de Tributs », Angles ou Francs, ignares, insolents et méprisables. D'autres types de textes sont également glissés entre ces pages d'historiographie : des édits impériaux (dans le style des décrets autocratiques), des poèmes composés par l'empereur lettré, « écrits tombés de son pinceau » qui entrent en décalage avec le discours officiel et révèlent les failles d'une magistrale langue de bois qui essaie en vain de les gloser, c'est-à-dire de les désamorcer.*

Le Fils du Ciel *forme un diptyque avec* René Leys *dans la mesure où leurs espaces de lecture sont symétriques et complémentaires : celui du Dedans pour le premier, celui de l'extériorité irréductible pour le second (Orient et Occident,* nei *et* wai *s'y opposent et se supposent comme le* yin *et le* yang*). La temporalité est bien sûr un peu décalée, puisque Guangxu meurt avant que le narrateur de* René Leys *arrive à Pékin, mais cette relation de continuité temporelle est un trompe-l'œil : l'effet de miroir, de « retournement bout pour bout », est premier. Prisonnier du Dedans, le Fils du Ciel appelle le prisonnier du Dehors ; à la majesté impériale des jours souverains doivent répondre en écho les gauloiseries récurrentes et quotidiennes de* René Leys. *Au Milieu et au sacré de la majesté impériale correspondent la périphérie de Ts'ien-men-waï (où finalement la majorité du roman se déroule) et le mauvais goût (soirée de la maison de thé et des « délices temporelles », conversations concernant la concubine ou l'amante impériale de René*

Leys, le narrateur ne s'interdisant vraiment aucun mauvais jeu de mots). Même les mots jouent du retournement bout pour bout, du palindrome, et René Leys, qui prend la place de l'Empereur, a le nom graphiquement inversé du Fils du Ciel : LEYS, SYEL, CIEL, *la boucle est fermée. Le mythe impérial mis à bas, désacralisé, rendu piteusement humain, met en lumière un procédé d'écriture presque burlesque, un blasphème libérateur et iconoclaste, personnel et littéraire.*

La composition, si l'on y pense, est d'ailleurs assez musicale, dans René Leys. *Les divers paramètres entrent dans la danse et tourbillonnent, et tout est sous-tendu par un réseau serré de formules récurrentes et de périphrases homériques qui apparaissent comme des thèmes, toujours associés à tel personnage ou à telle situation : Wang et son parapluie confucéen, Jarignoux et sa double carte de visite envahissante, René Leys et ses yeux voilés d'une* certaine *voix au timbre de fer. En outre, l'ordonnancement des épisodes, en sonate ou en fugue, entame et reprend les mêmes éléments à loisir, chaque fois modifiés sur un détail mais tout à fait reconnaissables, dans une esthétique de la variation répétitive qui relaie minutieusement toutes les étapes jusqu'à la chute, ensemble métamorphosé en accord majeur.*

Le point commun de tant d'aspects très différents de René Leys *est que le roman réinterprète et réoriente systématiquement tous les éléments repérables dans le détail de sa composition. Par le choix du sujet chinois, il postule une connaissance de l'Extrême-Orient, savoir encyclopédique complexe mais aussi mythographie des voyageurs — cette connaissance étant actualisée par l'expérience* hic et nunc *de l'exotisme « interloquant » des rencontres, au jour le jour, et par les rêveries proprement segaléniennes. Par l'inscription dans la Chine de 1911, il crée un cadre romanesque qui est compris à la fois comme une référence externe à l'histoire chinoise (qu'elle soit mythe culturel ou avènement brutal de la modernité) et comme une logique interne qui ne doit de compte qu'à la vraisemblance, c'est-à-dire aux seules lois de la fiction. Par la* dispositio, *enfin, se mêlent les intérêts d'une dynamique dramatique particulière et les procédés récurrents du genre musical.*

Théoricien autant que praticien, Segalen a de longue main réfléchi aux implications du genre romanesque[1], *comme des autres formes de la littérature (poésie, rythme et typographie dans* Stèles*; poésie, prose et art mimétique dans* Peintures*; récit de voyage, art poétique et essai dans* Équipée*). Au gré de ses œuvres narratives et romanesques, il propose, en acte, une nouvelle poétique du roman. Porté par un certain nombre de préoccupations qui se retrouvent chez les romanciers de sa génération — Proust, Gide, Joyce — et de celle d'après — Butor un peu (celui de* L'Emploi du temps*), Pérec peut-être (*La Disparition, *qui tourne aussi « à vide » par effet de lipogramme,* La Vie mode d'emploi, *qui construit aussi un puzzle) —, il nous offre un récit mené par un seul narrateur qui nous plonge, par la forme choisie du journal intime, dans le monologue intérieur et sans fin que se donne à elle-même une conscience, une subjectivité. Le résultat, d'une cohérence narrative à toute épreuve, atteint pourtant les limites du vertige au moment de la chute. Chaque pièce du puzzle*

1. Voir, dans l'annexe I, *Sur une forme nouvelle du roman ou un nouveau contenu de l'Essai.*

patiemment construit par le narrateur myope et lucide à la fois, bénévolement suivi (quelquefois précédé) par le lecteur, a rejailli sur la suivante avec malice et a fini par distordre le cadre si rigide de la fiction.

Penseur de l'exotisme philosophique et quotidien, Segalen instaure avec René Leys *quelque chose d'un exotisme littéraire — et non d'un ésotérisme — qui surprend et brouille les itinéraires habituels. La lecture en est parfois râpeuse, « grinchue », dit le narrateur, le thème impérial peut apparaître, en définitive, comme un pauvre casse-tête chinois (mais pourquoi supposer que toute œuvre implique le sérieux, il est possible que* René Leys *ne soit au bout du compte qu'une mauvaise plaisanterie), le labyrinthe peut sembler semé de faux-semblants déroutants, le jeu de piste paraître peu explicite, mais il n'est pas si courant de pouvoir, avec les délices du lecteur, laisser « par un lacis réversible égarer enfin le quadruple sens des Points du Ciel*[1] ».

SOPHIE LABATUT

1. *Stèles*, « Perdre le Midi quotidien ».

René Leys

À sa *mémoire*[1]

大丙

Pei-King, 20 MARS 1911[1] — Je ne saurai donc rien de plus. Je n'insiste pas : je me retire… respectueusement d'ailleurs et à reculons, puisque le Protocole le veut ainsi, et qu'il s'agit du Palais Impérial ; d'une audience qui ne fut pas donnée, et ne sera jamais accordée…

C'est par cet aveu, — ridicule ou diplomatique, selon l'accent qu'on lui prête, — que je dois clore, avant de l'avoir mené bien loin, ce cahier dont j'espérais faire un livre. Le livre ne sera pas non plus. (Beau titre posthume à défaut du livre : « Le Livre qui ne fut pas ! »)

J'avais cru le tenir d'avance, plus « fini », plus vendable que n'importe quel roman patenté, plus compact que tout autre aggloméré de documents dits humains[2]. Mieux qu'un récit imaginaire, il aurait eu à chacun de ses bonds dans le réel l'emprise de toute la magie enclose dans ces murs, … où je n'entrerai pas.

On ne peut disconvenir que Péking ne soit un chef-d'œuvre de réalisation mystérieuse[3]. Et d'abord, le plan triple de ses villes n'obéit pas aux lois des foules cadastrées ni aux besoins locataires des gens qui mangent et qui peuplent. La capitale du plus grand Empire sous le Ciel a donc été voulue pour elle-même; dessinée comme un échiquier, tout au nord de la plaine jaune; entourée d'enceintes géométriques; tramées d'avenues quadrillées de ruelles à angles droits, et puis levée d'un seul jet monumental... — Habitée, ensuite, et enfin débordée dans ses faubourgs interlopes par ses parasites, les sujets chinois. — Mais le carré principal, la Ville Tartare-Mandchoue fait toujours un bon abri aux conquérants, — et à ce rêve :

Au milieu, — dans le profond du milieu du Palais, un visage : un enfant-homme, et Empereur, maître du Sol et Fils du Ciel (que tous les mondes et les journalistes du monde s'entêtent à nommer « Kouang-Siu[1] », qui est la marque du temps où il régna, — c'est-à-dire, après J.-C. de 1875 à 1908 —). Il vécut, vraiment, sous son nom de vivant mais indicible[2]... *Lui,* — et ne pouvant dire le nom, je donne au pronom Européen tout l'accent incliné du geste mandchou (les deux manches levées par les poings réunis jusqu'au front baissé) qui Le désigne... Lui demeure la figure et le symbole incarné du plus pathétique et du plus mortel des vivants. — On lui réserve des actes impossibles... et c'est possible qu'il les ait bonnement commis. Je suis sûr qu'il est mort comme personne ne meurt plus : de dix maladies toutes naturelles, mais avant tout de cette onzième, — méconnue, — qu'il fut Empereur; — C'est-à-dire la victime désignée depuis quatre mille ans comme holocauste médiateur entre le Ciel et le Peuple sur la terre[1]...

... et le lieu de son sacrifice, l'enclos où l'on avait muré sa personne, cette Ville violette interdite, — dont les remparts m'arrêtent maintenant, — devenait le seul espace possible à ce drame, à cette Histoire, à ce livre qui sans Lui, n'a plus aucune raison d'être...

J'ai pourtant donné tous mes efforts à recueillir sa Présence, à rejoindre au dehors toutes les échappées rétrospectives du « Dedans[2] ». Je comptais pour cela sur la pénétration professionnelle des médecins de nos races européennes. Ils sont là, campés au long de la « Rue des Légations[3] », juste au débouché des égouts palatiaux, prêts à s'introduire par toutes les fissures, et, sitôt dans la place, prêts à mordre confraternellement celui qui entrera. Un jour, c'est au médecin de tel pays que l'On s'adresse, et la Légation de tel pays se glorifie dès lors d'être en charge, seule en charge de Leurs Impériales Santés. — Deux ou plusieurs Docteurs en Pilules se flattent à la fois d'être seuls appelés, consultés, au dénigrement exclusif de tous les autres. Et ils se regardent sans rire. C'est par eux que j'étais descendu à passer... J'avais peur de me heurter au secret médical. Ils n'ont livré qu'indiscrétions professionnelles... Leurs rapports sont faits du même papier, des mêmes grands mots hygiéniques dont ils affublent et condamnent n'importe qui de leurs clients bourgeois ! Ils ont certifié que Lui, l'Unique, était suspect de tares infantiles, de celles qu'un vulgaire rejeton peut rejeter sur ses parents... Ils ont conclu à de la dé-gé-né-res-cen-ce... Bref, que le Fils du Ciel languissait d'un mal... héréditaire ! ! !

Repoussé par la sacrilège ignorance de mes compatriotes, je me suis retourné vers les Eunuques indigènes. C'est une autre confrérie, aussi honorable, mais plus fermée. N'entre pas qui veut : on exige d'abord le diplôme. Les fonctions sont toutes restrictives, avec certains amendements. C'est ainsi que la paternité est permise dans les hauts grades, et les trahisons partout.

J'ai tenté de soudoyer quelqu'un de ces personnages. Le résultat n'a pas équivalu la dépense : je possède des anecdotes éculées dont la presse locale avait déjà nourri ses colonnes ; et vraiment, je n'ai levé aucun secret d'alcôve. Je n'en veux pas à mes Eunuques : au Palais, l'alcôve, définie avec rideaux et ruelle, n'existe probablement pas.

Restaient les médecins chinois. Munis de recettes étrangères, mais fidèles à la pharmacopée autochtone, ils sont très fiers de leur redoutable savoir à deux tranchants. L'un des meilleurs, après un bon dîner de cuisine justement mi-partie Française et Pékinoise, a bien voulu me raconter chez moi — me mimer... me faire toucher cette scène : une consultation au beau milieu du Palais. Le consultant est à genoux, sur le sol, la tête inclinée après trois fois trois prosternations[1]. L'Empereur, et la terrible vieille Douairière, sont assis plus haut que tous les regards. Le consultant, interrogé, n'ose plus que dire. On le force de parler. Il a très respectueusement demandé « de quelle partie du Précieux Corps souffrait injustement la Personne Ineffable... »

L'Auguste Vieille répondit pour Lui « que les humeurs s'agitaient sous Sa peau... »

Le consultant a conseillé très respectueusement quelque chose. Il ne sait plus quoi (certes, pas une drogue étrangère ! — on l'eût accusé de traîtrise, d'empoisonnement, — encore moins une poudre chinoise ! — puisqu'on l'appelait pour son savoir étranger !)

Il se souvient exactement de cette impression personnelle :

— La tête ne me semblait pas très solide sur les épaules...

Il l'a gardée. Je le félicite. C'est tout.

C'est tout. Abandonner la partie ? Je m'accorde une chance dernière de pénétrer dans le « Dedans ». C'est de m'adresser à son langage, le dur « Mandarin du Nord » ; — de me passer désormais de tout entremetteur, de tout eunuque, et d'attendre l'occasion directe qui me permette...

De dire, ou de faire... quoi ? Je n'en sais rien. À tout hasard je m'agrippe à cette chance et je m'en prends avec une désespérante énergie à ce vocabulaire « Kouan-houa ». On dit communément qu'il faut consacrer de l'enfance à la vieillesse avant de pouvoir écrire et composer comme un bachelier provincial, c'est possible. De fait, cela se profère avec facilité. J'ai conscience de mes prouesses. — Je parlote, je parle, — je dis... déjà n'importe *quoi.* Je ne sais qui je dois féliciter : de moi, de la langue, ou de mon professeur ? Contre toute logique, en pleine Chine, j'ai choisi pour vieux magister un étranger, un Barbare non lettré, et, qui mieux est, un jeune Belge ! Son étonnante facilité à *tout* apprendre, et peut-être à tout enseigner, m'a beaucoup plu. Officiellement, il tient, à l'École des Nobles, une chaire « d'Économie Politique ». Partout ailleurs ceci m'inquiéterait... Mais il est convenu que pour mieux nous entendre nous ne parlerons que Chinois.

Mon professeur s'étonnerait fort du but véritable à mes entretiens avec lui. C'est le bon fils d'un excellent épicier du quartier des Légations. Je ne l'ai point connu près des balances paternelles. Mais il parle avec un tel respect de son père, du commerce, de la famille, des « économies », des domestiques, des voitures, des chevaux, et des principes de son père, — qu'on voit qu'il n'a manifestement aucune idée qu'il puisse être possible de mener à Péking une autre vie que celle de son père... — Littéraire, il relit Paul Féval.

Si j'en arrive là... où je désespère d'atteindre, — il sera le premier surpris de mon succès, — épouvanté de sa part à mon succès... improbable, ai-je déjà écrit. — C'est un bon professeur. Je l'engage pour un mois de leçons encore. Et, d'avance, je déclare renoncer à tout.

X… — C'en est fait. Je n'ai plus *un* professeur de Pékinois, mais deux. C'est arrivé malgré tout, et je pense devoir m'en réjouir. Ce brave homme m'a fait une imposante impression. Je me reprends à espérer. Si je trouvais par lui mon vrai chemin vers le « Dedans » ! — Oh ! c'est par la plus petite porte, et de service, et qui touche presque aux cuisines… Elle m'est ouverte moyennant (car tout se paie ici) la modeste somme de dix taels[1] d'argent par mois, et le temps, perdu ou gagné, d'une heure et demie quotidienne.

Ce vrai « lettré » s'est offert sous les espèces d'un petit homme sans âge, aux jambes courtes, — et la figure pleine de politesse penchée vers la terre. J'ai remarqué son étonnant parapluie, sans âge aussi, et sans bout. Il m'a présenté, — tout comme un marchand de pierres authentiques de lune et de topazes fausses à Colombo, — un lot de cartes de visite Françaises, et défraîchies. Des compatriotes à moi avaient expérimenté son savoir et le déclaraient étendu ; sa méthode claire ; sa patience longue… enfin, un fidèle attachement pour les

Français, depuis l'époque de sa vie où, compromis dans les affaires des Boxers[1], et entraîné soudain vers le catholicisme, il avait, pour cette raison même, trouvé asile auprès de nous.

Viendrait-il, de nouveau, me demander asile ? Tout est si calme dans ce Péking d'à présent !

Il ignore tout de ma langue. Je lui émets sans pudeur les quelques mots retenus de la sienne ; et je crois bien avoir compris, grâce un peu à l'intervention de mon boy : qu'il a longtemps professé le Mandarin du Nord, le « Kouan-houa », dans une école de policiers au service du Palais ; — qu'il devait cette charge à des parents de sa femme qui est Mandchoue et « suivante du huitième rang » de la Septième Concubine durant la période Hien-Fong[2]... (Second Empire ! voilà qui ne rajeunit pas !) Quant à lui, c'est un « Chinois des Bannières », le descendant de ces vaillants fils de Han, ralliés précocement aux Mandchous[3], et qui trouvèrent opportun de servir avant tout autre, les Conquérants. — Des confidences encore, que je ne puis garantir exactement traduites... Mais je suis certain de ceci, qu'il enseigna dans la Police intérieure du Palais... Il a même ajouté quelque chose comme « secret ».

C'est vraiment pénétrer par la plus basse porte ! Je tiens à entrer. Je fais donc bien en le priant, sur l'heure, de m'accorder ses conseils. Afin de ménager une susceptibilité, que je lui attribue, comme à tous ses compatriotes, sur la foi des miens, je décide d'éviter qu'il rencontre chez moi mon premier professeur, le petit Belge. J'ai lu tant de choses sur l'exquise défiance de ce peuple... chinois !

Un pas de plus, et je congédierais le petit Belge ?

Non. Il suffit qu'avec mensonge et politesse j'explique la présence de ce dernier chez moi. Il remplira une fonction anodine, ... il sera mon secrétaire... ou, plus commodément, mon « ami ». C'est fort bien. J'ignore en chinois comment s'énonce « secrétaire », et j'use depuis longtemps, à tort et à travers, de l'épithète avantageuse d'« ami ».

Mais, plutôt, j'éviterai qu'ils se rencontrent. D'abord ils se parleraient entre eux à mon nez, avec une facilité que j'envie, des tournures qui ne sont point d'un commençant : une véritable sténographie verbale qui m'irrite. Et puis, mon Belge pourrait bien poser des questions à mon Chinois des Bannières sur ses fonctions, — ses fonctions professorales dans une école du Palais ; — une école de Police... Oui, maintenant je suis bien sûr d'avoir compris : « Police secrète ». Et la discrétion s'impose ici, évidemment.

Évidemment, ils ne doivent pas se rencontrer chez moi.

X... — En revanche, voici un nouveau venu que je puis sans crainte présenter à mes futures relations chinoises, voire Mandchoues. — Et d'abord, il s'est présenté lui tout seul, à moi, au moyen d'un carton à double face. Du côté « chinois », j'ai pu lire avec fierté l'un des trois caractères de son nom, le plus gros de ses titres : « fonctionnaire au Ministère des Communications[1] » ; — et, sans hésiter, son adresse compliquée qui d'ailleurs, à un point cardinal près, est la mienne. Nous habitons la même ruelle, le même « hou-t'ong[2] » ; lui, « porte nord » ; la mienne, alignée au sud. Nous sommes voisins. C'est à ce hasard que je dois sa visite. De ceci je ne retiens qu'une chose : cet homme est « quelque chose » au Ministère des Communications !

Alors, je m'inquiète de le faire asseoir. Il l'est déjà ; il s'ébroue ; il se déboutonne : — Voilà, il est heureux de « dénicher » un Français qui semble s'intéresser aux Chinois... Il répète :

— Monsieur, c'est rudement rare ici !

— Pardon, les Français ?

— Non, les gens qui s'intéressent aux Chinois. Quand je vous ai vu nous débarquer dans ce quartier excentrique, et louer une maison par ici, tout près de l'Observatoire[1], j'ai compris que vous compreniez la Chine.

— Si vite ?

— Moi ! Je suis ici depuis tantôt dix ans et trois mois.

— Et trois mois. Vous les comptez ?

Il déclare avec suffisance :

— Eh bien ! C'était nécessaire ! C'était bien nécessaire ! — Indispensable pour mes opérations.

Je n'ai aucune envie d'en connaître le chiffre. Il poursuit :

— Voyez-vous, je prétends qu'on ne peut traiter avec les Chinois qu'à la chinoise. Par ailleurs vous perdez votre temps... Ils se méfient de vous... vous n'obtenez absolument rien d'eux...

J'en sais, moi, quelque chose.

— J'ai fait autrement. J'ai fait comme vous. Ainsi, je suis venu d'abord habiter comme vous la Ville Tartare. J'ai mes domestiques, payés à la chinoise, 3 dollars. J'ai des mules, — pas des chevaux ! — ma charrette chinoise ; — il ajoute familièrement :

— J'ai mes femmes.

Ceci ne m'éblouit pas. J'ai tâté, j'ai goûté aux parèdres femelles que Péking, Capitale du Nord, met à portée de ses hôtes de marque ou de passades... Juste au nord du quartier des Légations... Ce monsieur m'en propose sans doute...

— Je viens d'en épouser une.

— Vous…

Je relève la tête. Le regard du nouveau marié reluit d'honnêteté satisfaite. Mille excuses, d'avoir songé à du proxénétisme… Je termine :

— Vous en épousez une seule ?

— Une, d'abord, une femme en titre. Les autres ne seront que mes concubines.

Je ne sais trop s'il faut absoudre ou envier, féliciter… Il coupe :

— C'était indispensable pour ma situation de « fonctionnaire » et surtout mes contrats d'entreprises…

Voilà qui m'en impose. Qui sait ! le voisin me paraît être en bonne voie dans la pénétration chinoise. Il ira loin ! Il doit connaître déjà bien des accès… Je lui…

On frappe. C'est l'heure Belge de la leçon. Le boy introduit tout naturellement et tout droit l'arrivant, puis demande après coup si « le Professeur Étranger » peut entrer. Naturellement ! — Rien n'est plus simple que de présenter au passage… Monsieur… — Tiens, j'ai omis de me souvenir du nom exact de… « mon petit Belge » — son nom de famille, voyons ! son nom d'épicier !… J'escamote et je conclus : « Professeur à l'École des Nobles ». Puis, relisant à la dérobée le verso Européen de la carte de l'autre : — … et Monsieur… Monsieur Jarignoux, fonctionnaire au Ministère des Communications.

Et je saisis deux personnages bien différents ! — Malgré ses origines, le jeune Belge est mince et brun, d'une étrange peau mate et il daigne à peine ouvrir des yeux qu'il a fort beaux sur le fonctionnaire, court et blond, gras et vif et rose, malgré les quarante-cinq années que portent ses bajoues et ses rides. Ils se sont tendu la main. Ils se croisent. Je reconduis pompeusement le fonctionnaire — qui se retourne et désignant l'autre à mi-voix :

— Vous connaissez ce garçon ?

— Et vous-même ?

— Moi ? Oh ! pas du tout. Pas du tout.

Et il me promet de revenir, de voisiner, de m'aider dans ma « compréhension » chinoise.

La porte se referme à deux battants, les loquets de cuivre tintent. Je rentre et, à mon tour :

— Dites-moi, vous avez déjà rencontré ce « monsieur » ?

— Oui, je crois l'avoir vu chez mon père.

Et, avec un dégoût pudique assez amusant dans sa bouche jeune et bien faite :

— On prétend qu'il a des femmes chinoises.

— Eh bien ?

— Voulez-vous que nous nous mettions au travail ?

— Oui... Oui... c'est vrai... Il m'a annoncé son prochain mariage... Mais, j'y pense : comment diable un Européen peut-il « épouser » légalement une Chinoise ? Je croyais la chose interdite...

Mon professeur se détache du texte qu'il feuilletait avec beaucoup trop d'attention, et prend un air de mépris trop sérieux dans un visage aussi frais.

— C'est qu'il est « chinois » !

— Non ! vous ne l'avez pas... regardé, mon cher ! Blond roussâtre, avec des yeux ronds et gris et un accent ! et un nom : Jarignoux, voyons ça ne trompe pas ! C'est du bon terroir de Picardie.

Mon professeur accentue son mépris :

— Il n'est plus Européen. Il s'est fait naturaliser Chinois, il y a deux mois et demi, tout juste : il lui fallait ses dix ans de séjour.

Mon professeur prend un air si désapprobatif que je renfonce ma curiosité. Il est bien loin de la vie chinoise, lui, de la « pénétration » chinoise ! Je le laisse entendre :

— Et ça ne vous a jamais tenté ? Quand on parle pékinois comme vous le faites ! Vous...

— Moi ?

Ses yeux s'allument :

— Moi ? Non. Jamais.

Il se remet et me lance de force au travail.

Les caractères tremblotent un peu. Je songe ailleurs. Sans doute, une naturalisation pleine et entière à la Chine ne va pas sans de graves inconvénients. On voit aussitôt ce que l'on perd : ces prérogatives d'étranger qu'il n'est pas bon de mordre ou de toucher... On relève désormais de la justice chinoise. On peut être dénoncé, destitué, découpé, décapité, avec une prestesse et un doigté que la procédure Européenne ignore. Les injustices ne sont peut-être pas plus fréquentes... mais moins réparables. Il y a aussi la cangue[1], supplice incommode que j'ai vu bien décrit dans les journaux illustrés d'Occident.

Enfin, ne prenons de son abjuration que les avantages, et les miens. Monsieur Jarignoux est mon voisin, et sujet chinois. Je peux donc, en évitant ses avatars, participer (peut-être) à sa récolte.

Il me fera des relations. Il me présentera à ses néo-concitoyens, — ceux-ci à de hauts fonctionnaires; à des conseillers du trône... à des Princes du Sang...

Décidément le Palais s'ouvre. Mais les colonnes de caractères bien alignés sur la feuille, tremblotent toujours et s'impatientent pour moi. Je n'écoute plus le commentaire et la voix Belge, bien monotones. Je n'y tiens plus. Il fait encore deux bonnes heures de jour.

Je vais, pour la vingtième fois, m'en aller suivre et toucher de près ce carré de murailles dont l'accès, d'un bord ou de l'autre, me sera permis... je n'en doute déjà plus.

Je congédie mon Professeur.

— J'ai un peu mal à la tête... Je m'en vais prendre l'air... près de l'Observatoire... Il y a là un pan de terrain vert et boisé, encastré dans l'angle sud-est de la Ville tartare, et tout à fait... Comment, vous ne connaissez pas?

— Moi, je rentrerai à la maison. Mon père a besoin de moi de bonne heure aujourd'hui.

Je le quitte avec allégement. C'est le bon fils d'un fort bon épicier.

Et me voilà, tournant juste le dos à l'Observatoire et au « coin Sud-est », approchant au grand trot de mon but, la Ville Impériale, qui contient la Cité Violette Interdite, le « Dedans ». Je vais, pour la dixième fois, l'assiéger, l'envelopper, tenter le contour exact, — si possible au ras des murailles — circuler — comme le soleil au pied de ses remparts de l'est, du sud et de l'ouest, — achever — si possible — le périple rectangulaire en m'en revenant par le nord.

J'ai esquivé la chaussée trop propre et trop dure aux sabots de la Rue des Légations. Et me voici, coupant l'axe magnétique et impérial, juste au Sud de la porte initiale. Moi, face à l'Ouest, j'ai sur ma droite la Porte Dynastique du Palais, Ta-Ts'ing-men, la porte de la Grande Pureté. Je la salue respectueusement du regard ; — triple et basse, peinte d'une ocre violette — comme l'enceinte entière, avec de grandes lèpres grises dont l'enduit ancien est tombé. Elle est dominée au sud par Tchang-Yang-men, la Porte Droite au Midi, que tous les gens de la Ville appellent familièrement « Ts'ien-men » et qui marque, sous son tunnel, l'échange entre les deux mondes[1] : extérieur, l'empire chinois *« Ts'ien-men-waï »*, avec ses plaisirs, ses tributs, ses bombances, et l'autre restreint, cerclé, emmuré, Ts'ien-men-nei, la cité intime et, en son milieu, le Dedans. Je ne passerai point Ts'ien-men-waï !

Je chevauche, assez pensif, au milieu d'une foule adroite à m'éviter, sur des dalles archaïques effondrées, usées et vénérables, striées de tours de roues ferrées de clous... et j'entame ma randonnée autour de tout le mur interdit que je laisse continûment sur la droite.

Vers l'Ouest, il est déconcertant. Il lui faut d'abord se modeler sur le contour des Lacs. Il n'a pas cette carrure rectangulaire de son pan Oriental. On devine à ses retraits la figure des jardins qu'il protège[2]. Par-dessus la crête, il passe des cimes d'arbres, des frises de toits vernissés de bleu et de jaune... Le nez en l'air, je laisse mon cheval longer exactement le fossé.

À gauche, une haute bâtisse chinoise, paradoxale de hauteur si proche du Palais, dont ma route seule la sépare. — Je reconnais, au linteau de sa porte, une grande inscription arabe : c'est une mosquée.

C'est vrai ! Il y a, malgré les entretueries et les persécutions historiques, — il y a bon gré mal gré vingt millions de sujets musulmans, ralliés de force et depuis peu, à l'Empire.

Cette mosquée domine assez curieusement la crête du mur impérial. Elle observe, avec une obstination impunie... Elle risque jour et nuit depuis combien de temps le regard que je voudrais donner... le coup d'œil *par-dessus le mur...*

Juste en face, — comme pour la justifier ou se défendre d'elle, un monticule irrégulier, bossué de gazon, se lève, de l'intérieur du Palais, dépasse le mur, et se coiffe d'un Kiosque, à grande inscription chinoise, très élégant sous ses tuiles bleues.

Et la mosquée et le Kiosque, juste de niveau, se font face à travers ma route, se contemplent ou s'opposent de leurs visages plats sous les sourcils sombres des toits froncés à la chinoise...

Ils s'épient. Ils se contemplent. Le Kiosque interroge de toute sa façade classique et officielle la tour mahométane insolite... à travers la seule largeur de ma route...

... Maintenant, ayant tourné d'un angle droit, sur ma droite, je remonte vers le nord, au galop dans la longue allée, feutrée de poussière, très douce aux foulées ; un galop rectiligne tiré du sud au nord, au cordeau, par la ligne de la muraille. — Là devant, petite au loin, la porte de Si-houa-men[1] grossit sur place à chaque allongée sans que rien change autour de moi, tant le mur est « conforme », méticuleux, exactement levé sur un millier de grandes allongées...

Je remets au pas, tourne à l'Est, et franchis la Porte. Me voici dans la Ville Impériale, l'habitat maintenant ouvert à tous les premiers conquérants[2]... mais proche, sans autre chose qu'un dernier mur interposé, des Palais, du Dedans, du Milieu. Précisément, par-dessus ce mur, de grandes choses grises et jaunes et bleues, dépassent de nouveau le faîte et souffrent d'être vues : des crêtes de temples, des faîtes de magasins du Trésor, des Palais à deux étages, et le gros bulbe ventru de la « Tour Blanche » qui impose ici sa panse empruntée, son corps de « Stupa » bouddhique, sa personnalité hindoue[3]... Assez jeune ! Auprès des quatre mille ans d'Âges chinois et de culte authentique « du Ciel », la piété qui la gonfle apparaît vraiment comme sa forme, un peu... « art nouveau ».

Et puis, elle m'irrite. C'est une étrangère au Palais. Bien pis ! c'est une infidèle ! Et sa place n'est pas là ! — Le nez en l'air, retourné, sans la perdre de vue sur ma selle, je contourne la longue sinuosité de murailles dont elle fait le centre... Je laisse aller le pas... La route est libre, d'ailleurs. Je suis seul Européen. Les brouettes chinoises s'écarteront.

La Tour Blanche a disparu. Je rassemble mon

cheval, qui pointe : à dix pas devant nous, il y a un autre cavalier, et Européen, — en difficultés avec sa bête. Au beau milieu de la route, — qui est pourtant libre, — il piétine des quatre sabots. Son cheval est assez vif, mais je n'aperçois rien qui l'effraie. Alors, le cavalier est un nerveux ! Au lieu de calmer sa bête, il se déplace à tort et à travers : il regarde autour de lui les murs, de haut en bas, — puis, à sa droite, un parapet… — la route passe à cet endroit sur un talus qui fait le gros dos… il cherche… — enfin jusque sous les sabots de son cheval. Il se redresse : tiens ! C'est mon Professeur[1].

Je suis pris en faute. L'« Observatoire » et le « Pavillon d'angle[2] » sont tout juste à une lieue d'ici — et, qui plus est, à l'opposé diagonal du point géographique où nous nous rencontrons ! Mais, lui-même ?

Il me salue très poliment, sans étonnement et sans honte. Son cheval est calmé tout d'un coup et prend naturellement la direction et l'allure du mien, comme s'il pointait à la même écurie. J'hésite un peu :

— Vous ne m'aviez pas dit que vous montiez à cheval.

— Oh ! je fais sortir les chevaux de mon père.

— Il me semble un peu « sur l'œil » celui-là ?

— Il a peur de tout. Il m'a jeté par terre huit fois.

— Pourquoi le montez-vous ?

— C'est le plus amusant…

Au même instant, le cheval a volté, s'est jeté sur le mien, puis sur moi, les lèvres démasquant un furieux râtelier... Il glisse fort à propos sur une dalle, fait deux caprioles[1], reçoit une magistrale volée, et, tout en reniflant, daigne se tenir tranquille. J'ai été fort bousculé. Mon Professeur, droit en selle, excuse sa bête...

Je dis :

— Avez-vous remarqué comme la route sonnait creux ?

— Non... Ah ! oui, peut-être... C'est un égout du Palais...

— Un égout... ou un aqueduc ? Au fait, par où les eaux des trois lacs entrent-elles au Palais ?

Il n'en sait rien. Il ne sait rien du Palais, sauf tout ce que « les gens » en connaissent... l'extérieur, le crépissage. Je lui propose de rentrer avec moi.

— Par le Nord ?

— Par le Nord, si c'est possible.

Je me suis perdu une ou deux fois sans arriver à contourner le ras des remparts.

— C'est possible. Excusez-moi...

Il passe devant et s'engage dans un lacis de ruelles. Voilà que le mur se poursuit de tout près ; avec des à-coups ; — on le perd, on le rattrape, on s'en écarte, on le rejoint à travers des places vagues encombrées de fumiers et d'enfants. L'itinéraire que je croyais constant à angles droits dans la grande Ville échiquière, prend le dessin d'une marche du cavalier.

Mon Professeur conduit grand train, avec des ralentis placés juste pour prendre au trot serré les tournants étriqués par les ruelles... Il est certain que ce chemin suit de tout près, et bien mieux que je n'osais le faire, la Grande Enceinte Interdite, que l'on toucherait, par moments, à travers le fossé rétréci. Enfin, nous débarquons au plein Nord du Palais.

C'est un point qui m'est familier ; mais vraiment par un tout autre accès : les grandes avenues carrossables ! Saurais-je m'y reconnaître ? Voilà bien la « Montagne de Charbon[1] » : nous allons passer entre elle et tous les corps de bâtiments du Palais proprement dit.

Mon Professeur désigne le tertre couronné de cinq Kiosques, — le point culminant, — et dit :

— C'est ridicule ! tous les Européens l'appellent « Montagne de Charbon ».

— Eh bien ?

— Eh bien, c'est ridicule. Le vrai nom, c'est « Montagne de la Contemplation ».

Je jauge une bonne fois le mamelon, — peut-être artificiel, — couronné des cinq Kiosques, fort élégants, et qui accrochent là-haut quelques jeux de soleil attardé...

Et je dis avec regret :

— Évidemment. On doit pouvoir contempler de là-haut toute la ville Tartare, — même la ville chinoise... et, quant au Palais, y plonger comme si...

— Non, coupe nettement mon Professeur. Le toit du Kien-tsin-tien[2] est gênant.

Je le regarde. Il n'a pas changé. Et pourtant il sait qu'il y a dans le Palais un Kien-tsin-tien ! Dont il sait que le toit, vu de là-haut, empiète sur l'horizon du Sud ? Alors...

— Vous y êtes monté ? On peut y monter ?

— Non, reprend-il. Je le sais par un de mes élèves qui est neveu du Prince Lang[1].

— O Oh ! Vous éduquez des neveux du Prince ?

— Évidemment, à l'école des « Nobles » !

Il rassemble ses rênes. Je l'arrête.

— Restons au pas. Laissez-moi regarder au Sud vers le Palais, par-dessus les parapets.

Je me dresse haut en selle. Les fossés du Palais sont pleins jusqu'aux lèvres comme une vasque abreuvée de pluies, d'une eau dense, nourrie de limons et de sèves ; d'une eau couleur de plomb, sans rides, et qui porte lourdement, — comme une laque embaumant ses profondeurs, des cernes de larges feuilles rondes d'un vert très doux : les lotus du Palais vont éclore... Sans une ride dans cette eau, les pavillons aux toits jaunes miroitent ; et je vois la denture renversée de leurs créneaux à deux marches... L'eau porte sans crever tout ce poids immobile et tout ce moment crépusculaire d'une densité qui me pèse.

Mon Professeur attend un peu plus loin ; immobile, poli. — Il ne sent rien de l'étonnante beauté de l'heure. Il ne sent pas que ces reflets dans l'eau visqueuse, ces affleurements de choses sourdies du profond inconnu de la vase se manifestent là tout exprès, par justice du Ciel, pour figurer à la fois la beauté secrète du Dedans, et sa contemplation impossible. Ces passions murées, ces vies dynastiques... j'en saurai sans doute moins que du bourbier de cet étang la seule révélation de ses fleurs... et quelques bulles fétides...

J'ai cependant besoin de me confier. L'heure est trop lourde : et il est là. Après tout, ce garçon m'a précisément livré le nom très à propos de la « Montagne d'où l'on contemple »... Je me rapproche de lui. Je désigne d'un coup d'œil le Palais, les fossés, l'eau dormante, la nuit, l'heure enfin... Et je dis :

... Il a tout écouté sans m'interrompre ; même quand il s'est agi de certains détails peu connus de la vie du noble et doux prisonnier d'Empire, le Régnant de la Période Kouang-Siu. Je lui communique ce que je sais ; ... le mystère... toutes les suppositions... celles que j'ai faites — en portant aux limites logiques le merveilleux éclos et contenu là, près de nous, au cœur de la Ville Violette...

Quand je me tais, il ne jette aucune sotte réflexion. Il ne dit point, par exemple : — « La vérité sur sa mort, on l'a sue par les journaux de l'époque... ». Je lui en ai gré. À ma confidence, inattendue par lui comme de moi, il n'a opposé que du silence. C'est très bien.

J'ajoute :

— Mon grand regret reste d'être arrivé trop tard en Chine. Je coudoie tous les jours des gens qui, après tout, le temps d'une audience, sont entrés là, et ont pu L'apercevoir.

Je doute, d'ailleurs, qu'ils aient su bien *voir*.

— Je L'ai vu, prononce mon Professeur, avec un respect soudain dans la nuance...

Encore un arrêt. Je remets en route. Les chevaux, reniflant le retour, gagnent à la main. On ne peut plus trotter de front, et c'est un jeu d'adresse que d'éviter les grosses lanternes pendues à ras de terre entre les roues des chars à mules... Cependant mon compagnon pousse l'allure. Le train est un peu fou à travers tant d'obscurité encombrante… et c'est tout à fait ahuri que je m'arrête, en pleine lumière électrique, au milieu des « Légations », à côté de son cheval dont il a sauté déjà, devant cette boutique désobligeamment éclairée [1].

— Oh ! je suis en retard. Mon père m'attend depuis longtemps. Voulez-vous une tasse de thé, de Péking, comme vous n'en avez pas bue ?

Il va couvrir son retard de ma présence. J'accepte… Et j'aimerais le revoir en pleine lumière…

On entre. Maison européenne ridicule. Cependant, il est bien chez lui. Et le Père lui-même survient, me « reçoit », me fait asseoir, me remercie de bien vouloir m'occuper ainsi de son fils, — de son « mauvais diable de fils ». Je bois son thé, — en effet remarquable, — et ne songe qu'à m'en aller, la lumière de cet asile du négoce redonnant soudain à mon Professeur son air de tous les soirs, sous la lampe…

Et vraiment, tout est trop laid ! Un « amour » en fromage de Saxe tend les bras à des fleurs si éternelles qu'on peut les croire artificielles. Le service à thé vient de Satsuma, par Hambourg. Pas un rappel, même maladroit, des belles choses de la Chine au milieu desquelles on vit bon gré mal gré partout ici.

Cependant… ces deux vasques de porcelaine… exilées, déposées comme une ordure à la porte d'entrée… Voilà du « Chine », et fort acceptable, bien que neuf (car elles portent le cartouche où je reconnais le sceau du four impérial « de la Période Kouang-Siu de la Grande Dynastie Ts'ing ! » sur un fond jaune où nagent des Dragons). — Que font ici ces transfuges du Dedans! ici, à l'entrée de cette auge à mélasse, à l'orée de la conserve et de l'épicerie…

— Oui, dit mon Professeur, qui, me reconduisant, a suivi mon regard qui s'attarde, et répond à mon étonnement, — oui, ils *en* viennent.

Et, daignant user pour la première fois du chinois, en dehors de ses heures payées :

— Ils viennent du Palais, du Ta-Neï, du Dedans.

Et il me reconduit jusqu'au trottoir, tête nue, s'inclinant à chaque pas, et, du même style :

— Pardonnez-moi de ne pas aller plus loin.

Me retournant pour le saluer à la chinoise, j'aperçois, au-dessus de sa tête, s'illuminer la raison sociale et le nom paternels : « Import and Export, Leys & Co ».

C'est vrai. Il s'appelle « Leys », et même, je me souviens maintenant de son petit nom de « René ».

C'est bien cela. Mon Professeur se nomme « René Leys ».

X... — Ce grand jour qui s'opalise avec douceur à travers le papier translucide de ma maison sans fenêtre, et si doucement lumineuse, — me dépouille et me lave de mes rêveries d'hier. Ce grand jour est plus distant d'hier et de cette nuit qu'un lendemain n'est obligé de l'être. Et voici, comme une potion sans amertume, le débit et la faconde empressée de Maître Wang qui m'apparaît dans ce grand jour, — juste à l'heure de tous les autres. Il n'y a donc rien de changé.

Au travail... et le temps perdu à rejoindre. Cette fois, je n'en laisse plus échapper :

— Maître Wang, je désirerais apprendre aujourd'hui quels sont les titres et les charges de ceux qui habitent le « Dedans ».

Contre tout usage, je suis allé droit où l'on sait qu'il faut ménager tant de détours.

Maître Wang n'en prend aucun. Sur le ton qu'il énumère les « Dix-huit provinces de l'Empire », les « Cinq Relations », ou les « Trente-six vertus obligatoires[1] », il récite :

— « Dans le Dedans, habite l'Empereur, dont le

nom de respect est “Fils du Ciel”, et le nom pour obtenir une grâce, “Maître des Dix mille Âges”. »

Bien. C’est noté. Caractères, romanisation et traduction. Et puis ?

— Ensuite, il y a l’Impératrice. Dont la désignation littéraire est « Palais du Milieu ». Quand il existe à la fois deux Impératrices de rang égal, l’une s’appelle « Palais de l’Est », et l’autre « Palais de l’Ouest ».

Le titre de respect, dans les deux cas, est « Mère de l’Empire ».

Bien. Au-dessous de l’Impératrice ? ou des Impératrices ?

— Il y a les Concubines Impériales. De premier rang, — au-dessous, de deuxième rang ; — au-dessous…

— De troisième rang. Bien. Ce protocole arithmétique est assez peu mystérieux. Et nous descendrons jusqu’au numéro… ?

Maître Wang ne veut rien omettre, repart du quatre, et s’arrête au cinquième.

— Et au-dessous ?

Il y a les Dames d’honneur de l’Empereur. Elles peuvent être élevées au rang de Concubine du Cinquième rang, qui peuvent atteindre le quatrième, qui…

— Bien, bien.

Toutes ces réponses sont immédiates ; claires. Un peu trop claires : il ne se dérobe pas. Il ne semble rien me cacher. Il parle comme un fonctionnaire, récite le nom de ses collègues, — des sous-chefs dont il vise l’emploi, — des « directeurs » qui le « proposeront »…

C'est ainsi que j'apprends, en bon ordre et de la même voix méthodique, la classification des Princesses Impériales ; des Époux desdites Princesses ; puis les couleurs — champs et bords —, des « Huit Bannières[1] », toute la Héraldique des Conquérants Mandchous ; et ce beau titre : « Prince au Chapeau de Fer » !

Maître Wang énumère enfin une curieuse caste dont je comprends peu l'origine et l'emploi. Ce sont les « Pao-Yi[2] », les « Esclaves »... et malgré la servilité du nom, je les vois figurer parmi les Conquérants. Ils sont du sang des « Huit Bannières ». Celui qui les mène, choisi parmi eux, est un Prince, esclave aussi !

Maître Wang daigne expliquer : — ces gens-là, serfs Coréens ou Mongols des Mandchous d'autrefois, ont été entraînés avec leurs maîtres à la conquête de la « Fleur du Milieu ». Ils l'ont conquise. Ils sont maîtres maintenant, à leur tour, et anoblis. Quelle noblesse, en effet, et quelle fière allure ! Les Mandchous ont fait maîtres sur leurs nouveaux esclaves chinois, ceux qui les avaient bien servis, dans les temps difficiles... Du moins, je crois avoir bien compris. Je note avec soin :

« Pao-yi, — esclaves...

Pao-yi Ts'an-ling, — Chef des Pao-yi...

Pao-yi Tso-ling, —...

Entrez !

Presque en même temps que le boy, débouche René Leys. C'en est fait : mes deux Professeurs sont en présence. À l'arrivée de l'hôte inattendu, le vieux Wang, levé soudain, a fléchi les jambes, touché la terre du poing droit, dans un salut mandchou, — non chinois[1], — parfait d'aisance et de souplesse. L'autre, avant même d'accepter la main que je lui tends, a répondu, comme d'instinct, par le même geste ; et avec la même aisance, la même souplesse polie. Puis tout d'un coup il s'excuse... Il paraît bouleversé... il en a des larmes aux yeux... Et il reste là, sans rien dire...

Je veux aussi m'excuser : ce brave homme de Chinois n'est pas un professeur... en titre. Un ami... indigène... et qui m'était recommandé... chaudement. Je termine :

— D'ailleurs, je vais le congédier.

— Inutile, reprend René Leys. Il n'entend pas un mot de Français.

C'est vrai. Le brave homme s'est de lui-même retiré discrètement derrière des feuillets de livre.

— Ah bien ! dit la voix réellement émue de René Leys, y m'arrive des choses ennuyeuses...

— ...

— Mon père veut quitter Péking.

Je m'attendais à bien pis, — ou bien mieux.

— Il prétend avoir des affaires qui l'appellent en France. Et il va y rester quatre ou cinq mois.

— Alors ?

— Je ne peux pas l'accompagner.

Pourquoi pas ? Évidemment il a sa chaire à l'École des Nobles, sa situâtion ! Ce bon élève de seconde moderne tient ici la place de quelques agrégés.

Il devine :

— Non ! ce n'est pas mon poste de Professeur... Mais c'est mon père, qui ne veut pas que je l'accompagne.

Il me semble avoir raison, ce père-là ! Mais la figure du fils a l'air de lui reprocher tout autre chose. À travers beaucoup de réticences (timidité peut-être... ? — Oui, car il s'exprime ensuite plus à son aise) j'apprends des dessous de boutiques auxquels j'étais loin de m'attendre : le père épicier fait argent de tout, cède tout, local, meubles et immeuble, et le reste, et envoie bel et bien coucher son fils où il voudra. Ce père ingrat, ce marchand économe aurait même ajouté « ton chinois va te servir à quelque chose ! Tu vas pouvoir louer un yamen[1] dans la Ville tartare, et y recevoir tes amis ! »

— Vous avez donc des « amis » chinois ?

René Leys, rougissant à l'improviste, avoue :

— Ce n'est pas *ça* qui m'ennuie ! Mais, que voulez-vous ? je n'ai jamais habité seul.

Je le regarde. C'est vrai : il a dix-sept ou dix-huit ans d'âge réel. Une figure et des yeux plus... anciens... indéfinissables.

— Ah ! vous n'avez jamais habité seul ?

— Surtout je n'ai jamais couché ailleurs que chez mes parents.

Il hésite :

— Je n'aime pas : je ne peux pas dormir.

Moi, je n'y peux rien ; pas plus qu'à ce départ d'un père. René Leys me regarde à peine :

— J'ai peur qu'il ne m'arrive encore ce qui m'est arrivé quand j'étais jeune...

— Quoi ?

— D'être mordu. Mon père se moque toujours de moi quand je lui... Je ne lui en parle plus. J'ai été mordu au doigt, une nuit, à ce doigt-ci...

— Par qui ?

— Par qui ? Oui, par qui...

Il change de voix, et de plus bas...

— Par qui ? C'est vrai. Je ne me l'étais jamais demandé. Enfin, j'ai été mordu. J'ai sauté de mon lit. J'ai entendu sonner à la porte. J'étais seul. J'ai cru que mes parents revenaient de voyage. Ma mère n'était pas morte... Je suis allé ouvrir... J'ai vu une grande flamme...

— C'est la flamme qui avait sonné, dis-je en riant et avec sarcasme. Je n'aime pas ces histoires de revenants. La péripétie est courue et connue d'avance. On a vingt explications, toutes fausses, à la clef...

Mais René Leys ouvre des yeux voilés, embus[1] d'une peur véritable. Évidemment, ce garçon a vu dans son enfance d'assez troublantes apparitions... vraies ou fausses... Il ne regarde point du même côté que moi dans ce monde : car maintenant, face à moi, il donne toute son attention à ce qui se passe derrière moi, par-dessus mon épaule... et... je voudrais bien me retourner.

Enfin, j'accepte, — sans l'approuver, sans le féliciter, — qu'il redoute la solitude.

Et je m'explique ses changements d'allure et de voix quand soudain la nuit est faite... À coup sûr, ce Professeur est peu banal. Une idée me vient, pleine de curiosité pratique : ma maison chinoise est vaste ; les bâtiments disséminés dans leurs séries de cours carrées... On lui fera mettre un lit de voyage dans les pavillons de l'ouest. Il aura son couvert à ma table, et moi, à mon service, ou à peu près, un excellent Professeur. Assez occupé au dehors, il ne m'encombrera guère.

Et puis... sympathique, ce garçon-là, très sympathique tout d'un coup, malgré ses gaucheries, ses enfantillages, ses épiceries, ses épouvantes... Je lui offre donc à coucher et à manger chez moi. Et cela est proposé, accepté, conclu, ordonné, en moins de mots qu'on ne peut dire. En vérité, tout cela semblait préparé d'avance.

En me quittant, il n'a rien dit de plus que tous les jours. Il sait donc être réservé. Ceci, encore, est très bien.

X... — Journée sotte. Maître Wang, comme vidé tout d'un coup de ce qu'il avait à me dire sur le Palais, — se dégonfle, s'épuise, se répète, revient à son catalogue-annuaire des Fonctions, à son numérotage de Princesses, Concubines et Suivantes. J'ai très envie de lui demander impoliment quel était le chiffre ordinal de sa propre épouse, au Palais : trente-troisième laveuse de vaisselle, ou quatre-vingt-quinzième suppléante suiveuse en expectative d'emploi ?

... Je rabats toute ma mauvaise humeur sur ce bon voisin Jarignoux. Je lui dois, vraiment, cette visite que je lui fais, — et dont c'est la seule raison d'être : car j'ai bien réfléchi sur son cas : décidément, il a fort mal joué en se faisant Chinois.

Au moins, qu'il serve à quelque chose. Avec une grande bonhomie, un air absent, je ramène entre nous la personne du petit Belge, qu'il a si carrément refusé de reconnaître, l'autre jour, chez moi. Voici que tout d'un coup, le voisin se met à le connaître. Il le connaît certes bien puisqu'il en dit aussitôt pis que pendre : — ou peu de chose, après tout.

— Monsieur, c'est un fameux noceur !

— Oh ! Par exemple !

J'entends encore la candide voix de René Leys qui a si peur de coucher hors de sa famille. Ou bien, qu'il s'arrange, avec sa réputation ! C'est affaire à lui. Je répète, à voix haute cette fois :

— C'est affaire à lui.

Mon brave homme de voisin semble vexé. Il attendait sans doute la réponse classique « il s'amuse, c'est bien de son âge ». Je suis sûr qu'il l'attendait ! mais le silence le rend tout d'un coup moraliste : — Ce jeune noceur, explique-t-il, a un père. Ce père fut un homme marié ; actuellement, c'est un veuf ! Un homme respectable ! Et jamais, lui (mon voisin) l'ami du père, jamais il ne dira tout ce qu'il sait...

Je le laisse aller. Ce qu'il sait se réduit à ceci : René Leys fréquente assidûment toutes les nuits les « maisons de thé » à Ts'ien-men-waï[1]. Il s'arrête :

— Vous savez ce que c'est ?

— Ts'ien-men-waï ? Oh !... je vois ça d'ici. Et ensuite ?

Ensuite, mon moraliste change de ton et s'en vient de lui-même à excuser celui qu'il chargeait tout à l'heure.

René Leys, paraît-il, a passé par une enfance négligée. Il a eu le malheur... (on n'ose jamais appeler ceci d'un autre nom), il a eu le malheur de perdre sa mère à l'âge où l'on refait ses premières dents. (Je ne saurai donc pas si cette mère valait la peine d'être gardée.) Elle était Française. (C'est un fait. Peut-être du Midi, et ceci expliquerait ce teint mat, et ces beaux grands yeux...) Son père est un marchand Wallon. Quant à lui, il a été un peu laissé à lui-même, c'est-à-dire mis au Lycée de... enfin en Belgique (pourquoi ce choix géographique ?) où il a pu atteindre à la Seconde moderne. Puis, entraîné par les affaires paternelles jusqu'ici, il y est parvenu à l'âge de quinze ans et s'est trouvé tout d'un coup dépaysé, désœuvré. C'est pour cette unique raison qu'il s'est donné au « chinois ». Il faut avouer qu'il le parle bien.

(Je lui reconnais une extraordinaire facilité à se servir de tous les mots dans toutes les langues.)

Monsieur Jarignoux, qui ne semble pas aussi bien doué, s'arrête court, se demande s'il n'en a pas trop dit sur ce jeune homme, et puis se récuse tout d'un coup :

— Après tout. Je ne le connais pas. Mais son père, Monsieur, ah ! quel brave homme !

Nous parlons ensuite d'autre chose. Pas très longtemps. Je ne me sens plus très droit sur la route vers les Hauts Fonctionnaires ; et les affaires de mon voisin tourneraient aisément autour des miennes. La visite est rendue. J'ai été poli.

X... — J'y comptais presque. Il m'arrive. (J'avoue avoir regardé à regret son couvert vide, ce premier soir.) J'ai à peine eu le temps de lui faire dresser son lit... Il est là. Mais je ne l'attendais plus, si tard !

Rien n'est changé dans la beauté de la nuit. Comme le Printemps se gonfle tout d'un coup jusqu'à l'Été, j'habite, et pour longtemps, la plus grande de mes cours intérieures. J'ai dîné dans cette cour, sous le carré du Ciel crépusculaire. J'ai lu et j'ai écrit un peu, et surtout, renversé sur la chaise de joncs tressés, j'ai regardé, sans penser à rien de certain, le plafond cave étoilé au-dessus de ma face...

Il est là, brusquement arrivé, et calme tout d'un coup, comme si le rectangle de mes murs l'abritait et le rassérénait.

Il s'est assis auprès de moi. Je devrais évidemment chercher des phrases à dire. Je ne dis rien. Je goûte avec sécurité, comme lui, la quiétude géométrique de ma maison. Il passe parfois au dehors un vendeur de fromages ou de pâtes, et qui jette un extraordinaire cri, sur un mode angoissé résolu par un retour étonnant et triomphant à la tonique juste ! — (Et tout ça pour vendre du fromage, des haricots et des pâtes graisseuses !)

Mais son cri se mélange à l'odeur à peine entr'ouverte de ce lotus, triomphant aussi de l'eau sourde dans ma vasque de porcelaine, au milieu de ma cour. Tout se fond et se dissout et disparaît dans la pénétration de cette nuit.

René Leys n'a rien dit encore. Quel à-propos ! C'est à moi d'étoffer ce silence et ce noir... Mais non. Je songe plus clairement et plus lucidement que le grand midi sur mes toits ! Je songe — qu'allongé, la tête ici, et les pieds là, tout près de ce coin Sud-est de la Ville Tartare, je me trouve exactement étendu du Nord au Sud. Comme toutes les maisons, les palais ou les huttes de Péking, ma maison, ma hutte ou mon Palais est très astronomiquement orientée, occidentée, dressant ses bâtiments majeurs exactement face au midi. Ceci est une règle impériale entre toutes : « que l'Empereur soit nommé Celui qui est Face au Midi ! » Je me sens participer... — non pas à cette vie pouilleuse et « unanime » des vers grouillants sur le fumier, ou des tœnias intestins, mais vivre *parallèlement*, dans toute la rigueur froide et mesurée du terme, — parallèlement à la vie cachée du Palais, comme moi face au midi.

Il me semble que l'heure est venue de prier René Leys de me dire « comment il a pu réussir à "Le" voir, autrefois, Lui, le prisonnier des Palais cardinaux ! » — Est-ce à propos d'une audience ? D'un sacrifice impérial au temple du Ciel[1] ? (mais je sais bien que les rues sont toutes barrées.) Enfin, — et cette fois, je pense tout haut :

— Vous m'avez bien dit L'avoir vu ?

René Leys s'étire brusquement. Je crois bien qu'il se réveille... qu'il dormait paisiblement depuis une demi-heure... Pourtant il répond sans hésiter :

— Mieux que personne.

Et puis, il parle avec douceur :

— Je l'ai vu. Je le voyais souvent, surtout dans la matinée entre dix heures et midi. Il était alors très éveillé ; très intelligent. Il s'occupait vraiment des Affaires...

Il jouait ensuite avec ses femmes...

— Tiens ! on m'avait dit...

— Il jouait avec ses femmes à des jeux innocents. Ainsi, une espèce de jeu chinois où l'on cherche à se toucher en courant... ou plutôt, à n'être pas touché...

On se place chacun à sa place... dès qu'on l'a quittée, on peut être... Oh ! c'est très chinois...

Mais... je me souviens que je jouais aussi à quelque chose du même genre au lycée de Termonde. Et l'on criait « Pouce » ! Et l'on n'était pas « pris »...

— Est-ce que Lui criait aussi...

— Oh non ! Il avait un autre moyen. Pourtant, il se fatiguait vite et ne courait jamais. Quand on le serrait de près, savez-vous ce qu'il faisait ?

— ... ?

— Il s'asseyait, tout simplement, n'importe où.

— ...

— Alors ? Toutes ses femmes tombaient à genoux devant Lui.

— …

— Évidemment. Croyez-vous qu'une seule ait osé rester debout devant l'Empereur, assis, — même n'importe où ?

Cela est péremptoire. Cela est *vu*. Si jamais il me venait un doute sur l'entrée de René Leys au Palais, une telle scène, posée comme il vient de le faire, me rendrait ridicule même de douter.

Il me revient donc aux lèvres cette question, toujours revivante au sujet de Lui : « Il est mort, — com… » Mais je la transforme habilement :

— Enfin, tout ce qui s'est passé là, à quelques années près, est évidemment d'un autre âge. Mais tout est fini. Le palais actuel est aussi muré que l'autre, et ne contient plus qu'un grand vide, et pas une majesté. — Pas de « successeurs », pas d'héritiers. Des simulacres… Des « altesses » dont le titre de respect si j'avais à les aborder, serait pour moi, non plus « Votre Excellence », mais « Votre haute Insuffisance »… Ainsi, le Régent, qui pourtant est son propre frère[1]…

René Leys se réveille tout à fait.

… Le Régent me paraît assez falot. D'abord, cela sonne assez mal à côté de « Trône ». Le Régent ! Oh ! je sais ! Il y a bien le petit Empereur de quatre ans[2] ! Encore moins de personnalité ; mais on doit compter avec l'âge. Ils avaient le vieux Yuan[3] ! le plus fin ! le plus fort ! et ils ont failli lui couper la tête… Il est mort, politiquement.

René Leys ne prête aucune attention à Yuan, si connu des Européens, cependant. L'ignore-t-il ?

— Non, non, voyez-vous, je suis arrivé juste trois années trop tard. La Vieille Impératrice[1] est morte après soixante ans de règne. Lui aussi... après trente-quatre années de vie... seulement. Et peut-on dire... de vie et d'âge réel ? Je ne sais plus. Je ne veux plus savoir...

Au fait, je suis bien démodé à m'inquiéter ainsi du Palais. Il est déjà « monument historique ». Il n'y a plus rien de vivant. Des Eunuques, des femmes périmées... et parfois, entre deux et quatre, au matin, le Grand Conseil[2] avec ses Princes... fatigués...

René Leys s'anime tout d'un coup :

— Mais le Régent ! N'en parlez pas sans le connaître !

Et, de nouveau, de sa voix tiède et veloutée :

— Il est *presque* aussi intelligent que son frère, Lui, « *qui s'en est allé montant au char du Dragon, s'abreuver aux neuf fontaines*[3] ».

(Ceci est dit avec respect comme une citation chinoise.)

Le Régent ! mais il ne désire qu'une chose ! Faire le bonheur de son peuple. Seulement il ne sait pas que faire pour cela. Il essaie de voir ce peuple de près. Quelquefois, il sort sans aucune escorte. Une nuit qu'il était allé passer à Ts'ien-men-waï... — Ts'ien-men-waï, c'est le... C'est le... « dehors de la Porte Ts'ien[4]... »

— Oh ! j'ai compris. Continuez.

— La porte doit être fermée à minuit. On venait de sonner la troisième veille[5].

— Deux heures du matin à l'Européenne...

— Oui. J'étais avec lui. J'ai marchandé avec le

portier, qui nous a laissé passer, tous les deux, précisément, comme Européens… Le lendemain, le portier s'est réveillé en prison. Il faut de la discipline. Vous ne sauriez croire ce que le Régent risque tous les jours, à quatre heures du matin…

— Quoi ? Sa réputation ?

— Sa vie ! Vous ne saviez pas qu'il s'en vient tous les jours, à quatre heures du matin, de sa résidence au Palais ?

— C'est vrai. Pour présider le Grand Conseil.

— Vous connaissez le pont par où il passe ? Tout au nord de la Ville Tartare, derrière la « Porte Postérieure ».

— Heou-men[1], je le vois d'ici. Un pont mal pavé et assez inutile d'ailleurs. Je n'ai jamais vu comme en Chine autant de ponts passer sur aussi peu d'eau !

— Attendez les grandes pluies d'Été ! — Juin, Juillet, et vous verrez, me promet René Leys. — Toute la « Mer Septentrionale[2] » vient couler par-dessous. Aujourd'hui, il est évidemment à sec. Et c'est même ce qui facilitait l'attentat.

— Un attentat ?

C'est pourtant vrai. J'ai lu, avant-hier, dans les feuilles publiques, que « le Régent, se rendant comme chaque matin de sa résidence au Palais, avait échappé à la mort, sous la forme d'une bombe qui aurait dû lui éclater sous le ventre… » Le coup manqué n'avait pas retenu mon attention. Et l'on voit de bien autres faits divers au passif des Empereurs, Régents et Rois, des Ministres, des Députés, des Présidents et des Reines de nos Palais Européens !

René Leys est surpris de mon peu d'intérêt.

— Savez-vous qui a découvert l'engin ?

— Non. Je n'en sais rien. Personne n'en sait rien. J'ai lu dans les journaux que « la police informe et croit tenir les coupables ». On n'en saura donc jamais rien.

— La Police ? Et René Leys prononce le mot avec un mépris tout... parisien. La police est arrivée... trop tard aussi. C'était déjà découvert.

Je prête un peu l'oreille. Mon professeur se prépare enfin à m'apprendre un peu plus que ne m'en ont enseigné les journaux.

— C'est découvert d'aujourd'hui par les agents particuliers du Palais.

— Il y a donc une « Police Secrète » ?

J'ai interrompu avec une candeur affectée. Je sais fort bien qu'il y a une Police secrète. Maître Wang me l'a affirmé. À travers lui, elle m'a semblé peu agissante... anodine, et très peu payée[1]...

— C'est par elle qu'*on* a découvert la bombe.

Sans demander rien, j'apprends tout : la bombe, un engin énorme et capable de broyer dix ponts, tous en pierre, comme celui de Heou-men, — cette bombe était munie de fils électriques conduisant... presque à l'intérieur du Palais, au pied du mur qui entoure les lacs. Quelqu'un a vu les fils, les a coupés d'abord, et a sifflé ensuite, — oui, comme cela...

René Leys sifflote confidentiellement un motif à deux tons, celui de nos Pompiers de France, quand ils passent à toute allure pour sauver une vieille femme, en écrasant tous les piétons...

— C'est l'appel des Policiers secrets. Ils sont

disséminés sur le parcours du Régent. Ils sont accourus et ont suivi les fils, mais pas à temps pour trouver l'homme qui devait donner le contact.

— Alors ?

— Alors, ils ont fait emporter la bombe, par un coolie ; on l'a examinée. Certaines pièces étaient d'estampille japonaise ; mais les vis les plus dangereuses sortaient d'une quincaillerie de Péking...

Les journaux n'ont pas publié ces détails. Enfin, qui a découvert l'engin et donné l'alarme ?

René Leys hésite un peu. Il fait si noir que je ne le vois pas rougir. Je suis sûr qu'il rougit sous l'ombre.

— C'est une... « chanteuse » de Ts'ien-men-waï...

Que pouvait-elle bien chanter là, à cette heure plutôt matinale, à une lieue nord de son « précieux lupanar » !

René Leys explique point par point. Elle « aussi » fait partie de la Police secrète. Ayant appris qu'un attentat se préparait, elle avait devancé les policiers mâles... C'est tout simple. Du coup, elle a reçu par ordre de haut lieu, cinq mille taels d'argent qu'elle a immédiatement placés dans une banque chinoise dont elle reçoit deux pour cent d'intérêts, — mensuels. Mais elle a d'abord remis à neuf le mobilier un peu démodé de sa chambre.

— Ce doit être une excellente femme d'intérieur. — Pourrait-on... temporairement... ?

René Leys reprend un air pudique :

— Oh ! pas tout le monde ! Mais nous pourrons « y » aller ensemble si vous le voulez.

— Pourquoi pas ce soir ?

— Ce soir, coupe nettement René Leys, impossible.

En effet, il semble las; nerveux, peu sûr de lui. Je ferais bien d'abréger cette soirée et de l'envoyer se coucher; — et moi-même. Il n'en veut rien faire. Il insiste pour demeurer ainsi, allongé sous les étoiles. Le moment est encore très confidentiel. Je reviens donc tourner comme un vampire à l'entour de mon héros triplement emmuré, par sa vie, par son rêve, par sa mort...

— Dites-moi, je vous prie, comment était-Il, de son vivant? — J'ai lu tant de sottises sur lui! Un rédacteur de gazette locale le peignait un « alangui Baudelairien désabusé »! Je vous l'affirme.

René Leys, qui ne semble point connaître Baudelaire, répond avec des mots précis et tactiles; des mots qui font touche d'or et s'incrustent dans la mosaïque à fond noir des cieux du Ciel où règnent les Régents défunts... des mots qui peu à peu dessinent le plus beau portrait qu'on livrera jamais de « Celui qui régna durant la Période Kouang-Siu » :

— Un enfant très intelligent et très doux, à l'âge d'un homme. Un savoir de vieillard qui ne se souviendrait pas d'être vieux. Parfois, uniquement préoccupé de femmes; de ses femmes; des princesses ou des suivantes qu'il appelait à son gré ou que la Vieille Douairière, sa tante, — qu'il appelait « Mère vénérée » — préparait à Lui.

Très intelligent, oui. Très affaibli, sauf aux premières heures du jour. Il aimait la poésie. Il caressait élégamment « du bout du pinceau, le papier tendre » — (ceci prononcé dans un rythme de citation chinoise). Il aimait aussi la musique...

René Leys s'interrompt. Le mot « musique » ne lui semble pas suffire à exprimer ce qu'il veut. Et il n'en trouve pas d'autre.

— Ou plutôt... il aimait à écouter tout ce qu'on effleure : un gong que l'on touche sans frapper : il en pâmait ! Il fallait le soutenir. Il demandait à voix basse qu'on le touchât de nouveau. Et quand le gong avait fini de vibrer, il écoutait jusqu'au bout du silence et pleurait alors à sanglots...

Je l'ai vu regarder sans rien dire une peau de tambour[1]...

René Leys accorde à ses souvenirs un silence mélancolique.... D'autre part, je perçois — à peine — le son de fer et de cuivre et d'étain étouffé de la « Grosse Cloche » boômant ses doubles veilles[2], tout au nord, tout au centre de l'antique cité défunte mongole...

Son coup est sourd et noble, ayant passé sur les toits du Palais, et venant de loin.

René Leys achève :

— Enfin, il est mort.

— Oui. (Et j'y reviens malgré moi.) Enfin, comment est-il mort ? ... [— Du Poison[3] ?]

Un temps. René Leys va-t-il me...

— Peu importe, il est mort sans un ami auprès de Lui !

C'est vrai. Dans ma curiosité... historique, passionnée cependant ! — j'omettais ce seul point qui m'est rappelé : cet enfant doux et douloureux est mort, de *Poison* ou de rêve, il importe peu, en effet. Il est mort au milieu d'Eunuques et de femmes, sous les yeux terriblement maternels de l'Impériale Vieillarde veillant son dernier geste! — et, j'oubliais! — sans un ami auprès de Lui!

René Leys est bien venu à dire là ce qui n'avait pas été dit! Je reprends :

— C'est vrai... Mais avait-il un ami à Lui, un seul ami?

Car il pourrait se rencontrer un Prince ou un cocher ou un fonctionnaire ou un garde, un fidèle à l'image des grands serviteurs d'autrefois, servant le Ciel en la Personne de son Descendant!

— Oui. J'étais son ami, dit simplement René Leys.

En effet, quand un être comme René Leys en dépeint un autre sous les couleurs et dans les contours animiques du Portrait que je viens d'écrire sous ces mots, — ces êtres ne peuvent que se détester ou s'aimer, jusqu'à la détresse ou la ....[1] René Leys aimait donc d'une jeune amitié cet Empereur jeune et dolent, cet abandonné...

Et lui-même, René Leys, est très jeune et dolent dès qu'on ne le voit plus en pleine grande action physique. Mais, alors, comment L'a-t-il connu?

— Dites-moi, voulez-vous, comment l'avez-vous connu, votre ami... Comment êtes-vous entré pour la première fois au Palais? Qui vous a introduit au Palais?

Je n'ai pas scrupule de mon indiscrétion : aucun aveu ne serait trop grave pour le respect dont je l'accueillerais. Si l'on a bien entendu ce qui précède, rien donc saurait être déplacé...

... Si ce n'est le ton sec et tout d'un coup fermé avec quoi Leys me clôt la bouche :

— Comment j'y suis entré ? Ah ! c'est mon affaire !

Entendu. Je n'insiste pas. Je me retiens avec peine de l'envoyer... se coucher pour tout de bon. Croit-il que je veuille m'emparer de sa recette ?

Je vais donc me retirer quand on frappe au portail, — secouant, d'une main chinoise, — en guise de marteaux les loquets de cuivre-pendeloques...

Mon portier ne se réveille pas. René Leys est, bien avant moi, debout, et à travers les vantaux, parlemente. J'arrive : il a ouvert.

— C'est pour moi, — conclut-il du même ton bref, en fourrant dans sa poche un mouchoir de soie blême qu'on vient certainement de lui remettre. — Et, le temps de prendre son chapeau, très Européen, celui-là, même « melon », sans me dire s'il reviendra, ni quand, il est parti, au trot d'un beau grand char à mule qui l'attendait, tourne le coin de la ruelle, et disparaît[1].

Il fait maintenant presque jour. J'achève de noter dans une précision insomnieuse, ceci qui me déconcerte jusqu'au dépit, ou me plaît bien mieux que tout ce qui précède...

X… — Je n'ai pas dormi. Du moins, je somnole dans le grand jour, quand mon cuisinier lui-même, à l'heure dite, mais terriblement matinale aujourd'hui, vient indécemment me rappeler que j'ai « deux hôtes » à dîner ce soir.

J'ordonne de confiance un menu « soigné ». Et me souviens péniblement d'avoir, il y a trois ou quatre jours, prié madame et maître Wang de m'accorder, au repas de *ce* soir, leurs précieuses présences.

J'ai peut-être été mal élevé : il y a de ces clichés établis : jamais un Chinois n'exhibe son épouse… Et, d'emblée, je la fais venir chez moi ! Le certain, c'est qu'il a très cérémonieusement accepté. Et j'avais grand'envie de voir de près ce rutilant et décoratif objet qu'on nomme d'un peu loin dans la rue : « une femme Mandchoue », — même vieillie sous le harnais (je n'oublie pas que celle-ci a servi sous notre second Empire, — ni que c'est par ses intrigues basses que son Époux professe depuis aux secrets Policiers du Palais !)

... Ce même matin, reçu cette lettre, — indéchiffrable, mais couramment lue par mon boy : « Maître Wang, qui habite tout au Nord de la Ville Tartare, me prie de l'excuser s'il ne vient aujourd'hui qu'une seule fois chez moi, — pour dîner. » — Entendu. Et je me rendors.

... Un peu plus tard : ce mot, écrit au pinceau, mais en Belge, sur du papier chinois mince tramé de fleurettes roses et vertes : René Leys me prie de l'excuser s'il ne peut me donner aujourd'hui ma leçon de l'après-midi. Il viendra sans doute, après minuit. Et il termine : « *On* me demande... *là* où vous savez ».

J'ignore. Pour un garçon jamais sorti de la porte paternelle, il découche pas mal à ses débuts.

... Le sommeil est impossible. Et ce grand œil jaune du ciel Pékinois, ce grand soleil si quotidien qu'on le réclame comme un dû ; qu'on l'attend comme un ami fidèle... Je m'accorde donc plein congé, puisque mes Professeurs eux-mêmes...

Et ce grand soleil donne encore une ombre allongée que je suis debout, dehors, à cheval, en route pour n'importe où sous sa lumière et sous le bol bleu sans tache... — n'importe où, c'est-à-dire évidemment près du Palais.

D'instinct, me voici face à Tong-Houa-men, la Porte de l'Orient Fleuri[1], — jamais vue encore à cette heure princière... encombrée ainsi de chars à mules, de valets, d'Eunuques et d'officiers en tenue de cérémonie : le chapeau d'été, le chapeau conique de paille à la queue de crins rouges, que l'on coiffe par ordre aujourd'hui[1]. Par-dessus tout, la masse ventrue dans ses lignes inclinées, le flanc violet à lèpres grises du mur, percé de la porte, coiffé des trois chapes recourbées... Je sais, d'instinct, que la porte va s'ouvrir.

— Elle s'ouvre. Un flot en débouche et me refoule. Je prends poste à l'angle de la grande avenue par lequel il faudra bien que le cortège tourne. La garde, échelonnée de dix pas en dix pas, à perte de vue, ose à peine écarter l'Européen que je suis. On voudrait bien me faire descendre de cheval. Je descends. On me laisse libre ; et, simplement, au moyen de quelques coups de coudes polis, et calmes, on accepte ma présence au premier rang, et je vais voir...

Je vais bien voir. C'est l'heure de la sortie du Grand Conseil, tenu chaque jour avant l'aube, logiquement, afin de régler par avance de quoi sera fait ce jour-ci. Le Régent sort le premier, pour regagner, hors de ces murs, ses maisons privées. La porte s'ouvre. Voilà son escorte, à toute allure, droit sur moi : d'abord des ambleurs mongols, portant en vedettes des étendards... puis, un extraordinaire cavalier, jeune et rond, brun de visage, trapu et vif, serrant fortement de ses courtes jambes la selle haute très arçonnée, la selle chinoise qui le juche bien plus haut que l'échine de son cheval... Un œil étincelant qui fouille à la fois la rue et les passants... Dans un éclair, voilà toute la chevauchée Tartare conquérante, aux prises, il y a deux cent quarante ans, avec la Chine soumise... Ces Mandchous, durs et mobiles, — la tresse longue qu'ils ont imposée plus tard à la Chine entière, la tresse de cheveux servant à lier les paquetages au dessus du front, pour la traversée des fleuves à la remorque de la queue de leurs chevaux... Le fait est là ! Ce sont les conquérants, et depuis, la Chine et ses centaines de millions se rase le front et tresse ses cheveux en nattes... sans jamais passer une rivière...

Le conquérant, comme les autres, en un clin d'œil, a passé la rue. Et toute la Mandchourie chevauche et semble détaler avec lui.

Toute... jusqu'à la déplorable voiture de gala Européenne où j'aperçois le Prince Tch'ouen[1] derrière ses vitres Européennes ! Lui, fils du Septième Prince et Régent de l'Empire, il a choisi la mode Européenne ! — Déjà ! — Et ce sont deux grands trotteurs Russes qui l'emmènent, à bonne allure, je dois le reconnaître !...

Il va passer, après un autre tournant ou deux, sur le pont de Heou-men, le pont de l'attentat. Je puis enfin sauter à cheval. Je suivrai au trot ou au petit galop dans les allées latérales de ces voies larges de Péking... Je vais...

Mais derrière la voiture du Régent, une curieuse figure de cavalier de la garde m'arrête net au montoir. C'est un jeune officier mandchou, de bonne allure, très droit sur l'incommode perchoir dont on affuble les chevaux du nord... mince, le nez un peu fort, de beaux yeux sombres... — Je jurerais reconnaître René Leys en personne... si mon serment à ce propos n'était parfaitement ridicule... Le cavalier passe à toute allure et se perd au milieu des autres. Mais cet excellent René Leys sera bien amusé et peut-être moins flatté, quand je lui avouerai innocemment lui avoir trouvé un « sosie » dans la Garde Impériale !

Je perds du temps à dévisager le sosie. Tout est loin. Les derniers cavaliers s'enfuient à la débandade... Voici un nouveau défilé, moins rapide, mais combien plus classique ! Une chaise à huit porteurs, et dedans, la silhouette large du Grand Conseiller Na-T'ong[1], « premier Protecteur ». Il est vraiment beau à voir, assis et puissant, — mais difficile à suivre exactement à une allure de cheval : trop lent pour le trot, il dépasse mes foulées de pas ; et d'ailleurs, aucune bombe, aucun attentat à espérer sous ce gros personnage peu offensif.

Je rentre chez moi. Je m'endors enfin.

... Qu'il est tard ! Et je n'ai pas de fleurs ! En faut-il pour recevoir une jeune femme Mandchoue ? Car je sais, depuis une heure à peine, par les soins de mon boy, que — loin de remonter à notre second Empire (je paraphrase) — Madame Wang actuelle est la troisième madame Wang, c'est-à-dire ma toute contemporaine...

Enfin il est tard. On n'attend point la nuit close pour dîner en Chine... Je n'ai pas de fleurs !... Pour couper court à toute hésitation, les voici :

Spectacle inoublié. La « troisième madame Wang » s'avance sur ses hautes semelles blanches, épaisses de trois pouces, et balance un corps fluet et long surmonté d'un visage que j'ai bien vu du premier coup, mais que je mets en vedette dans mon portrait : c'est une lune ovalaire, fardée de blanc, découpée de longs yeux bridés comme il s'impose, tamponnée aux deux pommettes d'admirables disques d'un rouge carminé du dernier fatal. Les cheveux, collés et lissés, ont le noir bien connu de l'aile du corbeau, — qui est bleu; ils se relèvent en arrière, se plaquent sur la large broche d'argent. Enfin, le cou possède évidemment ce « poli gras du suif épuré et figé... » (Livre des Vers, ode dix millième[1]...)

Au fait, je suis dix mille fois ridicule à moquer ainsi. Ce visage, raclé à fond, laisserait voir un agréable tapis de peau claire; et sous la robe droite mandchoue, les épaules et les reins se meuvent d'un élancé adolescent... Et vraiment ceci me dégraisse des formes un peu grasses et de la petitesse dodue que revêt un peu trop la beauté chinoise du nord...

Je n'exprime évidemment aucun de ces divers sentiments. Je fais des gestes mandchous, appris de la veille, auprès du mari. Lui, est fier de mener sa femme en « Soirée Européenne ». Elle, très amusée de mes fourchettes à quatre dents, de mes couteaux, de mes verres, — de voir changer tant de fois d'assiettes pour si peu de services, au total. Mais elle s'intéresse tout à fait au mauvais champagne que le père Leys et Cie m'a fourni, voici un mois, à des prix défiant toute surenchère.

Mon boy sert de mauvaise grâce. Lui seul et moi sentons l'indécence, pour cette honnête femme, à se trouver près de son mari assise à la même table... même Européenne ! Mais la lampe baisse; les couleurs trop vives reculent; la coiffure largement équarrie se perd un peu dans les ombres... Il ne reste que des yeux presque débridés; un nez... existant, presque modelé, et surtout ces épaules minces sous la soie souple et mince de la robe...

Une robe, attribut indispensable! — Vraiment l'on conçoit ici toute la beauté de la longue et impudique robe, à voir la femelle chinoise se pantalonner de deux fourreaux chastement ficelés à la cheville, serrés à la taille, et inexpugnable à tous les désirs qu'elle a, préalablement, éteints.

Je n'omets point que les « Dames Mandchoues » ne sautillent point sur des moignons aiguisés; mais marchent hautement, le pied à plat sur les épaisses semelles blanches...

Madame Wang, si mon vocabulaire à peine éclos comportait plus de mots poétiques et floraux que votre vieux mari ne m'en a appris encore, soyez certaine de mon premier soin de les essayer à son insu, à vos pieds.

X... — J'entre au hasard, de bon matin, dans mes bâtiments du Sud. Tiens ! Ah par exemple ! Il est là ; couché à peu près habillé sur son lit, et dormant. Il est très pâle. — Mais quand est-il rentré ? Je n'ai pas entendu ouvrir... ayant profondément rêvé de madame Wang.

Je sors sans bruit. J'appelle le boy : il ne sait rien, mais injurie le second boy qui le renvoie au coolie, qui dénonce le portier lequel n'était pas à sa porte. Le fait est là : René Leys, rentré pendant la nuit, dort enfin chez moi. Pourquoi ne pas se déshabiller ? Est-il si paresseux, si emprunté, si pressé de ressortir ? — Je recommande à mes gens (ce qui est aussitôt répété à voix perçante) qu'on ne fasse guère de bruit ce matin...

... — Comment ! Vous voilà debout, à cette heure ! Où allez-vous maintenant ?

— Faire mon cours, répond tout naturellement René Leys, lavé, cravaté, les joues mates un peu rosies, qui sort de sa chambre et s'apprête à s'en aller.

Je n'ose retenir un si ponctuel Professeur. Vexé, je m'en prends à mes domestiques. Le portier, qui rentre tout juste et très innocemment jure avoir dû, cette nuit-là, pleurer à domicile la mort de son père adoptif.

Je travaille peu, ce matin. Je regarde, par-dessus mes toits élégamment courbes des angles, je regarde l'été approfondissant le rectangle bleu qui m'appartient dans le Ciel, par droit de locataire, à Pei-King. Je regarde mon lotus dans la grande vasque où devraient, en bonne coutume, nager des poissons compliqués ; et, par désœuvrement plus rempli qu'une mesure de hauteur solaire au sextant, je mesure, je jauge, à la course de mon ombre oblique, dans la cour, plus proche de l'axe des bâtiments majeurs, — quelle est l'heure, pointée par le jour, le moment de la lumière, à cet instant que voici.

Et quand l'ombre de mon corps se confond exactement en cet axe, je sens à travers moi qu'il est midi vrai au méridien du lieu que j'habite, où je suis planté, sur les dalles pénétrées de lumière, dans la cuve quadrangulaire de la cour qui est mon Palais à moi !

... C'est à ce moment juste qu'il revient une seconde fois. Mais point seul : trois jeunes élégants l'accompagnent. Il présente :

— Messieurs Tie-Leang, Leang-Tch'en et Ngo-Ko...

Parfait ! Tous Mandchous : ces noms à deux caractères ne trompent pas.

Il dit également le mien : « Monsieur Sié ». C'est le monosyllabe choisi parmi les noms classiques des « Cent Familles » auquel se réduit mon nom occidental, extrême-occidental, du bout de la terre, du « Finistère »..., mon nom breton de « Segalen ». Mon prénom chinois hérite des deux derniers sons. Le tout se prononce : « Sié Ko-lan », et me *déplaît* un peu, car, traduisant, j'obtiens sans erreur (outre le mot « Sié », nom de famille) Ko-lan, « orchidée du Pavillon des Vierges ». Je prise mieux mon « Épi de Seigle » breton[1].

L'heure de cette visite m'incline à croire que ces jeunes gens viennent tous faire honneur à mon déjeuner. Sans trouble, je fais tenir à mon cuisinier la nouvelle : « trois hôtes de plus, à ma table », — confiant que nous mangerons dans un instant, comme cinq, et que je paierai, ce soir, comme si nous avions été douze.

Cependant que mes « hôtes » devisent entre eux et expertisent les indispensables objets Européens acceptés dans ma maison chinoise, — René Leys complète la présentation :

— Ce gros-là, le plus gros, — qui fouille votre bibliothèque, est employé au Ministère des Rites[2]. L'autre, le petit avec des sourcils froncés, est le neveu du Prince Lang...

— Ah ! oui, c'est votre élève ?

— Non. Ce n'est pas mon élève : c'est mon ami.

— Vous m'avez dit avoir pour élève le « neveu du prince Lang ».

René Leys me regarde, et dit avec une précision commisérante :

— Le prince Lang a dix et quelques neveux. C'est le onzième qui suit mon cours. Celui-ci est le sixième.

— Pardon ! et ce « troisième », là-bas, qui me crève un stylographe en le tenant comme un pinceau chinois ?

— Lui ? ...

René Leys se rapproche de mon oreille, et y déverse respectueusement :

— C'est le premier fils du prince Kong[1] !

Oh ! oh ! voilà qui est précis et important. Que ce jeune homme dévaste mon bureau, s'il daigne ! C'est le Premier Fils du Prince Kong ! — Et je me récite, comme un paragraphe du Gotha chinois, les alliances et les convols du vieux Mandchou célèbre pour ses négociations d'il y a cinquante ans et plus, victorieuses au milieu de la défaite, contre les troupes franco-anglaises, sur les « ruines fumantes du Palais d'Été[2] ». (Monument désormais historique.) « Premier Fils »... historique, également. Mais, quelle étonnante disproportion d'années entre Père et Fils ! Il porte cet âge éternel — de vingt à trente-cinq — de tous les Chinois ou Mandchous ou Mongols qui ne sont pas très vieux.

— Je vous ai amené mes amis, — dit enfin René Leys, parce que rien ne vaut une conversation multiple pour enseigner vite une langue ; et surtout, afin que nous les retrouvions ce soir, à Ts'ienmen-waï... s'il vous convient d'y aller.

Ce soir même. Entendu. La comparaison sera fraîche entre ma dame mandchoue, d'hier même, et nos prostituées chinoises d'aujourd'hui. On déjeune. Eux, parlent entre eux, du bout des lèvres.

Le plus incompréhensible de tous est René Leys, qui jette élégamment des bons mots et des allusions rapides.

Enfin, ces jeunes gens de haute famille me quittent pour aller « à leurs affaires », s'excusant fort d'avoir interrompu les miennes.

Entre ce déjeuner et la nuit qui se prépare, rien de mieux que m'en aller longuement contempler toute la ville de son point le plus haut. Je vais donc gagner le nord de la ville Tartare, et monter à l'ancestrale « tour de la cloche », le « Tchong-leou[1] », douairière mongole de tous les monuments... Du haut de sa terrasse crénelée de blanc je verrai, droit au sud, le volumineux Kou-leou, « Tour du Tambour », la Montagne de la Contemplation, le Palais distant et clos, les murailles de la cité Tartare, limitant catégoriquement à coins droits... Et plus loin que le Sud le rectangle difforme de la « Ville Chinoise », couchée comme une vache de trait au pied de la Cité conquérante posant sur elle le trépied de ses trois grandes portes : Ts'ien-men center[2], et les deux Bouches latérales...

D'un coup d'œil de Fondateur de Ville, je tracerai dans la campagne environnante l'immense quadrilatère, la ville intégrale extérieure (dont la chinoise n'est que le faubourg sud), la conception monumentaire totale que le Grand Empereur rêva « qui régna, voici quatre cents années, durant la période Yong-Lo[3] », trop courte à l'accomplissement de son mur ! Dans ces limites, fictives ou debout, je sais que du haut de la Tour s'étendra à droite et à gauche et en arrière un peu le tapis élégamment feutré de vert de feuillages et de moisson mûre des toits jaunes des Temples, et des maisons grises d'habitants si bien champlevés par la plaine...

Je sais, que me détournant, me recueillant au sombre du monument qui me porte, je puis faire sonner imperceptiblement du bout des doigts, la cuve de bronze de la cloche... éveiller pour moi seul sa voix de fer et de cuivre et d'airain étouffé... qui découpe le temps des veilles, comme je viens de recadastrer l'espace étendu...

... Si je tarde ainsi à faire seller mon poney pour m'en aller monter à la Tour de la Cloche, le soleil s'en ira crever derrière les « Monts de l'Ouest[1] » montant la garde à cinq ou six lieues sur la plaine... — mais dans ces jours du solstice des chaleurs, il fera clair encore à ma rentrée...

Je sais, d'avance, tout ce qui se fera, tout ce qui est... Tout ce qui demeure impossible. Pourquoi fatiguer de redites ce manuscrit... — Mieux vaut sortir librement, plus tard, quand le jour se refermera, afin de mûrir sur lui-même le dessein, — grandissant au fond du crépuscule incertain du seul rêve, — dans ce moment intérieur qui, roulant un objet, toujours le même, ne se répète néanmoins jamais.

... Même soir. — Le rendez-vous est bien ici. C'est bien un restaurant : cette façade où vont et viennent des conducteurs de chars, des marmitons portant des victuailles, des eunuques, hélas, ne portant désormais plus rien.

J'hésite, cependant. On n'entre pas ainsi impudemment dans le Palais des « Délices Temporelles », comme le révèlent les caractères déchiffrés en gros noir sur la lanterne... Mais c'est bien lui ! C'est René Leys qui du fond du couloir étroit s'en vient à ma rencontre et m'introduit : simplement ; dignement ; véritablement chez lui.

Une cour, amusante d'ombres et de passes de lumière... une salle... une autre cour ; un « escalier », — échelle incommode mais rare dans ces bâtiments chinois toujours de plain-pied. — Nous dînerons, m'explique René Leys, dans le « Pavillon supérieur », ce qui est beaucoup plus distingué.

Ah ! voici tous les amis. J'ai déjà le mot de « vieux amis » à la bouche. Je me sens guilleret et tout à l'aise au milieu de ces jeunes gens de familles très excellentes, réunis évidemment pour « s'amuser ». L'on va donc s'amuser. Énormément. Le Chinois sait boire, oui. Mais le Mandchou de bonne race, descendu presque de Sibérie, joint sur ce point le savoir du Chinois à l'imposante capacité du Russe, — son beau-frère.

Et les voilà tous : le « gros à lunettes », le « Petit neveu », le « Premier fils Historique »... Ainsi, usant du droit de l'ami donnant à ses nouveaux amis des désignations toutes amicales, les ai-je déjà qualifiés... Mais ce nouveau... surprenant et déjà connu... Où l'ai-je donc et déjà rencontré ? — Cet œil vif, ces courtes jambes arquées, qui cherchent la selle en marchant... Aucun doute, c'est mon « Conquérant Tartare », l'avant-garde au cortège de ce matin : nul étonnement de ma part à la présentation. « Voici monsieur Tchao, chef de l'escorte du Régent ». Il me serre gauchement le pouce, oubliant dans une effusion mal apprise d'y comprendre aussi les quatre derniers doigts, que j'ai honte, un instant, de voir ainsi tenus à l'écart. Je pardonne : René Leys complète à mots couverts : « un officier de premier ordre, très dévoué, très courageux, extrêmement susceptible, et terrible quand il a bu. »

Sans aucun doute. Avec ce cou de crapaud solitaire, ce front rasé à l'extrême et presque jusqu'à l'occiput... Oh ! je revois derrière lui toute la Mandchourie dévalant et caracolant du nord au sud, irascible et loyale pourtant, au nouvel Empire établi ! — De bons soudards, bons archers, bons sabreurs, ... avant tout... intelligents... ensuite... et terribles quand ils ont...

Eh ! bien, qu'il s'enivre. Et, s'il casse terriblement quelques verres après boire, eh ! bien, je les paierai ! Enfin, l'on va s'amuser.

Mais, qu'est-ce que l'on peut bien attendre pour s'amuser ?

Ce qu'on attend, — ou plutôt, *qui* l'on attend ? C'est, explique René Leys, tout simplement le Vieil Oncle du « Petit » qui est là ; « l'oncle du neveu du Prince Lang ». Oh ! parfait ! Un raisonnement bref me fait conclure que cet oncle est le Prince lui-même, et c'est avec une gravité excessive que je me fais présenter par René Leys au noble vieillard qui surgit…

Ensuite, je déchante : il paraît que ce « onzième » neveu du Prince Lang a autant d'oncles que le Prince a de neveux… Celui-ci « en est un autre »… le quatrième ou le quatre-vingtième, peu importe. Enfin, un noble Vieillard qui vient s'amuser avec nous.

De mieux en mieux. J'aime infiniment voir s'amuser la vieillesse. L'oncle paraît disposé à quelques jeux. À peine avons-nous pris place, en deux tables, que cet ancêtre galant propose de « prier quelques chanteuses à… » chanter — J'y compte bien ; m'étonnerai-je de voir ici la musique préparant à ces ébats que nous préparons si bien chez nous par la Danse ?

René Leys, qui me paraît ici « recevoir », et, si j'en juge par son importance, être « celui qui paie » au dessert, commande un pinceau, de l'encre, une longue feuille de papier rouge, et jette élégamment des traits. C'est une invitation en règle : il est décent, avant d'aller chez ces dames, de les traiter d'abord en ce lieu... — qui n'est point ce que j'avais cru lire sur sa lanterne. Il était bien question de Délices Temporelles ; mais je m'étais trompé de sens. C'est le cinquième, celui du goût, qui est seul satisfait ici.

Que l'attente me paraît longue ! Il y avait bien des promesses sous les noms écrits, même traduits : « Jade aux Cinq Couleurs », « Sœur Minuscule », « Patience expérimentée », « Montagne fleurie », « Branche de Broussonetia Purpurea[1] »... (du moins en est-ce la version latine qu'en donnent dans leur lexique Sino-Français les Pères de la Compagnie de Jésus). Pour finir, ce nom d'un baptême inattendu et qu'on hésite à dire professionnel : « Pureté indiscutable » !

Que l'attente devient peu tolérantielle ! Ni les premiers ni les seconds ni les dixièmes services qui déjà couvrent les tables, ne comblent ma soif et ne trompent cette attente. Enfin, enfin, *Les* voilà !

Maintenant, il s'agit peut-être de choisir... ou bien d'attendre encore ? René Leys ne me faisant aucun signe, je me risque... Il m'arrête :

— Pas celle-là ! C'est la « fiancée » du deuxième fils du Prince T'aï[2].

— Oh ! pardon ! Alors, celle-ci, peut-être ?

— C'est impossible ! — C'est la petite « Sœur Minuscule » ! Elle est déjà la concubine attitrée du Vieil Oncle.

J'aurais bien dû m'en douter ! Et pourtant, « Sœur Minuscule » enfermait tout comme le Restaurant, des promesses palpables de Délices véritablement Temporelles, mais dans un sens un peu différent, — le sixième...

Alors, au hasard :

— Cette grosse fille ?

— Si vous voulez, m'accorde René Leys. Il ajoute négligemment : C'est la Policière dont je vous avais parlé, « Jade-aux-Cinq-Couleurs ».

Je voudrais bien retirer mon choix : l'amour policier me trouble par avance : je vais être fouillé, retourné, déshabillé jusqu'au fond de l'âme ; je vais être dénoncé, inculpé, impliqué dans des forfaits gratuits alors que je médite tout au plus un attentat — payant — à l'impudeur !

Je voudrais retirer mon choix. Il est trop tard : j'ai tout avoué d'avance : la Belle Policière est près de moi.

Je me rassure aussitôt : le repas se fait tout familial, et reste décent, même à la chinoise car les convives mâles mangent seuls, servis par leurs épouses temporaires. C'est fort bien : la Policière aux Cinq Couleurs manie les bâtonnets beaucoup mieux que moi. J'aime cette répartition du travail alimentaire : j'ouvre la bouche : elle y place délicatement des objets savoureux ; je mastique et déglutis. Je bois aussi. J'ai déjà bu, je crois. Ces tasses, plus petites que les tasses pour le thé, s'emplissent d'un vin tiède, d'un vin transparent comme le vieux marc... d'un vin de roses dit René Leys qui en boit peu, mais me prie de boire. Je bois. J'ai déjà bu.

J'essaie de bien reconnaître les convives et leurs invitées. Le Vieil Oncle confère d'assez près avec sa « Sœur Minuscule ». Mais, — commente de loin René Leys, — « ils parlent d'affaires : il veut l'acheter comme sixième concubine, et ils ne sont pas d'accord sur le prix ».

Cette absence de sentimentalisme me dégoûte tout d'un coup. Je regarde ailleurs… vers le neveu de l'oncle… qui s'efforce, discrètement, de ne point porter ses regards même respectueux, du côté de son oncle… Le Gros bon Garçon, sur sa gauche, vient d'hériter de « Patience Expérimentée ». Ayons confiance ! Attendons ! Nous verrons bien ! Il me semble, qu'à ce coin de table, « Montagne Fleurie » est aux petits soins du « Chef d'Escorte », cependant que « Branche de Broussonetia », malgré son nom, n'a trouvé aucun inviteur. Il reste aussi « Pureté Indiscutable »…

Je fais signe à René Leys, l'invitant à combler l'un de ces veuvages. Il répond à peine. Il s'occupe bien de cela ! Il est tout entier à tout autre chose ! À cette histoire, que l'on se raconte avec vivacité (le chef d'escorte en est certainement le héros, car il mime un jeu terrible : un homme coupé en deux ! D'un revers de sabre ! !) Serait-il déjà soupçonné, convaincu, disgracié, condamné à mourir demain ? Ce soir ? Tout de suite ? Là ?

— Non ! rassure René Leys. Le chef d'escorte, en conduisant ce matin la sortie du Grand Conseil — qui sort par « Tong-houa-men »… (la porte… vous connaissez ?) eh ! bien, il a vu des gens de mauvaise allure rassemblés au premier tournant, derrière le cordon des troupes… Il les a fait disperser à coups de plat de sabre, mais un de ses cavaliers est tombé de cheval, sur son propre sabre, et s'est coupé en deux…

— Oh ! seulement en deux ? Vous en êtes sûr ? Et *ce* matin, au tournant de Tong-Houa-men ? Mais j'y étais ! Je n'ai rien vu.

— C'est que les autres ont emporté le corps, m'explique René Leys. Le Régent lui-même n'a rien vu.

J'ai bel et bien raté mon attentat ! J'aurais dû suivre à toute allure le cortège. C'est ce diable de Sosie qui m'a valu ce retard... Je dis, en plaisantant, à René Leys combien je le félicitais de ses nouvelles fonctions : Grand Suiveur à la Garde Impériale. Je le complimente de monter avec tant d'aisance les poneys mandchous sellés à la chinoise. Je me promets, quelque jour, de m'en aller le voir défiler de nouveau... Et j'attends quelque impertinence... une dénégation... Il aime si peu Chinois et Mandchous qu'il ne pourra souffrir que j'aie pris au tournant d'une rue, un Chinois ou un Mandchou, même bien monté, pour lui...

René Leys ne nie rien, et ne se renie point. Il prend toutefois quelque temps avant de répondre :

— Vous ne me verrez plus défiler dans l'escorte : je viens d'être nommé... ailleurs.

Et il se remet à bavarder, sur trois convives à la fois, bien avant que j'aie pu lui demander quelles étaient ces fonctions d'« ailleurs ». Le voici engagé dans une partie de « doigts montrés[1] », et échangeant avec le « Premier fils historique » des gestes vifs, des chiffres jetés comme aux enchères, l'œil prompt à saisir le nombre qui se lit, afin d'ajouter juste assez pour faire « dix ». Et le perdant boit. René Leys gagne à coup sûr, et boit peu. Je joue assez mal, et bois bien. — Que ce vin de roses est tiède ! Que ma courtisane est tiède aussi ! mais si pleine d'attentions... réservées... Quelle décence dans ce festin! Quelle décence... Oui. Et quand cela finira-t-il?

À côté de nous, dans une salle à peine séparée de nous par une cloison disjointe, il y a un bien autre tumulte! — Mais, connu: ces sauts de bouchon, ces fusées de rires au champagne, ces éclaboussements de voix Européennes dont la plupart, si je ne me trompe, Françaises, mènent un tout autre train. Je me croyais en plein milieu chinois! Et si je n'avais pas, à côté de moi, à toucher, le corps pantalonné de soie de ma Courtisane choisie, je reconnaîtrais, à côté, les échos d'un certain «Mont des Martyrs[1]» dont on célèbre tous les soirs au loin d'ici la fête païenne et... parisienne.

— C'est bien ça, devine René Leys, qui vient d'obliger son adversaire à «dessécher la coupe» une dixième fois; il y a là deux ou trois ménages français qui ont voulu tâter de la cuisine chinoise. Les boys m'ont dit qu'ils avaient leurs provisions avec eux, et aussi du champagne.

— Quelle grossièreté, quand on a le vin de roses!... (Non, René, voyons! n'exagérez pas: c'est ma trente-huitième tasse... Eh! bien, «Kanpei[2]», je te l'assèche!)

Je crois bien l'avoir appelé «René». Je m'attends presque à l'entendre me répondre «Victor».

— Et qui sont-ce? continué-je, imperturbablement.

Peu importe. René Leys nomme des noms. Je ne daigne... Je retiens seulement que ce sont des couples mariés. Très mariés. Mais, par la barbe de l'inventeur du mariage, qu'ils ont l'air de bien s'amuser sans contrainte ni contrat !

Je regarde passionnément mon épouse, moi ; ma belle Policière, Élue provisoire, maîtresse-postiche... Elle ne s'amuse certainement point. Elle remplit auprès de moi une fonction honorable. Elle a dormi beaucoup tout aujourd'hui pour être si naturellement éveillée, ce soir. J'ai des scrupules à troubler cette sérénité si... professionnelle. Pourtant, voici qu'elle consent à s'asseoir, à peine du bout des lèvres, sur la pointe extrême de mon genou. Oserai-je ? De ses pieds à la ceinture, rien à prétendre. De son cou, hautement cravaté de soie, à la ceinture, rien à espérer non plus. Reste la ceinture, zone chaste, dépolie et mate au toucher, ni tiède ni chaude sous la jaquette à la mode, à pans droits. Sans grand espoir, je caresse la zone. Mais tout d'un coup voici la propriétaire du terrain, debout, indignée... Maladresse de ma part, ou empiétement ? — Non. Ma Policière désigne et accuse la cloison : faite surtout de nombreux interstices... Et en effet : nous sommes à travers la paroi, épiés, dénombrés, considérés à loisir par des yeux malicieusement Européens : nous faisons la joie de ces dames mariées. Elles nous envient ? Plutôt nous ridiculisent d'être si prudes, à cette heure, et si peu avancés... J'ai quelque envie de regarder œil pour œil... Je sais bien que tant de bruit et tant de rires ne va pas sans quelques abandons. Je les en félicite : moi, je n'ai rien obtenu !

Prierais-je à la rescousse René Leys ? Non pas ! Il est déjà levé de table et s'écarte, entraînant l'Indiscutable Pureté. Je vois son jeu : il l'achète, indiscutablement.

Le dîner est fini ! On a goûté, comme il convient, aux derniers potages et lapé quelques grains complémentaires de riz. On s'est passé sur le visage des serviettes plus suantes de chaleur que la face ronde du « gros bon garçon » dont le torse franchit de tous côtés la veste mince.

C'est fini. René Leys m'a poliment renseigné sur le montant de la note à payer ; — n'a rien payé… (il dit avoir un débit mensuel de cinq à six cents taels d'argent, en cette maison…) et l'on part. Nos Dames élues nous invitent chez elles, à leur tour. C'est là, sans doute, c'est là, qu'il arrivera, — peut-être, ce qui, dans le Paradis des Romans à Gros Tirage, arrive toujours à l'heure dite.

… Il n'est rien arrivé du tout. J'aime mieux ne pas me faire attendre, et me l'avouer, sans plus : l'Hôtel peu meublé dont chacune de ces Dames occupe une chambre, rendrait des points à toute École de Chasteté Obligatoire et Laïque. — Oui, j'entends ! ma qualité d'Européen a dû faire rougir de honte ces pudeurs jaunes ! Mais personne, j'en suis sûr, n'a rougi, même pas René Leys, plus à son aise, et d'un maintien parfait de réserve. D'ailleurs, ni le Bon Garçon, ni le Trente-sixième Neveu, ni le Premier Fils, n'ont paru croire qu'il y eût ici d'autres mots à dire, d'autre attitude à garder que celle du plus fraternel abandon ; d'autres intermèdes que le va-et-vient fréquent et libre d'autres femmes, venant rendre visite aux

« nôtres », — des « nôtres », nous quittant confidentiellement pour revenir... intactes, cheveux lissés, cols montants, sans un pli à la jacquette, sans un accroc au pantalon.

Tout d'un coup, il y a tumulte à la porte d'entrée, dans la rue. Le chef d'escorte, entendant bagarre, est déjà professionnellement debout, la figure rouge, l'œil colère, et il va se jeter dans la mêlée... Mais, René Leys, plus vif, le retient, barre l'escalier, le retient à la chambre et va tout seul constater ce qui se passe...

Du bruit encore : des coolies s'engueulent. Un coup de sifflet, et l'incident, sans doute de simple police, va se terminer au poste de garde voisin.

— Une simple bagarre, dit René Leys, rentrant, qui échange des mots rapides en chinois discret... Seulement, ajoute-t-il en pur Français, pour moi, — j'ai dû empêcher le chef d'escorte d'« y » aller voir... Il aurait certainement assommé quelqu'un !

Et, de plus bas :

— Et il se serait fait reconnaître !

La belle affaire ! Est-ce donc interdit à la Garde Impériale de faire en ces lieux des... descentes ? Ou, doit-elle demeurer chaste à l'égard des Templiers[1] ? Alors, c'est bien ici.

— Mais non ! il se serait fait reconnaître comme policier ! Il est déjà brûlé ! Et terrible quand il a...

— Bu.

Je sais. Il vient de boire encore ; et, le regardant un peu plus, je devine des explosions dans ce petit homme bâti de muscles et de rondeurs solides... Il tient une longue guitare chinoise dont il joue fort bien, délicatement, mais qu'il pourrait, encore mieux, réduire en poussière de ses doigts... Et il parle, il raconte, il gesticule des yeux et des joues sans interrompre le toucher exquis de ses ongles...

— Comme il joue bien ! dit René Leys d'un air d'envie... Il est connu pour sa douceur de doigté. — Et vous comprenez ce qu'il raconte ? Non ? Voilà ce qui le rend furieux, après coup : C'est ici que *la chose* s'est passée ! En 1900, juste après le Siège des Légations et l'entrée des troupes Européennes[1], il se trouvait ici, dans cette chambre, un soir, et il jouait de ce même « pi-p'a[2] », quand deux grosses têtes d'Officiers Allemands, bien plus ivres que lui, sont entrées et l'ont écouté en pleurant. Il s'est tu. Les autres lui ont fait signe de continuer. Il a naturellement refusé. On joue pour soi-même et ses amis... mais devant ces Diables Étrangers ! Enfin, l'un des Teu-Kouo-jen[3] lui a remis de force la guitare dans les mains en lui donnant de petits coups de poing sur la tête. Ensuite...

— Je vois la suite : bâti comme il l'est, il a dû les faire passer tous les deux par la fenêtre de ce « Pavillon à étage », sauter par-dessus et les trépigner à tabac bien avant qu'on ait pu en sauver un morceau ? C'est bien ça, hein ?

— Non, dit tranquillement René Leys. Ensuite, il a joué...

— ?...

— Ils avaient des revolvers. Il a joué. Ensuite, ils ont exigé qu'il dansât...

— Et il a dansé ? Et il les a poliment reconduits à leur voiture ? J'attendais mieux.

— Il n'avait pas bu ce jour-là ! avoue discrètement mon ami René... Désabusé, dépité, déçu, j'ose à peine abuser ailleurs des droits limités que m'octroie avec une gentillesse tarifée ma jolie Policière ou plutôt, Douanière, élue... D'abord, mon vocabulaire touche à sa fin. Je n'ai vraiment plus rien à lui dire. J'ai scrupule de la retenir ainsi, inactive, quand je la devine à tout instant fort occupée à d'autres soins. Il se joue, en dehors de moi, une scène dont je ne saisis que des gestes dérobés. Tous ces gens, femmes et hommes, semblent traiter naturellement leurs affaires, — quelles affaires ? — en dépit de moi. Souvent ils parlent à voix basse... René Leys, à demi-couché sur un lit inconfortable ne s'occupe indiscutablement que de « Pureté ». Il lui parle de tout près, de tout bas... Le vieil Oncle a disparu, — marché conclu, — se livrant à domicile la toute petite sœur — âme qu'il vient de payer un bon prix. (J'ai cru entendre trois mille huit cents taels, ce qui, au change du jour, trois francs douze sous, fait bel et bien treize mille soixante-huit de nos francs.) Il est vrai qu'elle est désormais à lui, commercialement, pour la vie.

Le neveu n'a pas suivi l'Oncle. Ce Gros Bon Garçon sue toujours. Je me sens tout d'un coup très seul. Très désoccidenté. Les rires à la Française sont loin d'ici. On ne rit pas souvent, ici où nous sommes ! J'ai bien envie de m'en aller, ayant, un instant trop long, accepté le gîte, et sans réclamer le reste...

Et j'approuve fort René Leys, qui vient à moi :

— Voulez-vous que nous rentrions « chez nous » ?

— « Chez nous » ? Ah ! certes oui ! Rentrons. Rentrons. Où est la porte ?

...

Nous voilà enfin, lui seul et moi, dans le désert poignant et noir de ces rues que j'avais, trois ou quatre heures auparavant, traversées, bouillantes de lumière et de chaleur de fin du jour. Je m'y perdrais : je suis déjà perdu ! Il me conduit avec sécurité.

Je ne sais quoi dire. Suis-je ravi de ma soirée ? À tout hasard, je félicite René Leys :

— Très bien, votre cour auprès de « Pureté Indiscutable »... Dites-moi, après coup, pourquoi porte-t-elle un nom si... improbable dans sa Profession ?

Il proteste avec le plus grand sérieux :

— Elle est vierge. Elle n'a jamais été...

Ici, un verbe chinois, délicatement expressif, et qui mêle à l'épanouissance de la fleur toute la défloration des sépales encore tendres qui éclatent...

— Alors, que diable fait-elle ici ?

J'ai été grossier. Je le sens. Mais René Leys m'explique les usages : cette fille, cette « jeune fille » (elle n'a pas quinze ans, même à la chinoise qui donne un an au nouveau-né...), cette vertueuse enfant est la concubine future du second fils du Prince T'ai. Elle vit ici, dans la retraite, « pure et secrète » comme dit la très vieille chanson, parmi ses vieilles amies d'école. (Toutes sont lettrées.) Elle reçoit de temps à autre la visite du

Princier Protecteur. Lui, voudrait bien transformer en rose rouge, et définitivement, ce bouton à peine formé. Elle, se refuse ; et désire rester encore, pour quelque temps, ce qu'elle est.

Je raisonne :

— Le Fils du Prince lésine peut-être sur le prix ?

— Non. Pas ça, reprend René Leys d'une voix coupante et que je connais bien. Lui, est prêt à donner dix mille taels d'argent. (Dix mille égale l'infini dans le mot chinois...)

Mais, voilà, il n'y a rien à faire.

— Enfin, pourquoi ?

Alors, j'entends ceci d'inattendu, d'inespérable : René Leys, premier et Unique fils d'Épicier, Professeur d'Économie Politique, me répond sérieusement ceci que j'accepte sans éclater de rire :

— Elle se refuse à lui, par *mon* ordre. Il l'aura, quand *je* voudrai.

C'est prononcé dans la solitude immensément allongée des remparts du Sud de la Ville Tartare, où nous rentrons enfin chez nous. C'est dit comme il parle presque toujours : d'un ton naturel, et simplement comme l'expression de ce qui est. — Je n'ai vraiment aucune objection à faire. Je n'ai plus rien à lui demander.

C'est à moi seul que tout au long du chemin silencieux de retour je pose pour la première fois cette question, de moi seul à moi :

— Qui est ce garçon, ce jeune Belge, qui défend aux Princes Mandchous la possession de leurs futures concubines ? Qui est-ce, qui protège et défend les virginités chinoises et l'emporte sur dix mille taels d'argent pur ? Est-ce à prix d'argent lui-même ? (Il m'a semblé toujours fort économe, et, hormis son traitement qu'il rapporte en entier à son père, je sais bien qu'il n'a pas le sou.) Ou bien, s'est-il acquis sur cette fille impubère et naïve quelque pouvoir de fascination... Ce qu'il m'a laissé voir de son enfance : flammes apparues, visions prémonitoires... en font un nerveux, et peut-être... Non. « Pureté Indiscutable » me semble posséder une immarcescible santé de corps et d'esprit.

Alors, ni force d'argent, ni charmes occultes. Restent ses charmes, ou plutôt son charme apparent : C'est un beau garçon, sans conteste. Même les hommes, assez jaloux entre eux, doivent le reconnaître tel : une femme Européenne en raffolerait. Mais une Chinoise !

Ces amours d'étrangères pour le bel étranger, classiques évidemment, et connues (celui de la Reine Noire pour Salomon, de l'Africaine pour Vasco de Gama, de toutes les autres pour Loti[1]) m'ont toujours laissé quelques doutes : ils ne vont jamais jusqu'au bout : ils n'obtiennent jamais d'enfants (du moins dans la Bible, l'Opéra, les œuvres complètes de Loti).

Et cependant, faute de mieux, je dois, ici, conclure à de l'amour. La jeune Chinoise est sensible aux beaux yeux longs de l'Étranger, bien que non bridés. Si j'en juge par l'attitude de l'Étranger, cet amour n'est point partagé. Ah ! tous mes regrets ! J'avais cru à quelque influx mystérieux — conjurations, intrigues, jalousies politiques et concubitales... et ne récolte qu'un sujet vieux d'éternel et Grand Opéra.

— Allons, bonsoir Leys, dormez bien !

Il me paraît avoir grande envie. Au fait, c'est la première « nuit » véritable qu'il va passer chez moi.

X... — Est-ce les leçons magistrales du vieux Wang, — l'influence de Dame Wang, la précision des conseils du jeune Belge ou la loquacité fureteuse de « ses » amis, — ou l'air pénétrant, le fong-chouei[1], la géomancie lettrée, les effluves lettrées de Pei-King... — le fait est que je progresse en une langue, — pratique, puisqu'elle annule la syntaxe en réduisant toutes les règles à trois, — et que je m'éprends tout d'un coup de « Style écrit », ayant découvert une architecture et toute une philosophie dans la série ordonnée des « Caractères »... Enfin, j'en arrive à traiter mes Professeurs comme il convient : de simples lexiques, des outils, bons ou mauvais, des machines parlantes ou récitantes...

Ainsi :

— Maître Wang, nous avons vu, l'autre jour, ce qu'il y a *dans* le Palais. Nous pourrions, aujourd'hui, énumérer ce qui existe *hors* du Palais.

Maître Wang approuve, et récite.

« Hors du Palais, il y a l'Empire. L'Empire a ses frontières. Dans les frontières, dix-huit provinces. Chaque province a une capitale de province, des

Préfectures de Premier Ordre, des Préfectures de Second Ordre...

— Oui, comme les concubines... Quel Empire bien ordonné ! J'aimerais mieux un peu plus d'imprévu...

Maître Wang ne comprend pas mon essai timide de traduction du mot « imprévu ».

Tout comme « impossible », en Français, « imprévu » ne serait-il pas chinois ?

— Il y a bien les « Sociétés Secrètes », avoue enfin Maître Wang. Il y a des gens qui donnent de l'argent et font partie de réunions où l'on parle. Ils proposent que l'Empereur soit un Han-jen[1], un Chinois. Mais ces gens perdent leur argent, et quelques-uns d'entre eux vont en prison et perdent leur tête.

J'ajoute, un peu à l'aventure :

— Il y a aussi Yuan Che-K'aï ?

Mon Professeur me donne aussitôt une leçon, par l'air distant dont il reprend le nom.

— Yuan Che-K'aï ! C'est un ancien fonctionnaire de l'Empire. Il est en congé.

Et, confidentiellement :

— Il a une jambe bien malade.

Je sais. Yuan Che-K'aï est politiquement bien mal en point. Sa jambe malade... c'est une apocope toute littéraire, un euphémisme[2]. Jambe est ici employé comme « figure » de rhétorique, à la place de Tête ; la tête, cet organe si important et cependant si fragile dans l'Histoire ancienne de la Chine et des Hommes, la Tête, cette calebasse pédiculisée toute prête pour le couperet, avec ce trou préparé pour le Poison, la bouche !

Tout ceci, intraduisible en jeux de mots chinois!

Il faudra que j'en parle, en bon Français, à René Leys.

...

Un entr'acte dans mon « emploi du temps ».

...

Deux heures. Le voici. Ponctuel à ma leçon.

— Voulez-vous que nous fassions aujourd'hui une liste nominale des « Partis politiques de l'Empire » ?

René Leys me toise d'assez haut.

— Des partis? Je n'en connais pas. Il y a « La Cour », la Dynastie Mandchoue, et... les Rebelles...

— Alors parlons des rebelles.

Il répond avec négligence, et ce qu'il dit ne m'apprend rien de plus. Les sociétés secrètes me paraissent former des « clubs » tout à fait comparables aux « Loges maçonniques » Américaines, et mélanger, en un seul saladier, la réclame purement commerciale des mercantis de Canton à la Raison Sociale Biblique, Jéhovah, Business and C°.

En vérité en vérité, ceci ne m'apprend rien de nouveau. Alors, j'insiste sur le mouvement d'idée que l'on appelle « Révolutionnaire » et spécialement sur la personne d'un certain commis-voyageur en pacotille « 89 et Droits de l'Homme » qui dit s'appeler « Sun Yat-sen[1] ».

Sur son propos, René Leys est particulièrement méprisant. Je l'approuve. Il ne dira jamais de ce personnage électoral, et à peine électif, tout le mal politique, moral, esthétique et social, que je pense.

Mais j'ai mieux à lui soumettre. Je reprends ma question.

— Et Yuan Che-K'aï ! Que faites-vous de Yuan Che-K'aï ?

Il sourit. J'attends. Il daigne enfin me répondre :

— Yuan Che-K'aï... une invention des Européens !

Oh ! c'est un peu vif ! Yuan est tout autre qu'un fantoche... C'est précisément ce qui m'intéresse en lui... Yuan est un Mandarin de l'Ancien Régime... Un fondé de Pouvoirs impériaux... Yuan a d'abord été l'élève de Li Hong-tchang[1]... un maître...

— Vous êtes trop jeune, mon cher Leys, pour avoir connu Li Hong-tchang...

Ensuite, Yuan s'est trouvé tout seul, séparé de son maître, en Corée, à Séoul, comme Commissaire Impérial... N'oubliez pas qu'il a fait, le premier, tirer le canon contre les Japonais... C'était une responsabilité, cela ! Il fallait défendre la Corée...

— C'était un tort. Nous avons été battus.

— Nous... Tiens, vous êtes Chinois, mon cher Leys ? Ensuite, en 1900, comme Vice-Roi du Chan-toung, avouez qu'il a pris parti pour les Européens...

Il ne répond rien. Était-ce un nouveau tort ?

Je sais bien qu'en 1898 il avait également pris parti pour l'Empereur contre la Vieille Douairière, et je sais encore qu'à la mort de l'Empereur et de la Douairière, il a failli... ou même, il a bel et bien été condamné à mort... et que sa peine a été précisément commuée en une convalescence...

qu'il est retiré depuis dans ses terres… Mais, savez-vous ce qu'il y fait ? Comment un homme de sa valeur, et bien portant, de cinquante ans à peine ; — comment un homme de son école peut-il accepter…

René Leys me toise de nouveau :

— Yuan est une invention Européenne. Il y a, dans Pei-King, des gens beaucoup plus redoutables. Ils ne sont pas retirés dans leurs terres ! Ils n'habitent malheureusement pas la Province… ni la Ville Chinoise… Ni la Ville Mandchoue, ni la Ville Impériale… Ils résident dans le Dedans.

— Oh ! Mais vous savez bien que dans le Palais il n'y a que des femmes et des Eunuques, et l'Empereur de cinq ou six ans d'âge… infantile… et de quatre mille ans de Raison Historique !

Il paraît que ni l'Empereur, ni les Eunuques, ni les femmes n'en veulent au Régent, mais… « quelqu'un ».

— Il me semble que le Régent dispose de tous les droits de surveillance ou de défense… sur toutes les personnalités, chinoises ou mandchoues… Mais de quelle race s'agit-il ?

— Mandchoue, répond évidemment René Leys, puisqu'« elle » habite le Palais.

— « Elle » habite… Une femme alors, cette personnalité ?

— Évidemment. Le seul mâle du Palais est l'Empereur.

— Eh ! bien, mon cher Leys, le Régent dispose d'un moyen de sécurité politique, historique, et discret. Il y a des puits au Palais ?

— Comment le savez-vous ? demande-t-il en tressaillant.

— Il y a des puits... comme dans toute la plaine environnante... C'est le même terrain, et l'eau des Lacs ne suffirait pas... Eh bien, pourquoi cette personnalité gênante, ou même dangereuse, n'est-elle pas déjà bien mise à l'ombre, au fond d'un beau puits d'eau fraîche[1]... — J'en ai vu, au Temple du Ciel, de remarquables : une énorme margelle de marbre monolithe, comme un tambour de jour ; comme une grosse bague de pouce pour tirer de l'arc, et qu'on aurait bien posée à plat, avec les centaines d'encoches dépolies et lissées par la corde... Celle du puits, — vous savez, la corde qui file dans la terre jusqu'à la nappe où l'on voit un pan de ciel... Et quand on relève la tête, on perce également à travers le toit du Kiosque, percé d'un trou de même diamètre que la bague, et l'on s'attend, par réflexion inverse à voir le puits se tourner bout pour bout et se forer dans le ciel qui refléterait l'eau du puits...

Je m'arrête. René Leys, pâle et les yeux grands ouverts comme deux puits d'ombre, me regarde, ou regarde je ne sais quoi. Il a peur : il va défaillir... Je ne peux croire être en cause : il a déjà dû penser à tout cela. Peut-être une peur d'enfance lui revient tout à coup... Faut-il le gronder ? Ou lui jeter de l'eau à la figure ?

Il se détend, et reprend machinalement, non pas ce que je viens de dire, mais où je m'étais arrêté avant de jeter le mot malencontreux...

— Le Régent dispose d'un moyen de sécurité... Mais le Régent ne sait encore rien.

— Eh bien, et sa Police Secrète ?
— Ses moyens d'action s'arrêtent là.
— Où est-ce, là ?
— Là, où se trouve cette Personne.
— Enfin, *oui* ou *non*, dans le Palais ?
— Oui.

Ceci est posé d'un ton définitif, comme il sait parfois en avoir pour couper court à tous les doutes. Mais, si la Police n'y peut rien ! Si le Régent ne sait rien, si les bombes continuent cependant à pleuvoir, je ne vois vraiment aucune issue.

— J'en ai trouvé une, poursuit René Leys, debout, et qui a revêtu son allure nette et élancée... Voulez-vous m'accompagner demain au théâtre ? On donne depuis huit jours une grande pièce ancienne. Vous verrez l'apothéose. Mais avant elle, un jeu de scène tout moderne... qui vous expliquera...

— Bien. À demain. Ou plutôt à ce soir ?
— Je ne sais pas si je coucherai ce soir.

Alors, où couchera-t-il ?

X... — Par exemple, qu'est-ce que cet autre vient encore faire chez moi ?

Cet autre, c'est le fonctionnaire chinois Jarignoux, dont la carte à double face me paraît chargée de titres encore plus importants, et neufs, dont il veut sans doute me donner part. Je m'y attends. Je suis prêt. J'écoute.

Non. Il vient, dit-il en s'excusant rondement, il vient me donner des nouvelles de Monsieur Leys, le père, qui, ayant eu l'honneur de me recevoir chez lui, me « salue bien ».

Enchanté ! Mais pourquoi donc Leys père a-t-il pris comme intermédiaire à Pei-King ce gros homme jurant, il y a un mois à peine, qu'il ne connaissait pas — mais pas du tout — notre Leys, fils.

— Il m'écrit, dit l'intermédiaire, des choses fâcheuses. Voilà tout d'un coup qu'il se remarie. Comme ça, du jour au lendemain.

Il serait bon d'exprimer quelques condoléances... Je n'ai pas le temps. L'autre poursuit :

— Alors, il a de grandes dépenses à faire, et il

demande à son fils de continuer régulièrement ses envois d'argent. Il craint aussi que ce garnement ne fasse des dépenses exagérées avec les filles. Il n'a pas tort. Ce petit Leys est un sacré noceur. Il passe toutes ses nuits à Ts'ien-men-waï...

— Oh !

— Comme j'ai l'honneur de vous le dire, monsieur ! Il est entouré de galopins chinois de son âge ; il boit ; il entretient des chanteuses, monsieur ! Il dépense là tout son argent.

— Non ?

— Vous ne le connaissez que de jour. On dirait un garçon bien rangé, n'est-ce pas ! Un vrai Professeur ? Si vous saviez la « guinguette » qu'il mène, après dix heures du soir !

Et Monsieur Jarignoux, au nom du Père Épicier, se lamente, se désole, s'indigne d'un aussi mauvais emploi de fonds. Il faut bien répondre quelque chose.

— Monsieur Jarignoux, permettez-moi une question très indiscrète... mais vous m'avez dit, l'autre jour, avoir épousé quelques femmes. Comment se porte Madame Votre Troisième Épouse ?

Jarignoux est moins à son aise. C'est donc que la Troisième Épouse ne va pas... Je n'insiste. Il revient, assez lourdement :

— Enfin, le jeune Leys donne de grandes inquiétudes à son père, et son père me charge, monsieur, de vous demander... d'avoir un peu l'œil sur lui...

— Allons donc ! C'est impossible ! René Leys est mon professeur. Je le respecte. Et pourquoi donc voulez-vous que ce garçon, qui s'est fait une existence très honorable ici, s'encombre de sa famille ?

Il se fait un silence embarrassé. Jarignoux a sué évidemment tout ce qu'il avait préparé de me dire. Je n'ai rien à ajouter, si ce n'est ce souhait, — inexprimable, — qu'il remette le moins possible ses pieds chez moi.

... — À propos, si vous voulez approcher des Chinois, permettez-moi de vous dire que je viens d'être distingué...

Pas possible ! (Ceci non plus, n'est pas exprimé.)

... par le Ministre des Voies et Communications, et que j'ai reçu, avant-hier, la décoration de cinquième classe du Double Dragon[1].

J'attends, avec une patience de Dragon moi-même, qu'il s'en aille.

Il s'en va. C'est long ! (Long = Dragon. Jeu de mots intraduisible en chinois.)

Il me reste maintenant à oublier sa visite et son dénigrement d'un garçon dont le mal qu'il m'en dit ne désabuse pas ma sympathie... Bien au contraire.

X… — Comme s'il tenait à se justifier, ce soir, voici qu'il m'arrive de bonne heure… Ou bien est-ce la pluie qui s'annonce et l'orage qui va crever ?

Je lui montre son couvert. Il refuse de se mettre à table en face de moi… Il a dîné de bonne heure, avec de nouveaux amis mandchous.

C'est possible, mais il a dû mal dîner : qu'est-ce que c'est que cette mine éteinte, et les yeux battus… Je suis sûr qu'il a pleuré, depuis pas longtemps. Il s'assied. Il ne dit rien. Je me garde d'interroger. Il veut parler… Alors j'interromps :

— Mon cher, nous serons mieux sous la vérandah, pour causer tranquillement… Pas dans la cour : il va tomber des cataractes ! Laissez desservir. Nous mettrons la lampe à l'autre bout, pour bien attirer les moustiques, et… Tenez, prenez la chaise-longue…

Il s etend. Il ne dit rien. Il y a, dans mon ciel noir de ce soir, un bouleversement tendu vers l'orage que nous sentons bien tous les deux. C'est pour cela que j'ai parlé avec douceur.

Il s'étend comme un enfant fatigué. Il dormirait tout de suite, là, s'il n'avait, — je le sens, — très envie de raconter... son intrigue, sans doute, parmi les Vierges de Ts'ien-men-waï... Je vois qu'on lui a fait de la peine !

Il dit enfin :

— J'ai reçu aujourd'hui une lettre qui me fait beaucoup de peine.

Si elles se mêlent d'écrire aussi !

— Mon père m'annonce qu'il va se remarier...

C'est vrai. Il a un père ; et je sais déjà la nouvelle. Eh bien ?

René Leys devine que la nouvelle ne me consterne pas. Pour me faire partager son émotion, il me parle de sa famille... il parle, de la même voix confidentielle qui, l'autre soir, ouvrait des portes au Palais !

— Mon père a tort de se remarier ! On sait bien ce qu'il épouse ! Une fille qu'il a connue, autrefois, dans une tournée d'achalandage, à Louvain. Et ma mère vivait encore...

Ceci ne semblerait point offensif, si je ne devinais au fond de cette jeune âme demi-Belge ce débat : que sa mère était Française, et qu'il ne veut pas être Belge. Ceci peut-être l'empêchera de jamais devenir Chinois à la façon de Jarignoux son ami !

Enfin, c'est un peu ses affaires ! Et surtout la vie intime d'un commerçant veuf qui reconvole n'a pour moi, ce soir en particulier, aucun intérêt poignant. — Si nous parlions d'autre chose ?

— Ce qui m'ennuie, insiste René Leys, c'est que mon père me fait des reproches sur la façon dont je vis. Je ne sais pas ce qu'on a pu lui écrire !

Il me reproche de compromettre ma situation à l'Université. S'il savait !

(Enfin, nous y voilà !)

— Mon père me traite comme un petit garçon. Je ne peux pas lui raconter ce qui m'arrive : il irait le crier sur tous les toits : mon père croit que si je quittais mon cours je n'aurais plus aucune « position »... S'il savait !

Et brusquement, avec la simplicité énergique de l'enfant se passant la manche sale sur les yeux, reprenant sa voix et son calme, René Leys redevient lui-même, précis et informateur : ce qu'il ne peut pas écrire à son père, il faut bien qu'il le dise à quelqu'un, à moi. C'est assez considérable : ce garçon de dix-huit à vingt ans, cet étranger, ce barbare, ce Belge, vient d'être nommé, aujourd'hui même, à de hautes fonctions dans la Police Secrète de Pei-King.

Je m'y attendais un peu. Cela explique bien des choses. Mais je n'aurais jamais inventé le détail. Voici le détail : « se doutant » depuis longtemps que la vie du Régent n'était pas en sûreté, il s'était, par amitié pour le frère de son ami, l'Empereur mort, donné comme devoir de la protéger. Il écoutait ce qui se disait parmi les neveux et fils de Princes, et les eunuques et les femmes, — surtout aux fins de repas arrosés de vins de roses. Il avait eu l'idée de prier les chanteuses de bien écouter aussi. Ainsi, la veille de l'attentat du pont de Heoumen, la Belle Policière — que j'avais tenue, à distance, dans mes mains, — dénonçait fort à propos la machine, et lui, René Leys, passant toute la nuit aux aguets, coupait les fils et sauvait le Régent.

Je comprends, après ce premier succès, combien peut être solide sa « situation » officieuse. Je le complimente. Il poursuit : ce résultat lui donne confiance. Il va multiplier les « policières » dans les maisons de Ts'ien-men-waï. On peut compter sur elles : il les paie, et elles obéissent mieux que des hommes. Ainsi, « Pureté Indiscutable » ne se livrera à l'acheteur qui l'aime, qu'au jour dit.

Déconvenue ! Il n'y a donc plus d'étranges amours ! Seulement, dans toute la rigueur et l'indiscutable probité du terme, une simple... livraison.

J'apprends, de plus, que la Police Secrète du Régent est une sorte de Ministère des mieux organisés ; qu'il a ses bureaux, ses fonctionnaires, ses commis, ses employés.

J'ajoute :

— Ses écoles ?

— Oui. Comment le savez-vous ?

— J'ai *aussi* ma police. Continuez.

J'apprends aussi comment René Leys s'habille pour être reçu par le Régent : en « mandarin de quatrième classe ».

— Avec ou sans décorations ?

Je veux dire, a-t-il obtenu une distinction équivalente de celle de quelqu'un que je sais... le fonctionnaire chinois Jarignoux...

Il ne comprend pas. Je précise :

— L'ordre du Double Dragon.

Comme il semble me mépriser :

— Ça ? C'est fait pour les Européens ! Un Roumain avaleur de sabres qui a beaucoup amusé le Régent le mois dernier, vient de recevoir ça... Et un autre, l'employé français, Jarignoux, celui que les Chinois traitent comme un coolie depuis qu'il s'est fait Chinois...

Il est fort bien renseigné; et moi-même de plus en plus : j'apprends ce qu'il fait d'une partie, — la plus copieuse —, de ses nuits : il se rend au Bureau Central de la Police Secrète, il prononce familièrement de la « P. S. » et dépouille les rapports qui viennent s'y concentrer de tous les côtés, de tous les clans, de tous les recoins des Yamen, de toutes les cuisines et conciergeries des Légations Européennes, Américaines et Nippones.

Le personnel de ces fonctionnaires est inégal : dans les hauts grades, ce sont de grands mandarins; tout en bas, des palefreniers, des valets, qui, recevant une lettre à porter, la portent tout droit au « Bureau Central » où elle est habilement décachetée (opération fort délicate car le papier chinois craint la vapeur) puis enregistrée, lue, copiée, et d'où elle parvient, avec à peine une heure de retard, à son destinataire dont la réponse suit une étape identique. Chacun des honorables fonctionnaires, grands ou petits, est redevable d'un « rapport mensuel ». Il le communique à son supérieur immédiat, le seul qu'il connaisse, qui le fait parvenir à la tête, laquelle reste ignorée de tous les membres...

C'est méthodique et bien administré. C'est d'un naturel évident. J'attachais peu d'importance aux quelques mots tirés à ce sujet de Maître Wang : j'éprouve tout d'un coup, pour lui, une certaine considération. Quant à l'endroit de René Leys qui m'explique d'autorité tout cela, c'est de l'enthousiasme, de l'admiration prête à crever comme le gros nuage qui insolemment se promène dans la nuit supérieure... Il fait chaud et très noir. Mais que m'importe ? Je vois clair. Voici la lumière et la porte et la pénétration ! Voici mes entrées promises : le mur Rouge, le mur Jaune, le mur Violet infranchissable me deviennent tout d'un coup faits de réseaux délicats, transparescents, que je perce et passe en jouant, sous des costumes... — Ma confiance n'a plus de bornes : je saurai tout : je verrai tout : je ne puis retenir de le complimenter :

— En somme, vous êtes chez vous, au Palais ?

Et j'attends un aveu total : il pénètre jusqu'au Grand Conseil à chaque aube ? Il jette des mots ou fait des signes et les Eunuques s'inclinent très bas devant lui ?

Non. Il paraît qu'il n'en est rien, qu'il y a, dans le Palais même, des enceintes infranchissables à toute la police du Régent, et même, au Régent !

— Ne les franchissez donc pas ! Et quel besoin ?

René Leys devient excessivement sérieux :

— C'est que... *sa* vie est en jeu tous les jours. Il faut bien arriver là d'où partent les coups... Et il ne se doute de rien.

— Avertissez-le !

— J'en ai peur. J'ai de la peine à lui faire peur une seconde fois... Si vous aviez vu son air tremblant et ses yeux quand il a appris le lendemain qu'il « aurait pu être touché » ! La même figure que son Frère d'autrefois ! Quand il a su que c'est moi qui avais coupé les fils, il m'a appelé « son ami ». Son ami ! vous entendez ?

J'entends. Ce mot prend dans la bouche de mon futur ami peut-être une sonorité belle. Il semble comprendre tout d'un coup et accepter ce que le mot veut dire, jusqu'au fond de son assonance.

— Alors, vous êtes l'ami du Régent, n'est-ce pas ?

— Oui.

— Eh bien, si vous craignez pour lui des dangers que vous n'osez pas lui raconter, et puisque vous tenez un premier succès, allez jusqu'au bout. Faites-vous donner, pour une nuit, deux compagnies de la Garde Impériale ; cernez les quartiers du Palais où se retranchent les « dangers » en question... Le feu prendra, ce soir-là, par malveillance d'un Eunuque jaloux ou de méchante humeur... et qui sera bien payé ensuite. N'échapperont que ceux que vous laisserez sortir. Quand ce sera fini, on jettera de l'eau pour empêcher les Kiosques d'alentour de flamber. — Enfin, il ne restera pas grand'chose des « dangers » qui l'effraient, et vous serez promu... Je ne sais quoi : grand chef de tous les Policiers des Dix-Huit Provinces et Pays Tributaires... Allez-y, mon cher Leys, et votre fortune est faite !

Je ne sais trop moi-même si, parlant ainsi, je plaisante ou prophétise, — simplement : j'entre dans le jeu.

Mais...

Mais je le regarde, par hasard — et je me tais ; vraiment confus, presque apeuré tout d'un coup par sa figure pleine de peur... Il me regarde aussi... Je ne sais ce qu'il peut avoir à me dire : il est effrayant : les yeux caves, pleins de folie qui monte, la bouche tendue pour parler... — Drôle d'interlocuteur ! Par le front rasé de son ami le Régent, qu'il parle ! Au nom de Fô[1] et des Chiens de Fô ! qu'il parle ! qu'il dise n'importe quoi...

Il dit :

— Personne... n'oserait. Vous savez qui habite *là*?

— Non. C'est justement pourquoi mon conseil est désintéressé.

— Le Régent lui-même n'en parle qu'avec beaucoup de convenances... Vous ne savez pas de qui... il...

— S'agit ? *Non.* Je vous le répète.

— Vous ne... savez...

— Pas ! » Je termine pour lui et n'ai que tout juste le temps de l'étendre sur sa chaise que j'ai choisie longue, heureusement. C'est la crise, la bonne crise avec larmes et gros sanglots. Bien, qu'il pleure. Ensuite, il dormira. Si j'étais poète, je me demanderais aussitôt : où est la source de ces pleurs, et verserais à mon tour, en guise de localisations lacrimatoires, des fontaines d'alexandrins coulants et clairs.

Enfin le voici calmé, — assagi ; — trop sage et trop petit garçon :

— Excusez-moi : c'est les mauvaises nouvelles que j'ai reçues aujourd'hui. J'peux pas admettre que mon père veuille se remarier !

Oh ! je m'en remets encore moins d'une secousse telle ! Cette nuit de confidence et d'orage ; cette nuit d'obscure beauté où ce jeune homme enfin m'avoue ce qu'il est... où je devine ce qu'il deviendra... Ces projets, cette crise, tout cela conclu par un faire-part dramatique de remariage paternel ! Je ne sais plus... Il doit être bien fatigué de ses larmes ! Quant à la « personne » d'où vient pour le Régent ce danger jusqu'ici assez anonyme, — je me donne congé d'y penser puisque lui-même, qui s'en préoccupe, y mélange des bigamies posthumes d'épicier !

Et pourtant, je voudrais bien savoir lequel des deux : mon conseil un peu radical, de mettre en détail le feu à un coin du Palais, ou bien la lettre reçue, — lequel des deux a déclenché à point cette crise. Lui, a été vraiment épouvanté de ce que j'ai dit. Remettons-en l'exégèse à plus tard. Pour aujourd'hui, ou plutôt, à l'heure de cette nuit, il dort.

Je le fais très doucement porter dans son lit.

Et j'attends, livré à moi seul, que les nuages électrisés et chargés d'eau crèvent enfin, — et forment crise — résolvant de leurs pleurs souverains l'angoisse toute intellectuelle qui se gonfle de cet objet : lui, — ce qu'il dit — ce qu'il paraît être... ce qu'il est ?

J'attends un long temps. Les gros nuages ne crèvent pas. Aucune éclaircie là-haut. En moi, aucune détente...

X... — Ce Protocole vient à son heure : à mon tour d'entrer au Palais... de jour, il est vrai, et très officiellement. Le Ministre de France Plénipotentiaire, envoyé extraordinairement de Paris à Péking, va présenter au Régent ses lettres de créance, et la Légation a décidé fort à propos qu'un Français de plus au cortège ferait bien.

Je suivrai, respectueusement; prêt à ne rien perdre du chemin que l'on fera, passé la Porte. Je ne sais encore où se donnera l'audience : dans le Palais de la Grande Harmonie[1] ? au centre de la haute terrasse blanche, large comme une plaine et carrée ? — dont on connaît de si enthousiastes et naïves descriptions Européennes d'autrefois; dont on voit les toits doubles régner au centre et au fronton de la foule noble des Palais, du haut de Ts'ien-men... Mais peu d'espoir : la Maison Régnante est en deuil. Et l'Audience se donnera, vraiment, je ne sais où...

Je suis le premier des « suiveurs », au Rendez-vous, à Tong-Houa-men[2], la porte que je connais si bien du dehors. Mauvais signe : c'est une porte latérale, choisie évidemment pour dérober l'entrée par la Grande Voie Impériale qui va droit du sud au nord, axiale, vertébrée par les monuments, court à travers la Chine, la ville sud, la ville Tartare et Ta-Ts'ing-men, franchit d'autres cours et d'autres portes et va mourir je ne sais où. — Soit, j'entrerai par la Porte Latérale.

On arrive, autour de moi. On se communique : que « le Ministre de France sera porté en chaise jusqu'à la salle de l'Audience ; que la suite... suivra. (J'abrège la formule.) Parvenue à la salle de l'Audience, quand le Régent paraîtra, la Suite s'inclinera. Quand l'audience sera finie, l'on saluera, par trois fois, et l'on se retirera en reculant. »

Voilà donc ce qu'il en est advenu, de la triple et triple prosternation couchée d'autrefois ! Je songe que les courbettes inscrites à ce Protocole ont fait autrefois couler beaucoup de sueurs diplomatiques. La Chine, suzeraine de toute l'Asie, exigeait de ses vassaux comme des « tributaires » Européens, la grande « humiliation », le front au sol, et tout le corps allongé sur la terre, et cela répété neuf fois ! Les meneurs d'ambassades hésitaient, et, selon leurs pays d'origine, agissaient de façon toute différente : les Portugais, faciles et bons garçons, acceptèrent, se prosternèrent et durent s'en aller, bredouilles. Les Hollandais plus réfléchis, visant des apanages commerciaux, se prosternèrent aussi, mais sans rien obtenir de plus. Les Russes, par bon voisinage, faisaient de même, simplement, comme ils s'embrassent sur la bouche, chez eux, par décence aux fêtes religieuses. Les Anglais, avant de s'abaisser, exigèrent qu'un haut mandarin fît de même devant le portrait de leur King. (Le haut mandarin refusa.) Seuls les Français ne risquèrent ici aucune démarche « humiliante ». Il est vrai qu'ils n'envoyèrent ici aucun ambassadeur attitré. Leur mémoire historique et leur honneur sont saufs. Et c'est d'un front haut que je passe la Porte[1].

Ensuite, j'essaie de repérer exactement mon chemin. Difficile, à travers tant de portes, de cours intérieures rectangulaires et symétriques, très équivoque à travers ce lacis impitoyable de l'angle droit : je sais bien qu'il y a, courant du sud au nord, l'axe et la raison d'être de ce Palais quadrillé : la voie droite, la voie médiane... je cherche à noter le moment exact où je la franchirai... De temps à autre, des valets à robe bleue et face blême, paraissent, regardent, et ne bougent pas sur notre passage... Ils appartiennent chacun à un enclos de ces murailles du même rouge-cinabre, ils s'abritent sous des toits de mêmes courbes jaunes... Comment m'y retrouver ensuite ? Faut-il ici, où je suis conduit par la Diplomatie, me faut-il demander le chemin ?

Comment m'y retrouver ensuite, sur un plan ? Comment retrouver mes traces ? Et surtout, comment repérer ceci où l'on s'arrête, où l'on pénètre... — « Ceci » est une sorte d'antre civilisé, mystérieux, caverneux et absorbant comme la bouche à peine entrouverte du Dragon intelligent : un Palais chinois, surbaissé, un intérieur de bleus sombres et de verts, meublé seulement d'une estrade basse, — et qui serait vide, vide à s'en inquiéter, — si les murs, laqués de rouge, les colonnes de bois laquées rouge, et sur tout le plafond lourd et riche, caissonné, ouvragé, niellé, minutieusement compartimenté et menuisé, ne meublaient ce vide et cette absence à l'égal d'un trésor royal attendant le Souverain...

C'est à ce plafond que je remonte, le nez en l'air, le visage indécemment renversé, — quand je ne sais qui me pousse du coude, et me fait retomber à terre. Il est temps. À deux pas de moi, je *l*'aperçois, seul, sur son estrade basse, et nous tous, deux pieds au dessous de Lui. Les trois premières inclinaisons sont faites. Je puis relever la tête et le regarder...

Mais d'abord, d'où est-il sorti, ou entré en scène ? Au fond de la muraille nord, il y a bien cette porte basse, voilée d'une tenture bleue qui vient de retomber sans bruit...

Jeune ; gras ; l'air très doux. C'est donc à lui que l'on s'attaque ! Lui, si peu « offensif ». Je le dévisage à souhait pendant que s'échange entre notre Ministre, un interprète et lui, la conversation obligée : — compliments, souhaits de santé, le meilleur souvenir à notre Président de République... — Il est vêtu du petit costume de cérémonie, ou plutôt, du costume de deuil. Il n'y a pas encore trois années officielles depuis que son frère, Empereur de la Période Kouang-Siu, s'en est allé, par ordre souverain, régner dans le Ciel des Sages...

C'est donc à celui-ci que l'on en veut ! Comme il a l'air doux, et la figure gonflée sous le chapeau conique, — chapeau « chinois » depuis la conquête mandchoue, coiffe d'été, même en cérémonie !

— et les mains disparues dans les longues manches...

Il parle doucement, grassement... Oui, gonflé d'une importance qui n'est point tout à fait la sienne...

Et puis, il a fini de parler. Les autres s'inclinent. Je m'incline, et, suivant le Protocole, toujours tête basse, nous nous apprêtons à sortir à reculons. — Le cortège, peu accoutumé de la bâtisse chinoise, trébuche sur la grosse poutre qui barre solidement le seuil[1].

Quand on se relève, en respirant plus fort, et osant un dernier regard au fond de l'antre, il n'est plus là : la même trappe qui le fit apparaître, l'absorba : la tenture bleue est retombée sans un bruit.

Et, sur le chemin de retour, c'est une autre retombée qui m'obsède... J'entends autour de moi :

— En été, ça va bien ! Mais en hiver, ce qu'il doit falloir de poêles pour chauffer toutes ces bicoques !

(Ceci est proféré par un mécanicien de la marine).

— Et regardez-moi ça ! Cette espèce de tour qui a l'air d'une « bouteille de Pippermint » — (Il désigne la Stupa blanche, la Tour hindoue si peu à son aise ici :) Comme c'est chinois ! Ça a l'air plein, est-pas ? Eh ben, c'est creux à l'intérieur. Ça contient un Pouddha[2] de suif d'une religion inconnue !

J'affirme l'authenticité de ces paroles. Ceci fut proféré en cette circonstance par un Capitaine,

Français, du Génie. Le suif est un mot sans doute mis pour « jade ». Et le trait de « Bouddha d'une religion inconnue » est fait de nacre : c'est la perle de mon sottisier chinois.

Seul, le Ministre de France a fait spirituellement les inclinaisons indiquées, est remonté non sans élégance en sa chaise, et s'en retourne sans avoir rien dit.

Voilà donc mon entrée personnelle au Palais. J'aimerais fort en discuter avec lui qui doit m'arriver tout juste à trois heures après midi, et aussitôt, m'emmener au théâtre. L'attendant, j'ai à peine l'heur d'écrire en quelques mots ce que je viens de faire... ceci... Je voudrais tant m'y reconnaître ! Ce chemin parcouru ! Et je déplie un plan à grande échelle de la Ville interdite, un plan Européen, complet en apparence, exact au centième, coloré, bourré de noms transcrits, — un plan levé hâtivement et puérilement par les troupes alliées, durant leur occupation pleine du Palais en « dix-neuf cents[1] »...

Et, sous mes yeux, entre mes deux mains écartées de ce qui est à peine une envergure d'homme, je vois, je déroule, j'étale, je tiens et je possède pour un peu d'argent, la figuration plane de cette ville, de la capitale, de ce qu'elle enferme... Péking[2].

C'est une figure inoubliable quand on l'a, non pas vue, mais habitée. Un Carré, posé sur un Rectangle. Celui-ci, le socle, et pas plus, est déformé, non accompli ; sa muraille de droite, son mur oriental est contourné, et hésite. Il déborde à droite et à gauche, à l'ouest et à l'est... C'est la ville chinoise, ou plutôt le lieu des mercantis enveloppant et happant et dévorant comme des fourmis.. Ce terrain Sud et large serait à déblayer, s'il ne contenait pas, comme un *faubourg*, ainsi qu'il sied, les deux Temples du Ciel et de l'Agriculture, enfermés à droite et à gauche, au long de sa muraille Sud, pendus à la grande voie vertébrale...

Ce faubourg communique avec la Ville Carrée, la Ville Tartare, par trois portes.

Celle de l'Ouest, je n'ai jamais raison de la prendre. Celle de l'Est, Ha-ta-men, au contraire me livre passage vers toute la campagne... je la connais trop bien : c'est *ma* porte, mon échappée, la seule baie à ceux qui futiles comme moi, à l'observatoire du coin Sud-Est, ne peuvent s'évader que par là...

L'autre, celle du milieu, est Ts'ien-men. Rien de plus à dire... La légende est close.

Au nord de la Ville Chinoise se planit la Ville Tartare, posant ses trois portes comme un formidable trépied sur le faubourg tributaire de l'autre, ses trois Portes, ses trois pieds ! C'est elle que j'habite, en conquérant, mais discrètement, dans son coin de droite, et en bas. Carrée, ou presque (il a fallu les décamètres des agents voyers Européens pour prouver que ses quatre côtés diffèrent), elle hausse ses murailles à trente pieds au dessus de la plaine... C'est mon vrai domaine. C'est mon bien : je possède un carré minuscule juste au coin de droite et d'en bas, — compris entre l'Observatoire classique, dont des Jésuites de ma race ont fondu les bronzes, et le K'iao-leou[1], le Pavillon d'angle d'où la citadelle domine au loin la campagne planie comme une mer calme, la mer alluvionnaire de la plaine… Puis, enfermée dans le carré de la Ville Tartare, la Ville Impériale, qu'un mauvais jeu de mots, celui-là, intraduisible en Français, sur le caractère « Houang » laisse appeler souvent la « Ville Jaune[1] ». — C'est un rempart de plus mais bossué vers l'ouest. Enfin le troisième rectangle inscrit, celui-là que l'on peut peindre d'une belle couleur violette, par convention — car tous ses toits sont du plus beau jaune, Le Palais.

Je le tiens, je l'encercle ; je le domine ; j'équarris mon œil à sa forme : je le comprends. Les bâtiments, les cours, les espaces, les Palais du Palais sont là, schématiques et symétriques comme des alvéoles non pas pentagones, mais rectangulaires ; et l'esprit est le même : la ruche a travaillé dans la cire pour un seul, une seule, la Femelle de ses habitants. La Reine. Quatre cents millions d'hommes, ici, à l'entour, pas plus différents entre eux que les travailleuses de la ruche, ont aggloméré ceci : des cases d'échiquiers, des formes droites et dures, des cellules dont l'image géométrique — sauf la profondeur angulaire des toits — n'est pas autre : que le « parallélépipède » rectangle ! Mais, protégé, abrité, défendu contre les incursions barbares… en l'honneur du Seul Habitant Mâle de ces Palais, Lui, l'Empereur… Et tout ceci, — métempsycose ou parabole — projeté sur le papier de ce plan, sans un repère, sans une directive autre que le grand axe, du Sud au Nord, qui perforant les Palais et les portes, vient buter logiquement et finir, précisément au « Tchong-

Kao[1] », « impossible de vue » au « Palais du Milieu » qui, sur ce papier, barre la route… — Rien de plus que cette indication du centre… Mais, pratiquement je ne sais m'y reconnaître. Où est la route làdedans suivie… Où le Régent nous a-t-il reçus ?

… Il m'arrive fort à propos pour me tirer d'embarras :

— Dites-moi, Leys, par où donc avons-nous passé, pour nous rendre à l'audience, ce matin ?

Il sourit.

— Je n'y étais pas !

— C'est vrai, mais grâce à vous je pourrai peut-être m'y retrouver. Voici, je suis sûr d'être bien entré par Tong-Houa-men ; ensuite, j'ai passé un canal sur un pont, celui-là peut-être. Regardez donc.

Mais lui donne à mon plan, précis sur le papier, une attention méprisante à peine. Ce plan, cette feuille étalée au grand jour lui déplaît, évidemment, à lui qui pénètre mystérieusement de nuit et se dirige là comme un familier.

Et puis, je le sens préoccupé. J'en suis sûr. Je ramasse mon plan. Donc, il m'emmène au théâtre. Est-ce le « moyen » qu'il a trouvé ?

Nous reprenons, au théâtre, une causerie aussi libre, aussi abritée que dans ma cour aux meilleurs soirs. L'abondance de la foule des hommes pressés autour de nous au ras du plancher, — les cercles de milliers d'yeux de femmes piquant ces visages blancs, roses et rouges, et trônant aux galeries ; et la musique nourrie de ce tonnerre du gong, font un enveloppé très délicat ; une atmosphère recueillie par excès de couleurs, d'odeurs et de bruits ; qui ramène et dispose à la méditation personnelle. Lui et moi sommes bien seuls ici. D'abord, très peu de gens savent ce que lui et moi connaissons... Ce rôle, ce mystère, ce secret policier... Par exemple, tous ces « amis » qui occupent une table carrée pas loin de nous, et qui nous ont salués vivement à notre entrée, — sont de petits jeunes gens riches et noceurs, sans plus, et ne se doutent pas de la partie qui se joue, au fond du palais, sur des planches autrement vastes que celles-ci...

Cependant, René Leys, désignant le « gros bon garçon à lunettes »...

— Tenez : voilà mon secrétaire, au « Bureau Central » de la P. S. C'est un des meilleurs agents. Il est remarquablement fort, sous sa graisse, et très fin...

— Comment ! même vos amis...

Le « même » est un peu de trop. Il répond, tout au naturel :

— Tous mes amis *en* font partie, mais dans des grades très différents, et qu'ils ignorent de l'un à l'autre. Aucun d'eux ne connaît ma situation véritable...

Et notre policière et secrète et franche causerie se prolonge, à mots coupés, en Français furtif, au milieu de la même foule chinoise, de plus en plus pressée, parmi le va-et-vient des domestiques inondant les tables de thé, lançant à dix mains tendues des serviettes chaudes qu'on attrape et qu'on renvoie au vol après essuyage de la sueur, d'un geste élégant comme un coup d'aile ou d'éventail.

Tout ceci, plus amusant que la scène encombrée de coolies machinistes, de chaises qui figureront des montagnes, de tentures du plus beau rouge de Chine qui seront des lits de justice, ou de rouges autels conjugaux...

Le grand tumulte du gong et le sifflement acide ou azuré du violon à deux cordes enveloppent heureusement toute la scène de paillettes sonores et d'un ruissellement continu. Cependant, ce personnage, qui est là, depuis une demi-heure, pleurant dans sa barbe blanche avec de grands ports de voix, — une voix cassée de vieillard qui aurait connu Confucius à l'école Primaire ! — celui-là m'ennuie...

— Vous ne le reconnaissez pas ? souffle René Leys. C'est le Neveu du Prince Lang !

Pas possible ! Et pourtant : ces sourcils et cet arc des yeux... Un bon travesti. C'est lui. Comment son oncle lui permet-il de monter sur des planches ! Je croyais que c'était en Chine l'avant-dernier des métiers, préparant d'ailleurs au dernier qui est...

René Leys m'arrête d'un rougissement.

— Non ! les chanteurs ordinaires, c'est possible ; mais il s'habitue à la scène pour pouvoir chanter dans le Palais, où c'est tout à fait à la mode de chanter[1], pour les Princes qui veulent s'amuser, et y entrer...

Et puis, en attendant, il est bien payé ; vous entendez : il joue le « Vieux Père », il fait la « voix cassée ». — C'est celle que les directeurs paient le plus cher parce qu'elle dure moins longtemps...

... — Un remous dans la foule : on se lève

autour de moi… On se pousse… Je me lève. René Leys est déjà loin, jouant des coudes, parlant vite, passant où il veut. Il disparaît dans la bousculade et je le cherche des yeux avec la crainte ridicule d'un danger sur lui. Mais il revient, et je vois des policiers emmener vivement derrière les coulisses un assistant habillé d'élégantes soieries bleues, la face blanche-paille, qui proteste à peine et s'évanouit aux mains qui le traînent.

René Leys s'excuse de m'avoir quitté brusquement : « Il fallait bien : *mes* policiers hésitaient à *le* prendre. L'affaire est faite. »

Et, négligemment :

— Oh ! une histoire de rien du tout : un Eunuque accusé d'avoir un peu trop parlé, et qu'on n'osait pas arrêter dans le Palais. J'ai pu faire donner mes policiers, ici. Personne ne le réclamera.

— Croyez-vous qu'on ait remarqué votre intervention un peu… vive ?

— Pas du tout. Ils admettent d'un Européen toutes les fantaisies… Croyez-vous qu'un Chinois regarderait, en plein théâtre, ces femmes, comme nous ?

Nous regardons en effet avec une insistance toute latine, une loge de balcon emplie de visages connus, empâtés de fards et de blancs, lustrés de cosmétiques, et des poitrines engoncées de soie gris tendre et bleu mourant, de mauves crus, de vert « couleur du Ciel après la pluie »… Ce sont nos belles de l'autre soir ; les jolies Policières, étalant leurs grâces triomphantes à dix pieds au-dessus des fronts rasés qui houlent au parquet et à l'orchestre. C'est beaucoup plus charmant à regarder que la scène, et ce neveu qui pleurniche toujours...

— Non. Il est parti, à bout de voix... Mais ceci, mais ceci que René Leys me dit être l'apothéose du vieux drame déroulé huit jours durant, est tout d'un coup possible à contempler : voilà bien des couleurs, des formes, des lueurs et des gestes aux courbes magnanimes... Je ne veux rien comprendre à ce qui se passe là : des pétards éclatent comme un tonnerre familier, une foudre de cuisine... des génies paraissent dans la flamme, et, tournant le dos, s'en vont tranquillement. Je ne sais point ce que cela signifie. Je regarde, je regarde... et voici un grand homme tout vêtu de rouge[1], qui, tenant un sabre dans chaque main, s'apprête à lutter terriblement, on ne sait encore contre quoi...

C'est une escrime pourfendant le vide ; un duel dont un seul est visible ; ses deux poings armés jouent entre eux, s'évitent, s'attaquent ; les deux tranchants se croisent et s'esquivent... un choc d'acier ? non : une pirouette, un bond, trois moulinets et, immobile, fixé par un coup d'orchestre il dresse face au ciel son visage rouge emprunté, ses deux bras dont les lames ont tranché des milliers d'écailles dans l'air... Cet air est peuplé de génies qu'il vient de mettre à mal, je le suppose... je le sens... j'ai raison, car voici l'incarnation, le défilé batailleur de ces génies qui commence... L'homme rouge...

— C'est, me souffle dans l'oreille René Leys, c'est le professeur des acteurs Impériaux, le chef de la scène, au Palais.

Bien, bien. Je regarde. L'homme rouge est aux prises avec un incarné : un guerrier noir, caparaçonné de jaune, le visage atrocement peint, le dos hérissé de flèches de combat et de drapeaux, les sourcils relevés et prolongés du nez aux tempes... Un embonpoint de héros, — l'attitude rythmique et dansante d'un être invincible et terriblement sûr de lui.

L'escrime recommence : pas plus de chocs ; mais des feintes, des sauts. Un silence d'armes effrayant dans le combat de l'orchestre de soie, de bois et de bronze déchaînés... Voilà ! le guerrier noir et jaune est vaincu, blessé à mort : il penche la tête, reçoit le coup sur la nuque,... puis s'en retourne dans la coulisse à petits pas, figurant dont la tâche est finie...

À un autre. Celui-ci est d'autre couleur. Non moins belle. Il combat plus vaillamment, sur un autre thème... Il doit être vaincu de même : il reçoit le coup : il s'en va.

C'est ainsi que, par six fois, l'Homme Rouge aux poignets tourbillonnants fait des feintes, tourne et virevolte, pare un coup, en donne un autre et cependant, — est-ce fatigue réelle ; est-ce parfaite attitude dans un rôle qui tuerait un de nos athlètes... — paraît faiblir, et peu à peu, devant le dernier ennemi, reculer.

Peu importe ce qui pense et ce qui se passe là... — Pourtant, dessous ces gestes, s'il y avait, par aventure, un drame ! — une action tendue vers un but ! Si cela n'était que péripéties ménagées vers... je ne sais quoi !

Plus tard, j'interrogerai René Leys. Mais, de lui-même, il parle, et assez inopportunément :

— Vous avez remarqué l'assaut du quatrième ? Il a été d'un « mou » ! Et il est arrivé un peu tard sur les « pointes » ! Il voit le spectacle en connaisseur. Pour moi, je regarde, je regarde éperdument.

Voici plus : les géants combattants de toutes les couleurs se sont tout d'un coup résolus en un seul homme, au visage d'argent, au visage bardé de lames et traits d'argent, le corps gonflé, le geste métallique… Celui-là, l'Homme Rouge reçoit encore son attaque, et le vainc.

Survient enfin le Génie au visage d'or ; c'est un gros soleil porté sur des épaules, et qui danse en éblouissant…

Celui-là ne peut être dit vaincu : il éclate d'un coup de pétard qu'on lui jette sous les pieds, et s'en va, du même pas que les autres.

On peut croire le drame résolu : le héros rouge a triomphé : le voici, haletant, couvert de sueur, soufflant et hurlant sa victoire dans des cris… Est-ce fini ? Déjà ?

— Non, dit René Leys ; attendez. J'espère qu'il sera meilleur dans sa défense contre les monstres.

Et, confidentiellement :

— Il a manqué la parade du « cinq ».

Je reconnais en René Leys le parfait habitué de théâtre : le drame qui se joue n'est rien : qu'il s'agisse de l'Hamlet humain de Shakespeare ou de l'autre si mignonnement travesti par Ambroise, qu'il s'agisse du grand dieu Brahma dans Lakmé-Léo Delibes, ou de la Grande Soupe en famille de Louise, monologie du Peuple Souverain[1], — le parfait habitué du théâtre néglige ces nuances dans le détail du livret, pour s'en tenir au fond : la vertu de la grosse chanteuse, le port de voix du ténor éculé escamotant une « attaque » difficile...

Mais... mais... quelle pénétration de la vie chinoise, — mieux encore, Pékinoise, — ce garçon n'a-t-il pas atteint, pour rester sensible, dans le fort d'un spectacle à faire éclater les orbites, — aux seuls dessous du théâtre où il me mène !

Moi, je regarde de plus en plus : voici les Monstres annoncés. D'abord, un grand diable de Symétrique, s'inversant, bout pour bout, à volonté, avec deux visages, mais non placés à la manière de Janus. On ne sait, vraiment, sur quels pieds ou sur quelles mains il peut danser ! L'Homme Rouge, un peu surpris d'abord, lutte avec un double à-propos.

Vient ensuite une boule vivante et ramassée, sans tête ni bras, qui se défend et se sauve en roulant sur son ventre total.

Vient ensuite un monstre élastique dont les bras, le tronc, les jambes se dilatent pour frapper, ou se ravalent pour éviter les coups. Puis un monstre à tête de tortue, cuirassée d'écailles ; un autre qui figure un coquillage marin ; puis une roue inhumaine lancée sur les rais de ses bras et jambes multipliés par la vitesse... Enfin, le Géant Bonasse qui va tout écraser, car il est deux fois gros comme les autres...

L'homme rouge prend son élan ; et, d'un formidable coup vertical, le tranche en deux, du crâne à l'entrejambe. Et je vois, je vois les deux moitiés gigantesques se séparer, clivées par une coupe abominablement sanglante, et blanche, et moelleuse! ... — et s'en aller chacune de son côté en guerre contre le Héros rouge, qui, des deux sabres, les bras en croix, tient en respect le monstre divisé... qui s'en va, comme les autres...

Je vais enfin respirer... Non. L'homme Rouge, resté maître de la scène, n'ayant rien de plus à pourfendre, regarde autour de lui, défiant le vide, en proie tout d'un coup à une peur extrême...

Il est épuisé. Assis par terre, le torse penché, jambes écartées, il regarde et il a peur. Si l'on pouvait savoir de quoi! Il a grand'peur. Il ne lutte plus... Il voudrait s'enfuir... il ne peut. Il saute sur lui-même... puis il tombe, se rassoit et tout d'un coup se prend à s'agiter d'un épouvantable tressautement vertical...

— On ne dirait pas qu'il a cinquante-deux ans, dit René Leys. C'est fini. Mais avant de partir, laissez-moi...

— Attendez...

Il est insupportable aujourd'hui.

— Je vous ai promis de vous montrer le moyen que j'ai trouvé pour...

— Attendez. Vous êtes insup...

— Tenez : à droite, à toucher la scène, dans la loge du Patron du Théâtre...

Bon gré mal gré j'aperçois une femme mandchoue en grand costume, minaudant avec des gestes connus... Encore une? Policière? Bien, bien.

Et je reviens de force à la scène. Et je regarde; je regarde éperdument. L'Homme Rouge, seul au milieu de la scène qu'il a pourtant vidée comme un ventre de poisson cuit, de monstres, est au comble de son épouvante ! Assis toujours, jambes écartées, il tressaute sur les fesses dans une mimique effrénée, impossible à expliquer, impossible à imiter... et retombe, et ne bouge enfin plus.

Cette fois, oui. Je veux bien m'en aller. Sortons vite.

Oh ! que ce grand air est bon !

X... — Il y a plus longtemps que de coutume : trois jours entiers. Je ne l'ai pas revu. Il a compris sans doute que ses leçons de Pékinois m'importaient moins que ses leçons de vie Pékinoise, qui ne peuvent, sans surmenage, se donner quotidiennement. Ou bien il mène en dehors de ma maison et de moi son jeu compliqué. J'en ai quelque jalousie. D'abord, il me plaît. Je commence à l'accepter, voire avec la négligence affectueuse pour celui que l'on attend d'une veille au lendemain... Il me faudrait faire effort pour le peindre, — si j'avais jamais à le peindre. Et pourtant il est vraiment beau dans l'action, le mouvement libre dans l'air, à cheval, ou chevauchant une histoire au galop, avec moins de faits et de gestes qu'une belle domination contenue de l'acte et de ce qu'il dit. — Et il est impossible d'oublier le persistant de son regard d'ombre, dilaté brusquement.

Comme si je l'attendais, j'ai fait disposer ce soir, la grande chaise et mon fauteuil, dans ma cour, tiède du chaud soleil de tout ce jour... comme pour des confidences encore...

Autour de moi, dans le ciel, du tonnerre. Le tonnerre dans l'arène renversée… ; — le tonnerre qui, depuis de longs jours, ne se résout pas à fulgurer, mais roule dans le cirque horizontal ses courses de chars du bruit menant sans crever leurs manèges !

Je l'attends. Que peut-il perpétrer cette nuit ? Qu'a-t-il fait de la nuit dernière ? Je me surprends à l'épier avec la générosité d'un aîné prêt aux indulgences ; efficace bien plus qu'un père ! — L'épicier, là-bas dans sa Lune de Miélasse, peut considérément se reposer sur moi. Oui, Monsieur, je veille sur votre fils. Du moins j'en compte plus jalousement que vous les absences… je crois le comprendre et l'aimer plus que vous.

C'est bien ça : j'aime ce garçon nerveux et décidé. Ce qu'il me dit est parfait d'anecdote et de ton. Ce qu'il fait, — ou bien me regarde peu, — ou fait partie de ce que j'ai décidé d'aimer le plus au monde : les gens qui vivent au Palais, successeurs — un peu éteints — de Celui qui Régna et qui mourut au fond du Dedans du Palais. Lui-même, qui les évoque, et les exotérise, fait donc partie de mon plan du Palais. Ce raisonnement vient tout droit buter sur ce mur rebondissant. J'aime amicalement ce garçon nerveux et vivace, cet animateur, ce montreur d'Ombres…

… « Mon ami ! c'était mon ami ! » De quel ton il a dit cela, sur le propos du mystérieux Disparu… le Seul, le Seul mâle, l'Épuisé de plaisirs officiels, peut-on croire, le maître d'Eunuques et de femmes…

Et puis, quand il m'a raconté que le « frère de

son ami, le Régent », il entendait le défendre contre tout, le sauver...

Pourquoi donc ne serais-je pas « son ami » ? Il n'ose pas : quinze ans d'âge et les distances Européennes... Il n'ose pas. C'est donc à moi de décider.

Quand il reparaîtra chez moi, — (s'il lui arrive jamais de reparaître...) je lui proposerai donc, logiquement, de devenir, s'il le veut bien, « mon ami ». Je sais d'avance qu'il nourrira ce mot de toutes les vertus que j'y place...

Je sais que peu de gens auront jamais, dessous un Ciel aussi lourd, échangé de telles confidences... Serait-ce du Ciel qu'il me faut espérer la résolution de ceci ? Il ne vient pas. La nuit est veuve. À des gouttes qui flaquent sur mes dalles, je sens enfin que toute la nue se détend, et qu'il pleut. — Il pleut enfin !

Alors, nu sous un vêtement de soie impalpable, de soie chinoise pour l'été, je reçois la grande averse, et, rafraîchi, je m'en vais, — enfin — dormir, détendu.

X... — Il est à peu près l'heure du dîner que je retarde inconsciemment tous les jours. Le voici, qui se fait annoncer, et s'excuse avec empressement. J'excuse tout : j'ai tout compris : il se prépare un nouvel attentat. Après la bombe, quoi ? Le poignard ? ou bien le ......[1] ?

Comme il s'agit peu de cela ! J'ai parlé vite : il achève froidement :

— Je suis très occupé, — par mes élèves. Nous sommes en pleine période d'examen. Soixante copies à corriger en deux jours !

Je m'incline, désappointé, devant le Bon Professeur, revenu. On mange sans appétit par ce crépuscule brûlant d'un jour déjà bien réchauffé !

Va-t-il, pour conclure, me prendre pour exutoire des amours de son père ? Pour témoin de sa carrière d'orphelin manqué répudiant l'auteur ingrat de ses jours ? ?

Il m'épargne cette avanie... De nouveau, nous baignons dans le silence tiède de la nuit, et sa voix changée prend au retour le timbre de fer d'une certaine cloche que je sais, rouvre une certaine porte que j'ai déjà franchie grâce à lui...

Il dit, comme en écho de mes paroles :

— Après la bombe, le poignard. Vous ne pouviez croire si bien dire. C'est arrivé voici deux jours... C'est... la véritable raison de mon absence... J'ai juré de ne pas en parler...

Il attend l'effet, sur moi, de ces mots. Moi, j'attends simplement la suite de ces mots.

... « Sauf à des amis sûrs et qui m'aideraient au besoin. »

Un ami... sûr ! J'exprimai déjà la décision d'être un ami pour lui. — Et je suis sûr de moi, par principe (ou la vie serait impossible !). Quant à l'aider au besoin, — pourquoi pas ?

Il semble que mon silence lui suffise, comme un aveu discret d'enrôlement.

— Maintenant, je puis vous le dire. Il y a longtemps qu'« ils » préparaient ça. Je n'ai eu la certitude que vingt heures avant... Enfin, c'est passé !

Et il soupire ; s'arrête ; reprend ; parle parfois très bas. Quel minutieux et logique récit ! C'est vraiment d'une belle maîtrise policière : la jeune « vierge » de Ts'ien-men-waï, persistant à se refuser toujours, par ordre, au deuxième fils du Prince Ts'i, cet amant en expectative d'emploi multipliait les promesses : lingots d'argent fin, perles mortes, corail faux, nécessaire à toilette Européenne en métal Anglo-exportation, — enfin voiture Franco-Pékinoise à 4 roues et à ressorts, toute attelée, signée du carrossier-maquignon bien connu. Rien n'y faisait. Tout à coup, l'amoureux s'est décidé : il offrait à sa Pure et Belle Paracubine, de devenir en se donnant à lui non pas concubine de dixième rang, non pas de cinquième, non pas de deuxième, pas même de premier… mais princesse, mais bien mieux que princesse ! de devenir :

— Impératrice, criai-je moi-même comme un hourra.

Je m'interromps : mais il existe une Impératrice ! falote, il est vrai, c'est Long-Yu[1]. René Leys continue, et convient qu'il s'en est fallu de bien peu. Sans doute devait-on, tout d'abord, se débarrasser du Régent. Mais on avait trouvé l'homme pour cela. Et pour gagner une nuit sur les bénéfices de l'affaire, le Prince annonçait à sa belle, avant-hier, que le Régent serait mort avant son entrée au Palais pour le Grand Conseil au matin du vingtième jour de la sixième lune[2].

— Donc, hier matin ?

— Exactement.

Le reste s'enchaînait de lui-même. Prévenu dans le restaurant « de l'arc de Triomphe de l'Est[3] » par l'envoi d'un certain mouchoir de soie rose, René Leys faisait donner aussitôt ses meilleurs policiers : pas un n'avait découvert la moindre trace irrégulière dans l'escorte ou la garde désignée ce jour-là ; pas le moindre indice dans les rues, pas le moindre fil, même électrique, sous les ponts…

Cependant, au moment où le Régent, descendu de voiture, passait à pied la voûte du Tsi-ming-Kong[4], on a remarqué, à deux pas derrière lui, parmi la garde de la porte…

— Qui a remarqué ?

René Leys ne s'arrête pas. *On* a remarqué un individu qui ne s'inclinait pas avec le geste d'un officier bien appris. *On* s'est précipité sur lui, on a fouillé ses manches et désarmé, — car il portait un couteau de cuisine, — et mis en prison au secret.

— Et le Régent, quelle attitude ?

Car il est toujours agréable de recueillir ce qui est dit face au danger...

— Le Régent n'avait rien vu : il va toujours les yeux baissés, — ce qui est la démarche de cérémonie. Il a bien fallu lui rendre compte...

Je serais curieux d'avoir été celui-là qui lui annonça la chose... le danger. Ou encore celui qui, le premier, soupçonna l'homme au couteau, et se jeta sur lui. Qui était-ce ? Le chef d'escorte ? Suivrait-il le Régent jusque dans le Palais ? Si c'est bien lui, je donnerais beaucoup pour avoir son récit, quand il sera bien ivre...

René Leys reste songeur un moment plus long que de coutume. Vais-je ignorer ? Enfin, de sa bonne voix confidentielle :

— Oh ! je n'ai aucun mérite ! Il me suffisait d'être prévenu à temps. L'homme était reconnaissable à ce fait que ce couteau dans la manche le gênait pour bien s'incliner. En lui prenant le poignet au passage comme pour l'avertir, j'ai senti qu'il cachait une arme. Quant à raconter la chose au Régent ?... oh ! personne ne voulait s'en charger. Il a bien fallu que j'y aille...

C'est donc lui. C'est vraiment de lui. Mais, le Régent ?

— Quand il m'a vu, en dehors de l'heure habituelle, il s'est douté... il est devenu vert. J'ai dit : « Ça n'a aucune importance, c'est fini ». Il m'a regardé. Je crois qu'il n'osait pas demander ce qui était fini. Il a compris que j'étais intervenu, et m'a serré la main.

— Comment, le Régent vous remerciait comme aurait fait Sadi-Carnot[1] ! Il sait donc donner une poignée de main ?

— Je veux dire qu'il m'a serré le pouce, rectifie René Leys. Je lui avais appris pourtant à donner une poignée de main. Mais il oublie toujours quatre doigts.

C'est bien ça. Je sais ce qu'il me plaisait de savoir. Je tiens la main du Régent dans la mienne, ou plutôt hors de la mienne. J'ai la face du Régent devant moi. Cet homme, gonflé d'importance imposée, officielle... je n'ai rien à savoir de plus. J'ai vécu vraiment, un instant, de la vie la plus intime du Palais...

Ce René Leys ! quel merveilleux metteur en scène ! Mieux : quel homme de théâtre ! Quel *acteur* ! Ce qu'il a joué n'est pas loin du dévouement le plus brave... non pas au moment où il s'accrochait à l'homme armé du couteau... — Mais ces dangers avant l'attente, et la vengeance, après l'attentat même avorté. Je voudrais, comme un bon juge, tirer immédiatement tout au clair :

— Qu'est-ce qu'on a fait de l'homme au couteau ?

— En prison, dans le palais. Personne ne s'en doute.

— Qui est-ce ? Un officier mécontent ? Un fidèle du Prince ? Un prince...

— Non. Un cuisinier, à qui l'on avait fait des observations.

— Oh ! Comment savez-vous ? Il a tout avoué ?

— Il n'a rien avoué. Il est payé pour ne rien dire. Il ne dit rien.

— Et la... question ?... Enfin, comment savez-vous son origine ?

— Par son couteau. Je vous l'ai dit, c'est un couteau de cuisine, dont il avait l'habitude de se servir.

Nous touchons à l'évidence même, à la logique éclatante de l'évidence. Rien ne remplacerait la certitude que voici : l'attentat, dénoncé vingt heures à l'avance par la belle Policière et Vierge-Maîtresse ; la promesse de son futur amant, — instigateur de l'attentat. Celui-ci, second fils d'un Prince fort bien en cour, est difficilement « accusable ». Nul doute qu'il n'ait obéi à des motifs d'un ordre très éminemment supérieur. De quel ordre ? Quels furent ses motifs ?

René Leys ne répond pas. Je persiste :

— Notez bien : si je vous parais indiscret, c'est que je songe à l'avenir : vous venez de sauver la vie au Régent. Vous avez donc gravement déplu à ceux qui prétendaient la lui faire perdre. — Vous ne craignez rien pour vous ?

Ma question semble impliquer René Leys en une subite torture... N'y aurait-il point songé ? Quel enfant ! Décidément il faut penser pour lui. Il faut veiller sur lui. Surtout, il faut prévoir...

— La police du Régent vous couvre-t-elle complètement ?

— Non. Puisqu'on s'en prend à lui-même.

— Alors, d'où viennent ces « histoires » ?...

— Je vous l'ai déjà dit : du Dedans. Mais je tiens le moyen d'y pénétrer...

— Enfin !

— Je vous l'ai montré, au théâtre. Vous avez vu, dans la loge du régisseur, à droite de la scène, cette femme mandchoue...

— Il y en avait beaucoup au théâtre !

— Cette femme était un homme, un acteur !

— Eh ! bien ?

Je m'étonne que mon grand Policier se laisse prendre à une femme. Depuis que des touristes, des missionnaires et des académiciens parcourent la Chine, — le moindre journaliste n'ignore pas que les rôles de femmes, en Chine, au théâtre, et parfois ailleurs, sont fort bien tenus par des hommes, plus fins, plus minces, plus élégants.

Mais il explique : ce qui est remarquable en cet acteur, c'est d'avoir, lui, le premier, sous la dynastie mandchoue, obtenu de jouer en costume contemporain ; en costume de femme mandchoue[1]...

— Comment a-t-il obtenu ?

René Leys prend un temps :

— En jouant le même rôle au palais.

Et, de toute la nuit, je ne puis en tirer un mot de plus. Lui aussi, on dirait qu'il joue un rôle, et que son rôle est fini.

Quel bon acteur !

X... — Cette fois, c'est à mon tour de lui raconter « mes histoires »... j'allais dire « mon roman », si le mot n'était décidément périmé par trente années d'abus et les viols répétés de l'école naturaliste. Enfin, ... mon entrevue, ma causerie muette, et à défaut de souvenirs, mes « espoirs », le tout ayant pour objet la jeune Dame Wang.

C'est donc chez elle, reçu par elle, malgré les coutumes et les Rites, que je passai la dernière soirée. Certes, nous n'étions point seuls. Il y avait des fils et des brus, des filles et des gendres, des enfants de divers lits, mais, — fort heureusement pour sa jeunesse — ne sortant pas du sien ! — Ils se sont retirés d'assez bonne heure, bien avant le repas qu'il eût été inconvenant d'absorber en famille, femmes et mâles mélangés.

C'est donc à moi, l'étranger, qu'ils ont pieusement laissé le soin de commettre l'inconvenance.

Certes, j'espère bien, en son temps, ne pas y manquer. Restent donc, en présence, sur trois côtés de la table, parfaitement carrée et laquée, — elle, moi ; le mari. Je mets celui-ci le dernier.

Non point, certes, par une ironie facile et usagée (on n'est jamais certain de ne jamais devenir mari, à son heure...). Simplement, le brave homme tient, de lui-même, à occuper cette place. Il va et vient discrètement, parlant bas, très honoré de me voir ainsi à sa table, et franchement flatté... (ou bien, c'est à s'y tromper), de voir le soin que je prends au convoisinage de dame Wang, et les attentions progressives de madame Wang pour moi.

Cela se borne, tout d'abord, à des échanges de bouchées; de menus morceaux de viande qui vont et viennent au bout des bâtonnets, d'une assiette à l'autre...

Chercheur « d'impressions », ou rédacteur en quête de copie, je ne manquerais point de noter les noms bizarres épinglant des saveurs et des sauces d'un fumet classique, très étudié, très commenté, très évolué... J'ai mieux à faire : la jeune maîtresse de maison d'un mari ancien, moins officiellement peinturlurée, plus intimement parée, se présente sous des aspects féminins enfin discernables.

D'abord, sa toilette de saison, — qui est l'été, — n'est composée que de lignes minces; verticales mais souples; droites mais ondulées au moindre geste; presque au moindre souffle... Une étoffe à peine opaque où l'air filtre et rafraîchit la peau : un tissu de crins légers, posés sur de la batiste. Une blouse à col échancré, tout rond, d'où part un cou sans anatomie visible, sans muscles et sans maigreur : une mouvante et vivante colonne ronde : tout à fait « le cou du ver blanc[1] ». Sous la blouse, des seins discrets, précis dans leur angle. Enfin des jambes indiscutablement longues. Je m'attarde, afin de mieux mesurer…

Après le repas, la nuit commence. La nuit, faite dans la meilleure société de promesses, d'aventures, d'essais, et de refus… Certes, grâce au mari-professeur, mon entretien se prolonge. Madame Wang a compris déjà que rien de sa personne ne me déplaît, et mieux que des mots bégayés et sans doute ridicules, — l'attention, la politesse exagérée, même Européenne, que je lui prête, lui traduisent mes plus momentanés sentiments. Même, — le vin de roses ou de maïs aidant aux illusions brèves, — j'en arrive à me demander si la… suite serait possible… (la nuit et le mari aidant). Si, entre l'étranger, accueilli ou toléré — que j'ai conscience d'être, et cette jeune femme mandchoue, si… quelque chose ne pourrait exister, au prix de gestes ou de mots, ou d'argent même, — autre chose que ce qui se passe et va passer : un obscur état de désir ou d'ironie.

Je la regarde : elle rit à un geste que je fais. Je l'amuse. Je la distrais. Mais il m'amuse à mon tour, de savoir si elle considère l'amour physique et tout ce qui s'en suit comme un jeu d'enfants aussi, (et c'est une hypothèse) ou bien comme une honte, une nécessité, un service, une fonction, une aventure, une mode, un moment, une habitude, une manière bien apprise, une cérémonie, un sacrifice, un rite enfin, réglementé par des pages précises de la Bible physiologique inculquée dès le sein maternel à toutes les femelles fécondables sur la terre et dans les enfers !

Ah ! si j'étais romancier, que la chose serait vite réglée ! Vite ! un 3f50 en 300 pages[1] !

Mais je tiens à résoudre, même provisoirement, ce problème : — un Européen, et, précisons, un Français nubile et normal, peut-il prétendre à la pleine possession d'une jeune Mandchoue, nubile également, puisque mariée officiellement, et décorer cette possession du nom d'« amour » (sans préjuger des mauvais emplois supposables du mot) ?

— René, mon ami René, qu'est-ce que vous en pensez ? Un Européen nubile et normal peut-il aimer une Chinoise ? Exactement, une Mandchoue. Et surtout, peut-il en être « aimé » ?

J'interpelle ainsi, familièrement, le confident muet de toute cette histoire. Ce confident semble n'avoir rien compris. Il s'étire, il bâille, il bâille à la fois de la bouche et des yeux, puis les contracte, les ferme, se réveille enfin comme s'il sortait d'un autre rêve que du mien, et répond avec une négligence ennuyée :

— Je n'en sais rien.

Puis, sa voix change tout d'un coup. Il s'étire, se redresse, me regarde, avec un *certain* regard que j'ai appris à connaître. Et, lentement, profondément :

— Je vous remercie, mon ami, de m'avoir appelé votre « ami ».

C'est vrai. C'était à moi de décider. C'est fait. Ceci vaut bien une autre confidence ! Comme épanché tout d'un coup, il continue et se déverse :

— Savez-vous ce que le Régent m'a offert le lendemain du « coup de poignard » ?

— Dites.

— Une concubine.

— Bien choisie ?

— Je ne l'ai pas vue. Je ne l'ai pas acceptée. J'ai dit au Régent que je ne pouvais la recevoir chez moi... Parce que... Ça n'était pas dans les coutumes Européennes...

Il rougit. J'insiste.

— C'est tout à fait dans les coutumes Européennes !

— Je lui ai dit aussi que mon père s'en trouverait choqué. Et puis que les appointements dont je disposais ne me permettaient pas de la tenir sur un pied convenable.

Vraiment, René Leys est très embarrassé de cette « faveur ». Cependant, le Régent me semble avoir tout arrangé d'avance : la Concubine offerte, habitera, pour quelque temps encore, dans le Palais du Régent, où elle aura sa cour intérieure, réservée, et tiendra sa cour.

En qualité d'« ami », je crois le moment venu d'offrir mes services. Pécuniaires, strictement.

— Dites-moi, si vous avez besoin de quelque avance... ?

— Merci, répond assez froidement mon ami. Le même soir, on m'informait que mon traitement venait d'être doublé.

— Vos honoraires de professeur ? Deux et deux, quatre. Quatre cents dollars par mois. Au taux actuel, un billet de mille. Ça va bien. Mes compliments.

René Leys me toise d'un seul chiffre :

— Deux mille taels. Je veux parler de mes appointements comme Chef de la Police Secrète.

— Ah ! mes meilleurs compliments !

Ceci porte en effet au sextuple mes très humbles évaluations.

Mais ceci ne résout pas mon problème : une Mandchoue peut-elle, ou non, être aimée d'un Européen qui est moi. Peut-elle à son tour entourer cet Européen des gestes habituels qu'on étiquette traditionnellement « amour » par simple pauvreté de notre langue, réputée riche.

Décidément, je n'en saurai rien. Car René Leys, changeant de ton et de mesure, s'empresse de me parler de son père, des projets de son père… et… (horreur !) des amours, si cette dernière prostitution est possible… des amours déplacées de son Père !

Il ne me reste qu'une défense : m'endormir ! ou feindre de dormir, sciemment.

X… — Ensuite, je me souviens… (j'adopte malgré moi le style qui conviendrait si jamais j'écrivais ce livre… Ce livre qui ne sera point, car ne vaut-il pas mieux le vivre ? Problème.) Ensuite, voici des jours que les révélations récentes rendent ternes… René Leys est redevenu régulier dans son enseignement officiel, matinal dans ses levers (il est toujours debout avant l'aube), fidèle au montoir (c'est toujours la même bête qu'il sort, l'alezan qui l'a jeté huit à dix fois dans la rue…) — et me revient, son cheval éreinté, à sept heures du même matin qui l'a vu s'en aller, à l'heure précise où je m'éveille, à grand-peine. Il se douche, se rhabille, et repart, cette fois en charrette chinoise dont la mule a vraiment bonne allure. Il s'en va… évidemment à l'École. C'est tout juste l'heure de son cours d'Économie politique…

— Non ! Je suis maintenant en vacances, m'a-t-il répondu avant-hier.

C'est vrai. L'université chôme depuis plus de quinze jours. Les examens de fin d'année sont finis.

Alors, où va-t-il ? Et surtout, d'où me ramène-t-il

ces amis variables comme les phases de la Lune, qui s'en viennent à un, deux, trois, jamais plus de quatre, me demander inopinément à déjeuner?

Ils seraient charmants et fructueux si j'avais un jour espoir de parler un peu de leur langage... Mais c'est d'avance à s'arracher sept fois la langue de la bouche! Ils éructent un son mécanique où je n'entends plus rien de l'accent du Mandarin du Nord...

— C'est que nous parlons Shangaïen, daigne m'expliquer René Leys, qui semble, en ce nouvel aquarium verbal, se mouvoir autant à son aise qu'un poisson à gros yeux et quadruple queue parmi les herbes apprivoisées de ma vasque!

Enfin, lui et ses amis, se trouvent si naturellement à leur aise, chez moi, que j'aurais mauvais gré à ne pas m'y sentir bien, aussi. Au lever de table, la conversation devient tout à fait indistincte. De temps à autre, René Leys résume en deux phrases françaises, à mon usage, l'essentiel de ce qui vient — peut-être — de se dire.

Mes hôtes s'en vont « après l'orage » qui, régulièrement, dans cette saison des « grands chauds », ne manque point de crever à une heure ou deux après midi. Lui, n'apparaît plus, de tout le jour, et de toute la nuit, avant une heure que nul contrôle paternel ne pointe, mais, — si j'en juge par l'air effaré des domestiques, — s'approche excessivement du lendemain...

... L'autre, en revanche, le Jarignoux, devient tout d'un coup trop fidèle: deux visites en un mois!

Celle-ci menace un peu fort de tourner à l'inquisition parentale. Sans doute a-t-il reçu de nouveaux avis du Père : le veuf reconvolé s'inquiète toujours de son fils ! Et, pour lui rendre compte, ou plus exactement, « des comptes », Monsieur Jarignoux désire savoir à quoi ce fils emploie son temps, durant les vacances.

Comme je réponds n'en rien savoir, le même inquisiteur insinue : que les Professeurs à l'École des Nobles sont payés pendant les vacances, et qu'« on » se demande ce qu'« il » peut faire de son argent.

Je décide de n'en rien savoir. Jarignoux comprendra peut-être ; et s'en ira.

Il persiste :

— Enfin, si je vous en parle, c'est de la part de son père, et dans son intérêt. Et dans le vôtre !

— ?

— On le voit constamment entrer et sortir de chez vous ! Savez-vous...

Il n'ose continuer... Il voudrait bien m'entendre l'interrompre : je me tais.

— Ce jeune homme, on le croirait noceur ? Eh ! bien, monsieur, on ne lui connaît pas une « petite femme ».

Tout le monde n'est point polygame ! C'est un jeune homme rangé, ordonné. Voilà tout ! Je n'exprime rien... J'attends.

— Vous comprenez, Monsieur, qu'il vous est gaudilleux[1] de le recevoir.

Je réponds avec simplicité :

— La Légation de France le reçoit. Et vous reçoit aussi, Monsieur Jarignoux.

Il part en guerre.

— Le Ministre est payé pour. D'ailleurs, je renseigne : les derniers troubles du Sseu-tch'ouan[1] ont été signalés par moi.

Je médite mélancoliquement. Par fonction ou par ironie, le Ministre de France doit prier à sa table républicaine quelques gens qu'on enverrait volontiers à l'office... Il rompt mon silence :

— Alors, tout ce que je vous *en* ai dit, comme voisin et comme ami de *son* père... Ça vous est égal ? Eh ! bien ! Eh bien...

Je songe que par politesse et par discrétion le Ministre de France doit serrer la main à tous les Jarignoux qui ne sont pas encore décidément compromis... Je tends la mienne. Il s'en va.

X... — Oui... Et pourtant, mon voisin en s'en allant, n'a pas fait disparaître avec lui l'odeur des insinuations empressées qu'il apporte avec cette insistance. J'ai donc appris bien malgré moi, et je ne l'ai pas oublié, que René Leys n'a point d'autre commerce féminin connu de la renommée que ses visites aux chanteuses de Ts'ien-men-waï. J'ai goûté, et je puis en témoigner, de la profession-nelle chasteté de celles-ci... Je dois donc recon-naître que toutes les apparences le condamnent. Et pas même chez lui la présence menue de la petite Japonaise « pour l'hygiène[1] »... Ce jeune homme est maladroitement vertueux ! — René, mon cher René, tu es décidément imprudent ou bien mal guidé dans ta réserve juvénile... Faut-il, là-dessus, te conseiller telle une mère, le soir du contrat ? Non. Qu'il se « débrouille » avec sa réputation.

Même ce tutoiement, éclos dans la liberté d'un soliloque, m'irrite, et j'en veux tout naturellement beaucoup moins à lui qu'à Jarignoux. — Après tout, René Leys n'a-t-il pas le meilleur des pré-textes à se désintéresser *des* femmes : une autre femme ; une seule. Car il n'a point à s'en aller mendier, quérir ou payer à Ts'ien-men-waï, puisqu'il est possesseur, par ordre, au fond du Palais du Régent. Il est temps, décemment, de s'inquiéter non seulement de la santé de sa jeune concubine, — mais de la santé de ses amours avec la jeune concubine.

... J'hésite à formuler ma demande : une fois ou deux, il a décliné des indiscrétions de ce genre. Enfin, la morale l'exige ici.

— Dites-moi, cher, où en êtes-vous de vos amours avec... le petit cadeau du Régent ?

J'attendais une rebuffade. Non. Mais sa réponse emprunte tout naturellement l'expression Pékinoise.

— Oh ! pas encore ouvert.

Charmant ! et d'une précision bien placée ! Mais je voudrais savoir : pourquoi. L'objet n'est-il point digne de son démaillotage ? Doit-on craindre des précédents fâcheux ? Une saveur ancienne ? Peut-on savoir, à quelques dizaines près, l'âge, officiel ?

— Seize ans, à la chinoise, répond exactement René Leys.

Donc, quatorze ou quinze années de notre temps. Et, elle est jolie ?

René Leys se recueille, hésite, comme s'il ne l'avait pas bien regardée... puis :

— Vous vous souvenez du sixième fils du duc qui était auprès de nous au théâtre... à l'ouest, sur la même rangée ? Je vous l'ai fait voir.

Je ne m'en souviens pas, mais, tant pis :

— Parfaitement, un assez joli... garçon, figure allongée, grands sourcils...

— Non ! une face ronde et une petite bouche… Eh ! bien, ma concubine a tout à fait l'air d'être sa sœur.

Pourquoi, pour peindre la future bien-aimée s'en va-t-il évoquer des contours de jeune garçon gras ? — Je voudrais bien savoir quelle attitude a prise, à l'offrande, le petit cadeau vivant.

— Elle a voulu se cacher. Elle avait très peur de moi. Le Régent lui a ordonné de rester près de moi. Elle s'est beaucoup amusée de m'entendre parler la langue mandarine du Nord… Elle m'avait pris pour un Mandchou né à Canton d'une mère Portugaise ! — Je le lui ai laissé croire. Je ne devais pas me faire reconnaître même avec mon nez Européen !

— Pourquoi pas ?

— Et les domestiques ? et la P. S. ?

— C'est vrai. Enfin, rien de plus ?

Une rougeur discrètement négative me renseigne. René Leys n'a rien offert de plus. Peut-être doit-il jouer pour elle le rôle immarcescible qu'Indiscutable Pureté assume là-bas, dans sa retraite de Ts'ien-men-waï, vis-à-vis du Deuxième Fils du Prince… Peut-être, par ordre supérieur, doit-il demeurer inébranlablement fidèle ?

Fidèle ; mais à qui ? Par ordre… mais… par ordre… de qui ?

Je vois bien, à sa face redevenue mate et fermée… qu'il n'est point l'heure de poser à voix haute ce double doute…

Saurai-je jamais ? — Mais lui-même, en sa candeur, lui-même… Sait-il ?

X... — Combien tout s'explique ! Combien tout s'enchaîne maintenant ! Depuis tout à l'heure ! Combien logique, nécessaire, inévitable ! Des paroles qui tout d'abord pouvaient sembler maladroites se précisent comme un... calcul... comme une opération de banque ou de police... Ah ! je lui rends pleine justice à ce défenseur du trône, sinon de l'autel (car le Temple du Ciel est en jeu à chaque dynastie[1] !). Il a su pénétrer justement « là d'où venaient les coups » ! Même sa première syncope, sa peur à entrer dans le Dedans, cette angoisse !

J'avoue qu'il détient une bien singulière fortune ! Peu ou pas d'Européens — non, pas un, même un Jarignoux ! ne se flattera d'avoir ainsi été « employé » selon ses meilleures capacités, par ce gouvernement lucide malgré sa vieillesse !

— Enfin, mon cher ami — n'ai-je pu m'empêcher de m'écrier... — enfin, vous me semblez occuper en Chine une place, un poste, une fonction où je ne vous connais aucun prédécesseur historique... à peine un précurseur... ou deux. D'abord, ce vieux Marco Polo[2]...

Il m'interrompt, assez inquiet :

— Quel âge peut-il bien avoir ?

Manifestement, il ne connaît ni d'âge ni de nom cet exemple classique du Vénitien Comprador[1] à la Chine, fils et neveu de marchand, marchand lui-même, puis hôte de la cour de Khoubilaï-Khan[2], le Gengiskhanide, petit-fils du Khan des Forts, du Mongol Tchinguis-Khan, du Maître de la Horde d'Or. — Il ne connaît point Marc Paul, citoyen de Venise, rentré dans sa patrie après dix-sept ans d'absence, avec les poches lourdes de richesses, la bouche si pleine d'aventures et de lointains et d'ailleurs, que ses contemporains n'en voulurent rien croire, que personne « croire ne put » !

— Vous dites ? interrompt René Leys, que mon Français du temps, du temps de ce Livre, écrit en Italien du XIVe — laisse abasourdi !, et il écoute, peu flatté d'être comparé à un personnage inconnu... Marco Polo ! fils et neveu de Nicola Polo ! qui pendant plus de dix ans fut l'envoyé plénipotentiaire de l'Empereur d'Extrême-Asie, cependant que chez nous sa patrie se battait contre Gênes et Pise, cependant que notre bon roi Louis guerroyait en Palestine... Et Marc Paul de retour voulut aussi se battre pour sa Patrie, et, ayant été le Missus Dominicus, l'envoyé extraordinaire et plénipotentiaire du Khan à travers les espaces immenses, fut fait prisonnier durant six ans par les Génois, — et grâce à cette opportune captivité, eut l'heur et le temps et le lieu de nous laisser un livre, la Grande Bible d'Exotisme, la Conquête des Ailleurs incroyables, la Pénétration merveilleuse du Divers, sous le titre plus beau que tout ce qu'il contient : *Diversités et Merveilles du Monde...*

René Leys ne connaît point Marco Polo !

Il ajoute :

— Et l'autre ?

— L'autre ? Eh ! bien : Sir Robert Hart[1].

Celui-là, il est impossible de l'ignorer quand on a mis son pied Européen et respiré la Chine fade contemporaine... Le compliment est même un peu gros. J'attends de René Leys une dénégation modeste, une mise au point de ses mérites rapportés à l'œuvre foncière du petit commis des douanes Anglaises devenu Grand Maître du Crédit de l'Empire auprès de la finance internationale. Mais, certains rapports au début, et du côté de René Leys, un... avancement plus rapide, j'en conviens.

Lui aussi, car il néglige carrément Robert Hart.

— Mon père le trouvait un peu... faible, un peu trop entiché des Chinois... Et il parlait Pékinois comme un comprador de Shanghai !

C'est à ce moment que j'ai dû pousser René Leys dans « la voie des aveux » :

— Et ce moyen, dont vous m'aviez parlé, pour pénétrer à votre aise dans le Dedans ?

— Quel moyen ?

— Ce... cet acteur costumé en femme mandchoue par grande exception... Voyons ! vous m'avez mené au théâtre tout exprès pour me le montrer !

— ?

— Mais oui, à gauche de la loge du Régisseur du théâtre...

— Je ne m'en souviens pas, avoue René Leys. Je ne peux pas vous avoir montré un acteur costumé en Mandchou... c'est tout à fait défendu.

— Par exemple ! J'ai une mémoire impitoyable, indiscrète... Je suis sûr d'avoir enregistré tout cela.

Si j'étais franc, je dirais : d'avoir *écrit* tout cela. Je commence à le connaître comme un jeu d'esprit de moi-même... Ce brave petit René Leys, j'en arrive presque à deviner ce qu'il va me dire... ce qu'il me dit :

En effet, sa voix change tout d'un coup et il dit :

— Vous m'excuserez de n'être pas venu depuis quelques nuits. J'étais au Palais, et assez occupé... J'étais...

Il n'hésite pas :

— J'étais convoqué pour une audience.

— Une audience... de nuit ? Mais le Régent ne couche pas au Palais ! Alors, le Petit Empereur de Cinq ans ?

Il ne répond pas. J'insiste :

— Je ne vois vraiment personne autre que Lui...

— Vous oubliez l'Impératrice, reprend modestement René Leys.

C'est vrai, et assez peu galant. J'oubliais l'Impératrice actuelle... et pourtant, c'est moi qui la lui avais signalée ; qui ai, pour la première fois, prononcé le mot ! Depuis la mort en beauté féroce de la Terrible Douairière, Tseu-Hsi, qui sous son règne ou plus exactement sous elle tua : un mari Empereur, un fils de sa chair, Empereur, un neveu, fait par elle Empereur, et gouverna plus fort et plus longtemps que l'autre Concurrente d'Extrême-Occident, l'autre « Old Lady », Victoria, sa contemporaine ou à peu près[1]... Depuis cette mort, les mots « Impératrice » et « Douairière » ne coiffaient plus rien d'existant (pour moi). Parfois, les gazettes locales enregistraient quelque geste rituel démarqué d'autrefois, un assez pâle édit brodé du sceau délavé de « Long-Yu »... C'est vrai. J'avais « oublié » l'Impératrice !

— C'est bien la « cousine » du Régent, n'est-ce pas ?

— Bien plus ! sa propre belle-sœur ! puisque le Régent est le frère cadet de l'Empereur Défunt, dont elle était la première femme...

— C'est encore vrai. J'avais oublié aussi... Mais le cousinage me paraît ici plus grave, et d'importance politique majeure : le Régent et elle étaient neveux à un degré peu éloigné de l'Ancienne Douairière ; l'un et l'autre portaient comme l'ancêtre le même Nom de Clan. Nom d'assez mauvais augure puisqu'une prophétie qui remplit les bouches mécontentes de Péking assure que la Dynastie finira « par les fautes du Clan Ye-hona-la[2] ».

— Comment, mon cher Leys, vous ne connaissez pas cette « mauvaise aventure » attachée à la famille de vos amis ?

Ce cher Leys répond avec sécurité :

— Les Ts'ing sont plus solides qu'ils n'ont jamais été et le Régent, beaucoup plus habile qu'il n'en a l'air. Il accepte toutes les Réformes...

— Justement. Ceci me ferait peur... et les attentats...

C'est alors que j'en reviens à mon inquisitoire…

— Mais vous m'aviez dit, pourtant, que le dernier des attentats venait de l'endroit même du Palais où vous teniez à pénétrer… où il me semble que vous venez d'être reçu… Dites-moi, est-ce que par hasard en remontant de complice en complice, vous ne seriez point parvenu jusqu'à la « Personne » qui vous appelait en audience ? Alors, bien joué, mon ami. Ne répondez pas ! Vous venez de me rappeler fort à propos l'existence assez falote de l'Impératrice Long-Yu. Je pose que son mandat est doublement limité : par son insuffisance, par la majorité future du petit Empereur, — et aussi par la personne du Régent. Si notre Dame Long-Yu est un peu ambitieuse, la personne vivante du Régent doit lui sembler peu nécessaire au bien général de l'Empire, et néfaste à son bien particulier. Donc, le Régent a mauvais goût à vivre encore. Si j'étais mélodramaturge, je n'hésiterais pas à imprimer à cent mille exemplaires que l'Impératrice Long-Yu « aiguisa elle-même le bras du meurtrier ».

Silence improbatif de René Leys.

Il me faut aller plus loin. Alors, dans une série de déductions serrées de plus en plus, je rassemble mes arguments : je précise : que le second, peut-être même le premier attentat, sortaient d'un coin du Palais où René Leys, ni même les meilleurs limiers de la P. S. n'avaient jamais pénétré… Que le chef des limiers, René Leys, venait au contraire d'y être appelé en audience ! Je concluais, — supprimant simplement des intermédiaires nombreux —, je concluais fort justement que l'Impératrice Douairière Long-Yu était la seule et responsable instigatrice des coups dirigés contre la peau tremblante du Régent (bombe et couteau)... Que le deuxième fils du Prince T'aï ne jouait là qu'un rôle de comparse, — peut-être payé... ou d'amoureux rétribué également en espèces, et non pas en nature ! Donc, j'accuse Dame Long-Yu d'être amoureuse du Fils du Prince qu'elle élèverait, après la disparition du Régent, au rang brusque d'Empereur-Consort, accordant durant la vie, à la petite chanteuse toujours vierge, le titre de vingt-cinquième laveuse de linge de nuit de noces, et à sa mort, la consécration officielle d'un bel arc de triomphe que l'on réserve aux veuves exemplaires[1], aux vierges à tous crins, et dont les poteaux, enjambant les carrefours laissent passer dans leur entrejambe toute la circulation de la rue !

Très fier de ma déduction policière, j'insiste pour que René Leys s'aperçoive de ma lucidité :

— Hein ? Pour ne pas « en » être (encore), de la P. S... ai-je deviné ? flairé ? oui ou non ?

L'air de René Leys est tel, que je l'entends d'avance me répondre, comme il fit une première fois, avec un appuyé cinglant : « Ah ! ceci est mon affaire ! ». — Je répondrai : « En effet, mais pourquoi m'en parles-tu ? ».

Il reste muet. Il se renverse en arrière avec un port de tête très alangui. Il me regarde. On dirait qu'il prépare une confidence amoureuse... Lui ! — Voilà qui renforcerait jusqu'au fiel les malveillantes suppositions de Jarignoux !

Il parle enfin :

— Je vais vous confier l'histoire de la première nuit de noces de « Kouang-Siu[1] »...

J'interromps :

— Pourquoi l'appeler « Kouang-Siu » ! vous qui savez certainement son nom !

— Pourquoi voulez-vous que j'use du nom qu'il est défendu de...

— C'est vrai. J'accepte le pseudonyme. Alors ?

— Kouang-Siu, quand on lui a dit qu'il devait épouser l'impératrice actuelle, n'avait encore jamais vu de femmes...

— Jamais « vu » ?

René Leys rougit comme un rhétoricien impubère. Le mot « voir » tient donc dans son récit la place que l'autre verbe, non moins actif, « connaître », occupe dans la Bible des Hébreux.

— Enfin, commente René Leys, il n'avait pas l'habitude... Il a demandé conseil à l'un de ses amis.

Ceci me paraît naturel.

— Et son ami lui a dit : « Quand toutes les cérémonies qui durent huit à dix jours, seront finies, vous vous trouverez seul avec l'Impératrice... »

René Leys rougit encore...

— Seul... on n'est jamais seul au Palais. Il y a l'introduction par les Eunuques et les soins des suivantes[2]... C'est pourtant ce que lui a dit cet ami... « Enfin, on vous avertira que tout est prêt. Vous vous approcherez de votre épouse, vous vous étendrez sur elle, et vous agirez. »

René Leys s'interrompt encore.

Il me semble pourtant que nul conseil ne pouvait être formulé d'une façon plus classique, plus pure de langage, plus énergétiquement à propos. Je ne vois rien à reprendre à cela.

— L'Empereur, désirant faire plaisir à son ami, en suivant son conseil, s'est approché de l'Impératrice, et s'est étendu sur elle. Mais alors, comme il avait un peu trop bu de vin pendant les huit à dix jours de fête, — il a oublié d'agir, et il s'est endormi...

Je regarde avec admiration René Leys. Rien ne pouvait évoquer avec plus d'angoisse le fantôme disparu, l'Impuissant, l'Inachevant par Raison d'État...

René Leys a-t-il vraiment conscience de la valeur de ce qu'il dit ? Et surtout, qui a bien pu lui raconter cela : Un Eunuque ? Il n'aurait pas compris ! Une suivante... n'eût osé...

Lui demander d'où lui vient cette anecdote si conjugale ? si spéciale ? Jamais je n'oserais moi-même... D'ailleurs le voici de nouveau perdu dans un rêve alangui, les yeux noirs grands ouverts sous le ciel noir... Il n'est pas décent d'interrompre...

Il se redresse brusquement :

— Savez-vous combien m'a coûté *ma* première « nuit » au Palais ?

Vraiment non ! Je n'en sais rien ! Je manque de bases... D'abord, qui a-t-on payé ?

Pour René Leys, aucun doute : il faut d'abord payer les Eunuques.

Je fais un calcul rapide. Le dix pour cent est la formule habituellement tolérée par les Européens aux prises avec les valets chinois... mais ici, ces valets sont tous fonctionnaires et de très haut rang ! — Et puis, dix pour cent de quoi ? — À tout hasard, je propose un chiffre que je crois considérable :

— Cent dollars !

Et je sens René Leys me mépriser : pour deux raisons : je me suis servi du terme économique de dollars, à peine les soixante-dix centièmes du vrai Tael, de l'once d'argent fin, coulé en lingots naviculaires...

Or, savez-vous, à votre tour, le chiffre de taels que René Leys a dû payer ?

— Trois mille quatre poids comptant, — et simplement comme souhait de bienvenue, à la porte... comme droit de passe. D'ailleurs, les choses se sont faites avec une rigueur toute commerciale ; il en a le reçu en règle...

Et il me tend un papier couvert de caractères dont les abréviations cursives[1] demeurent dans ma main peu efficaces à éclairer ce qu'il vient de me dire... Je regarde, sous les derniers éclats de ma lampe qui saute, les files de caractères aussi mystérieux pour moi qu'une sténographie Ægyptiaque enveloppée d'arabesques Hittites, cloutée de Cunéiformes et regrattée par vingt archéologues !

Et, comme je relève avec stupéfaction la tête, et veux lui rendre son papier, — un document précieux ! le reçu de trois mille quatre cents taels d'argent pour une nuit Première au Palais, — je m'aperçois qu'il dort, tout de bon, et très sincèrement.

Je mets le précieux papier dans ma poche et remets au lendemain la suite et l'issue de cette belle « première nuit »...

X… — Nouvelle aventure ! nouvelle histoire un peu vexante pour ma perspicacité. Comment ai-je pu comparer René Leys à Robert Hart et même à Marco Polo ! Comment ai-je accouplé cet admirable fils d'épicier Belge à ce petit commis Anglais et au neveu des marchands Vénitiens ! Je n'aurais pas dû lui dire vous êtes aussi fort que Robert Hart et Marco Millioni ! Je lui fais toutes mes excuses, il fallait dire : vous êtes cent fois mieux arrivé, comme pénétration à la Chine, que tous les Européens connus et à connaître… Vous avez pénétré jusqu'au cœur du milieu du dedans — mieux que dans son cœur : dans Son lit. — Et voici que ce Roman secret et policier, — si jamais il m'incombait l'indécente hypothèse de l'écrire, — voici que ce Roman vient tout d'un coup d'avouer son héros, véritable, authentique, vivant : en la personne de l'oiseau le plus rare de tous les romans bleus et roses des deux mondes : le Phénix ! Ce héros est une Héroïne. Ce Phénix est femelle. Déjà, j'en ai trop dit : Tout lecteur chinois de ces notes a dû comprendre ; mais, ayant compris, je doute qu'il ait fait comme moi : qu'il ait cru. Il faut avoir toute la foi réceptrice d'un voyageur étranger épris de ce pays pour admettre sans scrupule ce qu'un lecteur indigène déclarerait sacrilège, immoral, scandaleux, incorrect, inhabituel… Et pourtant, combien tout ce qui suit devient logique et nécessaire ! inévitable !… Des paroles qui pouvaient tout d'abord sembler maladroites se précisent, — et je lui rends justice, pleine justice à cet amoureux triomphant ! à ce vainqueur de René Leys ! Quelle revanche de l'assaut des Légations en 1900 ! Il vient d'assiéger et de vaincre le cœur impérialement clos, la Personne triple et quadruplement enceinte ! L'inexpugnable ! La Mère de l'Empire, l'Aïeule des Dix Mille Âges…

C'est même ce dernier détail qui me fait croire à ce miracle d'amour : la différence de condition sociale ou de race s'abrogeant sur une simple différence d'âge, surtout à rebours. Si je compte « historiquement », Dame Long-Yu[1] possède à elle toute seule trente-huit à quarante ans. Lui, pas même dix-huit. Les probabilités chronologiques sont fortes !

Et d'ailleurs, je tiens le document. Il semble qu'à chacune de ses nouvelles aventures, de ses nouveaux avatars, René Leys ait soin de me fournir galamment les raisons de croire : voici trois jours, c'était le reçu en règle de cette « Première Nuit »… [Il faudra bien me décider à le lui retourner : il en aura sans doute besoin pour marchander la seconde.] Aujourd'hui c'est un poème en prose, une sorte d'épître lyrique. (Le papier en est, d'ailleurs, parfaitement ridicule : des fleurs similibleues sur un vert et rose sentimental. Une enveloppe moirée crème et beige alangui.) Cela commence par :

— Mon cher Victor... [déjà ?] Je m'autorise de nos conversations antérieures pour te tutoyer en prose à la chinoise comme font, en vers, les bons amis. Je t'écris pour te dire que tu avais parlé juste : puisque tu m'avais questionné : est-ce qu'une Mandchoue peut aimer un Européen, et en être aimée ? Permets-moi de te dire que c'est possible, et que je le ressens. Puisque tu t'intéresses à tout ce qui La touche, comme moi, [« la » est précédé de la majuscule impériale], je m'empresse de te communiquer ce qui suit : Hier, trouvant qu'il faisait trop chaud, *Elle* eut l'idée de se promener ensemble (sic) sur la « Mer du Sud[1] ». C'était le soir. Les derniers rayons du Soleil doraient le sommet de la Tour Blanche, et une légère brume couvrait le lac. Je *me* revois encore, habillé en mandarin de quatrième classe, assis près de sa chaise, derrière laquelle se tenaient deux Eunuques et trois dames d'honneur, abandonné dans mes pensées au doux balancement du bateau impérial. Tout à coup, j'entendis derrière nous des coups de gongs et de tambours ; c'étaient des eunuques qui suivaient dans une autre barque, chantant des airs antiques, sans aucun rapport avec ceux que j'ai appris au théâtre de Ts'ien-men-waï, mais qui n'en charment pas moins...

Quand nous descendîmes de bateau, et que nous nous retrouvâmes plus seuls dans la chambre orange, Elle me montra une poésie qu'elle avait composée en m'attendant et qui disait :

« Pourquoi l'aimé ne peut-il pas rester éternellement auprès d'Elle ?

» Le poisson et sa femelle nagent bien ensemble dans le lac aux eaux colorées de cinq couleurs par les feuilles des dix mille arbres qui se mirent [sic] sur ses bords...

» Le paon et la paonne volent pourtant plume à plume dans les airs embaumés.

» Mais je crois l'apercevoir : une douleur bien connue fait tressaillir le sein du Phénix. »

[Le reste en prose, moins poétique, et, tel un commentaire :]

Juge, mon cher ami, de la tristesse que j'éprouve à me retrouver le lendemain matin, faisant mon cours d'économie politique ! Ma classe est au premier étage du bâtiment de l'Ouest, et de mes fenêtres on aperçoit les toits jaunes des Palais Impériaux... Je ne puis m'empêcher de penser que c'est là qu'habite Celle avec qui je causais la veille...

Qu'en dis-tu ? Ceci fait-il bonne figure dans les « documents » et souvenirs que tu cherches sur Lui ? »

[Lui est calligraphié avec la majuscule.]

P. S. [j'allais lire « Police Secrète[1] »... !]

Post-Scriptum : n'oublie pas surtout de déchirer cette lettre ! »

... Voilà qui est fait.

X... — J'ai eu tort. J'aurais dû la conserver, cette lettre... première ou tout au plus seconde. Voici la troisième. Il serait fructueux de comparer : surtout ces premiers billets d'excuses qu'il m'écrivit, voici trois mois... C'était gauche et enfantin... Ceci reste encore indécis, mais avec des barres, un appuyé ; des majuscules qui n'existaient certes pas et d'ailleurs, que je reconnais fort bien : cet M, aux deux jambages durs et verticaux, ce V prolongé d'un trait horizontal, cet S certainement lancé de bas en haut... je sais à quelle écriture il vient tout juste de les emprunter : à la mienne. Voilà qui est tout à rebours, surprenant ! Je constatais l'influx chinois me découlant de ce maître en vie Pékinoise. J'étais loin de me croire exercer une action calligraphique et sournoise sur lui. Elle est flagrante. Je relis curieusement ce billet, malgré sa banalité :

« Mon cher ami, j'ai un conseil à vous demander. [prosaïquement, il a repris le "vous"]. Voulez-vous que nous fassions de bonne heure, demain, une promenade à cheval ? Je crois bien que nous en avions parlé... Je vous serre la main. — René Leys. »

C'est vrai ; nous avions convenu d'une promenade à cheval, un matin, de très grand matin. Mais qu'est-ce donc qui importe : la promenade ou le conseil à lui donner ? — Sur sa vie officielle chinoise ? D'avance, je me récuse... Il semble la conduire assez loin... Sur sa vie officieuse... Attendrait-il... les avis qui ne manquent jamais aux jeunes « mariés »... Ou, s'il a dessein d'être fils d'épicier rancunier, va-t-il falloir lui dicter des « remontrances irrespectueuses à son père » ?

Demain...

... Avant de m'avoir laissé l'heure décente du réveil, il est là. Déjà ! C'est vrai ! Un grand beau jour qui sera, car on devine encore à peine s'il fera bleu clair ou cendré de plomb ! Lui me prédit que le temps est merveilleux. Il respire le dehors et l'air froid... Il m'enlève... nous voici dans la pleine campagne, à travers les champs de sorghos plus hauts au bout de leurs tiges que nous en selle ; — à travers les canaux pleins d'eau tiède dans l'été... — à travers toute la plaine qui de la mer aux montagnes, contient ma Ville Capitale, la soupèse, la porte, l'entoure, l'abreuve et la nourrit !

Ce n'est rien de tout cela qui l'occupe... Il choisit son moment, me prie de mettre les chevaux au pas (il est bien temps ! nous sommes partis sur un pied trois mille mètres haies) et répète les termes de sa lettre :

— J'ai un conseil à vous demander.

— Entendu.

— Je voudrais savoir ce que vous feriez à ma place.

Qu'il me permette tout d'abord de m'y mettre, à sa place. Quelle est-elle, exactement ?

— Vous vous rappelez *de* cette concubine…

[J'ai fort envie de reprendre mon Professeur. Vous rappelez-vous *cette* concubine… Il est Belge, et manifestement ému : double excuse…]

— Cette concubine que m'a offerte le Régent…

— Oui.

— À ma place, qu'est-ce que vous en feriez ?

Comment ! Ça n'est pas encore « fait » ?

Si j'avais le loisir de répondre, je répondrais certainement : « Mais rien de mieux que suivre le conseil de l'ami de votre ami "Kouang-Siu", "Vous vous étendrez sur elle, et vous agirez"… »

Mais je n'ai point ce loisir de répondre : il interrompt jusqu'au silence de mon conseil !

— Je ne veux pas dire… (Il rougit.) Enfin je ne sais pas s'il faut l'accepter officiellement.

— Acceptez, croyez-moi, acceptez alors, — officieusement. Vous m'avez dit que cette jeune offrande n'est déplaisante ni d'âge ni de formes. Auriez-vous, alors, des raisons… politiques ?

Il saisit la perche que je lui plante.

— Oui, des raisons « politiques ». Elle ne le permettrait plus.

Il a donné au pronom « Elle » la même majuscule impérialissime qui se réserve rituellement à « Lui », avec l'inflexion de la voix équivalant au levé respectueux des deux poings réunis…

Et il se renferme dans le silence tardif qui suit

d'ordinaire les moments où l'on feint, après coup, « d'en avoir trop dit ».

À mon tour, de partir au galop. J'ai besoin de détente, de joie vive ! Je suis follement gai. Il vient de me confirmer si crûment, si franchement dans l'aveu poétique de la lettre… Quel brave enfant ! J'aurais mis dix ans à moi tout seul à faire entrebâiller la porte basse dont il m'ouvre l'entrejambe !

Quand je m'arrête, un peu essoufflé, je le vois à la hauteur de l'épaule de mon cheval, me répéter d'un air attentif :

— Qu'est-ce que vous feriez à ma place ?

— À votre place, je me féliciterais d'abord d'être arrivé là… Et puis j'essaierais de tenir le plus longtemps possible : ces audiences de grande Dame relèvent d'un protocole assez capricieux… Et j'attendrais avec confiance qu'après m'avoir ouvert la porte au nez, on me la referme au derrière…

Oui, c'est bien ce qu'il fallait lui répondre… Il ne faut pas lui laisser monter ce grand cheval : Amour d'Impératrice ! — Le rôle est un peu trop près de l'écurie ou bien de celui des anciens fols de nos cours occidentales. Il faut surtout l'empêcher de prendre ceci très au sérieux… Je vois clair, et mon conseil aura du bon : l'Impératrice a daigné tromper son veuvage en s'égayant de la présence auprès d'Elle, — pour quelques nuits, — de ce jeune Européen vêtu d'un contour de peau « romantique » (il est vraiment beau, même à la Chinoise, — à l'exception d'un nez que j'estime parfait et qui doit ici passer pour une trompe !, mais qu'Elle lui pardonne sans doute comme un signe de race, — comme une Princesse pardonne à son singe favori de posséder une vilaine queue poilue, et de grimacer et de mordre, peu importe, s'il l'aime.)

Mais lui, avec une ferme précision, remet toutes choses à leur point. Il ne s'agit pour rien au monde de se préparer à quelque disgrâce [il me semble bien sûr de son fait]. Et je comprends (enfin) tout : le débat n'est point tragique, ni biblique, ni comique, encore moins appassionné sur le mode Hugolâtre[1] ! mais ressort tout entier du programme qu'il professe à l'école des nobles : Économie politique ; je veux dire à la fois politique générale et avarice privée : le tout résumé dans cet aveu définitif :

« Je ne peux pas Lui déplaire (Lui, pronom féminin, avec majuscule Impériale...). C'est d'Elle que dépend toute ma situation ! »

Donc, au fond de tout ceci, le traitement de tous les mois, augmenté ou supprimé ! Ce n'est donc que cela ! Le peu d'amour qui par extraordinaire aventure pouvait se glisser entre l'amante millénaire et son jeune concubin, — ne s'est pas glissé ! — Pour la première fois, ce garçon m'a déçu.

X... — Il est vrai, qu'à bien réfléchir, et surtout à bien compter, la « situation » en vaut la peine. Que son père se rassure entièrement sur l'avenir et surtout le présent de son fils : il m'annonce aujourd'hui à déjeuner, coup sur coup, qu'il est autorisé à porter la « Veste de cheval », et nommé Grand Trésorier Payeur de tous les Princes du Dedans[1] !

Je ne sais de quoi il convient de le féliciter davantage : le port de la « Veste de cheval », du Ma-Koua, est sans doute un honneur extrême. La « Veste » en question est un véritable vêtement, de couleur jaune, mais comparable, si j'ose dire, à un chapeau : au couvre-chef que certains grands d'Espagne gardent noblement sur la tête dans certaines Églises où ils entrent, comme la veste, à cheval. C'est bien du même « ordre », si j'ose encore une fois, dire et comparer. Il en est fier. Car tout seuls jusqu'ici, quelques Princes du Sang et les Ducs au Casque de Fer, et quelques anciens Conseillers Chinois, ont remporté cet habit jaune... Et le Grand Tuteur Untel, et le Prince Mongol Untel et Untel et le Vice-Roi des deux

Hou[1] et d'autres encore, n'ont jamais, jamais pu l'obtenir.

C'est bien cela : la qualité rare et la vertu de cet ordre consiste éminemment dans le mépris permis à ceux qui le possèdent pour ceux qui l'ont manqué de peu… En quoi cette « distinction » ressemble à tous les ordres du monde…

L'autre titre est bien plus pesant, plus sonnant. René Leys est tout prêt à me chiffrer les mensualités qu'il devra désormais compter lui-même à chacun des Princes. C'est ainsi que ce brave « Pou-louen[2] », bien connu des joueurs du billard Européens et cependant ex-futur héritier du trône par son ancêtre direct, Tao-Kouang, dixième Empereur, Pou-louen « émarge » pour onze mille taels à chaque lune. Le Régent, pour cinquante-cinq mille… Quant à la Douairière Long-Yu, outre sa cassette particulière, savez-vous ce que lui rapporte le titre qu'elle porte ? Long-Yu :

— Oui, oui, on l'appelle Long-Yu.

— Ce n'est pas un nom ; c'est un titre, offert du bout du pinceau du Régent[3] ; un titre qui la met au-dessus de toutes les vieilles concubines T'ong-tche[4], qui meurent toutes actuellement… eh bien, ce titre lui vaut dix mille taels… *de plus* tous les mois.

Je feins l'éblouissement : deux mots, deux caractères honorifiques ont-ils donc à la Chine un si grand pouvoir financier ? Je comprends maintenant et j'agrée, que la réconciliation entre Elle et le Régent soit complète. Je comprends et je décompte que la *situation* de René Leys soit solide : je totalise et je conclus :

— Vous me paraissez en bonne posture. Vous voilà donc en même temps ami du Régent et... a... mi de l'Impératrice. Vous réconciliez à... travers vous la dynastie. C'est un grand service rendu... Et comment l'ont-ils reconnu ?

Il me répond avec modestie et précision :

— J'ai reçu l'avis que mes appointements étaient portés à quatorze pour cent...

Certes ! je ne me risquerai pas à demander « quatorze pour cent » de quoi ! Cela doit être extraordinaire. Je félicite en toute confiance !...

X... — Et pourtant : aucun doute : il aime et il est aimé. Ce n'est plus seulement ses majuscules qui se redressent et prennent tournure virile. Mais son air d'enfant aventureux s'est changé en un contentement rassis, très satisfait de soi-même... un peu replié aux lendemains de grande audience... Il semble que quelque chose se soit décidément développé, transformé, révélé...

Serait-ce... Et tout d'un coup ce scrupule me prend : l'Impératrice aurait-elle été pour lui non seulement *une* amante après quelque autre, mais... qui sait... la Révélatrice ? L'Initiatrice ? Bien des choses me le feraient supposer. Il est vraiment délicat de le presser là-dessus. Délicat lorsqu'il s'agit d'une fille, malgré les preuves, la question devient presque impossible à poser quand il s'agit du sexe auquel je dois le mien... Il est vrai que la Poésie bien entendue permet toute licence. Et ce que l'on ne peut ni doit exprimer en paroles vulgaires demeure toujours possible à rimer... Lui-même, en me faisant, sous forme de lettre poétique cet aveu de sa « Première Nuit », m'invite à prolonger sur un mode équivalent, la correspondance...

Donc je compose et recopie avec grand soin sur papier filigrané de fleurs pâles, transparentes et indiscrètes, le poème suivant :

« Le jour nocturne où le Phénix-femelle reçut dans son nid le fils de l'Aigle Étranger,

» Qui des deux a tressailli d'amour ou d'ignorance ?

La Phénix, ayant par devers elle une déjà longue existence, sait tout, — et bien des choses encore.

» Mais le fils de l'Aigle veuf vient à peine d'ouvrir ses ailes : il bat à coups précipités ; il succombe.

» Lequel des deux ouvrira pour l'autre le sein bienheureux ? Si ce n'est, elle-même, la Phénix éternelle, maternelle...

» Qui l'accueille, qui le garde, qui le reçoit comme un hôte dont on précède, dont on provoque tous les pas ! »

J'aurais beaucoup aimé écrire, d'un seul jet de pinceau ancien, en style coulé dans le bronze des vieux caractères « Tchouan[1] », ce petit poème que j'ose affirmer « de circonstance ». Je dois me contenter de le retraduire en Français, d'un chinois qui ne fut pas... Je m'abstiens de le commenter, — il me paraît assez clair, — et l'expédie par la poste à l'adresse de M. René Leys, Professeur à l'École des Nobles.

S'il comprend, il me répondra. Ceci n'est pas très insultant : j'ai mué, par licence permise, le fils d'un épicier en aiglon !

X... — Il a compris, mais il n'a pas répondu, du moins sur le même mode poétique : loin de me retourner un poème qui reprenne les mêmes rimes (comme il est d'usage), celles dont j'ai dû me servir, et qui leur fournissent un écho[1], il m'a dit gentiment, familièrement, ce premier soir où nous nous retrouvons comme au début de notre intimité amicale, chez moi, face à la nuit qui dans son noir brave l'honnêteté, il m'a dit :

— C'était bien composé, votre petite lettre chinoise : on aurait dit des « caractères accouplés se faisant vis-à-vis ». J'ai très bien compris l'allusion historique... C'est bien Elle qui m'a...

Ici, un verbe que je me refuse à noter, purement par décence chinoise. Bien que son usage remonte à la plus haute antiquité, il est surtout connu dans notre Français moderne par un emploi tout inverse, et emprunte à Jeanne, Pucelle d'Orléans, son héroïsme et sa signification conquérante !

J'ai donc pressenti ou calculé avec exactitude. En termes précis et policiers, « la Vierge s'est enfin accordée au Prince » [si l'on invertit dans cette proposition le sexe mâle en féminin]. C'est parfait. Mais lequel des deux dois-je féliciter ? Elle, d'avoir choisi avec goût en dehors de sa race ? Lui ? d'avoir été choisi par Elle ? Le voici Chef de la Police Secrète, et amant officieux de Celle qui ne doit point en avoir d'Officiels ! Ami du Régent ! Titulaire d'une jeune concubine offerte par ledit Régent ; endossé de la Veste de cheval ! Bref, un jeune homme très « arrivé » avant même l'âge d'homme. Par conséquent... heureux ?

Il hoche la tête avec beaucoup de gravité.

— Non. J'ai des ennuis. Les provinces du Sud m'inquiètent[1].

Et, sur un ton de profonde confidence :

— Il y a ce Sun Yat-sen...

Là-dessus, je puis vraiment le consoler :

— Non, mon cher. Ne vous alarmez plus. Sun Yat-sen ! Vous n'y pensiez même pas l'autre jour quand je vous ai demandé ce que vous en pensiez ! Avouez-le : je vous ai mis à l'oreille cette Puce Cantonaise. Dangereux ? Tenez : comme cela.

Et de mon ongle du pouce droit, j'écrase sur celui du gauche un parasite imaginaire. Je termine, en soufflant :

— Que la Dynastie en fasse autant, et voilà l'insecte et sa démangeaison révolutionnaire passée... et de nouveau de bons jours de règne et de bonnes nuits... Au reste, vous ne m'avez jamais parlé des vôtres, qu'en termes si poétiques qu'il m'a fallu inventer le déduit. Pourtant, vous n'êtes pas là qu'en Esprit. Du côté « chair », que se passe-t-il ?

— Il y a le protocole, répond, sans rougir apparemment, le jeune homme ainsi mis en cause.

Je voudrais bien, sinon répéter ce Protocole, qui, dans ses gestes principaux, me semble remonter à la plus haute antiquité, du moins en connaître les nuances…

Il s'y prête, et du meilleur gré du monde. Même, il devance ma première question :

— Comment je pénètre au Palais ? Mais sous un costume de Princesse Mandchoue.

— Ah !

— … que j'échange à l'intérieur des murailles pour un costume de mandarin de quatrième classe.

— Ah ! tant mieux ! Oui, je préfère vous imaginer homme. Et alors ?

— Alors, le vieux Ma, vous savez, l'Eunuque en Titre qui a succédé à Li Lien-Ying[1], qui était l'amant de la Vieille, — il vient lui-même me faire passer les autres portes jusqu'à la cour du palais de l'Est, où les Eunuques de service aux Appartements me reçoivent.

— Comment vous « reçoivent-ils » ?

— Ils ont toujours un mot délicat. La dernière fois ils m'ont dit : « Notre maîtresse vous attendait spécialement ce soir ! »

— Délicat !

— Je les paie bien. Savez-vous combien la nuit dernière m'a coûté ?

— Non… je ne me hasarde plus aux comptabilités de ce genre.

— Cinq cents taels !

— Pas plus ? Il me semble que c'est beaucoup moins cher que la Première Nuit. Le tarif serait-il du mode « décroissant » ?

— Oui. J'ai d'abord payé cinq mille...

— Pardon ! Trois mille quatre. C'est noté. Je m'en souviens à une sapèque près...

J'en ai même le reçu, — ajouterais-je, si, depuis qu'il a bien voulu m'en faire don, je ne le gardais en poche, honteux de ne pouvoir le déchiffrer... [Il faudra pourtant que je me décide à le lui rendre, pour ses marchandages futurs.]

Il semble pouvoir s'en passer élégamment :

— Depuis, j'ai fait mes conditions. J'entre pour beaucoup moins. J'ai fait un « t'ong-t'ong[1] » avec un prince qui a grand désir de passer la nuit au palais. Nous payons pour « l'ensemble ».

J'ai grand désir, moi, de revenir à des détails d'un genre plus poétique.

— Dans cette « audience », qu'est-ce que l'On vous accorde ?

— Oh ! je ne demande rien. Ce n'est pas là qu'on présente les propositions sérieuses. C'est au Ministère de l'Intérieur[2]. Ainsi, je viens d'être nommé...

Je l'arrête. Il y a, je crois, confusion entre différents ministères. Je me suis mal exprimé. Je veux dire : est-ce que l'Impératrice est aussi sévère que la jeune Policière de Ts'ien-men-waï... vous comprenez ? Enfin, ceci vous regarde !

Mais René-Triomphant n'en est plus à me marchander des détails intérieurs. En peu de mots, je deviens spectateur de chacun des actes prévus. Je sais comment l'on s'étend sur le lit tiède, fait de briques creuses, adouci de coussins de soie, et qu'en hiver on chauffe par la bouche extérieure comme un four, en y brûlant des herbes odorantes[1]. Grâce à lui, je pénètre véritablement le milieu le plus intime du Palais. Ce jeune homme est jeune à ce point de donner comme histoires amicales et amusantes tout ce que l'homme fait, dompteur de femelles ou de femmes tient à cœur de garder jalousement pour lui. C'est ainsi que j'apprends sans détours « qu'elle est moins grasse que ne la représentent ses portraits » — et que même déshabillée, elle garde toujours ce « petit triangle de soie qui pend entre les seins et le ventre, et forme une ceinture un peu haute, à la mode mandchoue[2] »... Le reste, tout le reste, m'est livré en peu de mots.

Alors, pourquoi m'épuiser à épiloguer sans but sur le petit triangle de soie... — peut-être préservateur hygiénique à l'encontre du froid ombilical ? peut-être livrée d'un tiers-ordre bouddhique peu connu, et qui purifie tous les gestes, tous les plaisirs coupables du déduit ? ...

Il continue :

— Quand l'hiver arrive, le lit de briques est officiellement réchauffé. Alors, la chaleur se répand de là dans toutes les salles. Les boiseries se mettent à sentir bon. On les a faites exprès en bois de santal et de cèdre. Alors tout le Palais se met à sentir bon.

— Je vois. Je sens. Je crois. Je suis imparfumé... Mais, nous sommes en été : qui vous a dit combien cela sentait bon ?

Lui, très simplement :

— Elle.

Il demeure un instant rêveur éperdu. Et cela lui va tout à fait bien.

— Et savez-vous ce que nous disons lorsque nous nous... couchons l'un près de l'autre ?

Je souris. Et à mon tour, délicatement :

— Cela s'appelle en chinois : « les paroles de l'oreiller » ?

— Non ! Nous parlons tous deux... d'autre chose... de... n'importe quoi.

— Je vous envie... Je vous félicite aussi de pouvoir ainsi demeurer seul avec elle...

— Seuls ? Mais pas du tout !

Et il s'étonne de ma question, de mon envie. Seuls ? Et les Eunuques, impossibles à écarter ? (et qui d'ailleurs comptent si peu !) Et les servantes ? Les « petites servantes empressées » dont parlait déjà, voici trois mille années, le Livre des Odes[1], et qui, depuis lors, ne cessent de rendre, en tout lieu, de jour et de nuit, leurs services méticuleux à la Princesse, qu'elles ne quittent pas plus que les satellites leurs Étoiles-Maîtresses...

Je le félicite de demeurer ainsi parfaitement littéraire et traditionnel. À sa place, je serais un peu moins à l'aise.

Et pourtant, il m'a mené plus loin que jamais je ne me vanterais ! Grâce à lui, je sais « tout et bien des choses encore » [citation déjà historique]. Plus de choses que lui, peut-être ; car le voilà redevenu enfant. Il termine :

— J'ai eu très peur quand je me suis vu pour la première fois, à quatre heures du matin, dans le Palais, où il est interdit d'accepter un homme — sauf le Régent et les membres du Grand Conseil, sous peine de mort.

— De quelle mort ? Qu'est-ce que l'on vous ferait en pareil cas si l'on vous découvrait ?

— Rien ! (Il éclate de rire.) Rien : je suis Européen.

C'est vrai. Mais véritablement, il faut bien que cette nuit ce soit lui-même qui me le rappelle ; c'est vrai : ceci explique et sauve tout : il est Européen !

X... — Il me faut un nouvel effort pour m'apercevoir combien ma vie Pékinoise s'est à la fois augmentée et rétrécie... J'ai tout d'abord perdu les leçons et les visites de Maître Wang... S'est-il offusqué des attentions naturelles que je prodiguais à sa femme ? Ou de l'intérêt que je portais à son co-professeur, René Leys ?... Il a disparu, sans bruit, discrètement, comme il était venu, ayant prétexté dans une lettre, signée de lui, — mais dont je garantis beaucoup moins la traduction — signée de moi, — que l'un des Princes qui l'employait autrefois au Ministère des Rites, exigeait qu'il reprît ses services à l'heure même de ma leçon.

L'excuse est polie. Archifausse, à la chinoise, mais polie. Ce professeur me donne élégamment mon congé...

En revanche, mon autre Professeur redevient ponctuel, naturel, dans l'exercice de ses fonctions. Je m'étonne beaucoup moins de ce qu'il m'apprend ou me conte. Il a, dans tous ses mouvements en milieu chinois, l'aisance d'un poisson cyprin qui aurait vieilli dix ans dans le même — ou la même — vase, et qui n'a plus besoin de ses gros yeux ni de sa quadruple queue pour paître, voir et se conduire. J'ai maintenant mon siège fait. Ce jeune homme, bien que nubile et non défloré, ce jeune homme si bien doué quand il s'agit d'agir et de parler en chinois, n'a pas plus éprouvé d'hésitation à se découvrir, par raison politique ou autre, une impératrice dans les bras, que l'autre nuit, quand par malice ou aventure, au restaurant, le sixième fils du duc Mongol — Ngo-Ko — lui a mis dans les mains le violon public traînant sur toutes les tables des maisons privées de Ts'ien-men-waï... Ce qu'il en a fait ? Il a j... oué, tout simplement, — naturellement.

Je me sens ragaillardi, et comblé. Pourquoi ce boy me remet-il à cette même heure, à la male heure ! cette lettre ridicule, — cette lettre parfaitement ignoble et à jeter sans aucune réponse, au panier. N'ayant point de « panier » dans mon bureau impeccablement chinois, je la roule et la lance rageusement à travers le ciel de ma cour, par-dessus le toit de l'écurie.

Elle devait contenir à peu près ceci :

— Monsieur, puisque vous vous intéressez au nommé Leys, René, et que vous avez l'avantage de le recevoir toutes les nuits à coucher dans votre immeuble, — que vous sachiez qu'il m'a emprunté cinquante dollars que je ne peux pas rattraper.

« Quand je lui dis ça, il me dit qu'il me paiera quand on l'aura payé. Et moi je vous dis qu'il n'est plus professeur à son école. C'est un sans-lesou, et sur le pavé. Veuillez me faire rembourser, et j'ai bien l'honneur d'être, signé : un ami prévoyant. »

Donc signé Jarignoux.

C'est bien fait. L'autographe « anonyme » fait désormais partie indigeste du fumier de mes chevaux. J'avais raison : « potins d'écurie ». Ce voisin trop « honnête homme » devient désopilant. Ma vengeance sera de contempler son expression quand il apprendra de ma bouche, — ou peut-être de ma main sur la face, — que René Leys émarge pour dix mille taels par mois, au budget de la cour...

Dès qu'il sera officiellement nommé Fermier Général de la Gabelle du Sel[1] à tant de milliers de dollars de transit, par jour (car ce garçon est destiné aux plus hauts emplois), les Jarignoux feront assez bien de se tenir cois, et de changer à nouveau de pavillon pour couvrir leurs viandes envieuses...

Après tout, si le pauvre voisin est en mal d'un peu d'argent... ?

X... — Ce matin, de grand matin, il fait encore presque nuit, car Octobre commence : et, les moissons rentrées, le calendrier chinois annonce un retard étonnant dans les coutumes et la lumière. René Leys est déjà là, sur son cheval peureux, toujours le même... Au moment de sauter en selle, le valet d'écurie, d'une main, me sert l'étrier, et l'autre tend pieusement un chiffon de papier couvert d'écriture Européenne qu'il vient de tirer du crottin.

Inconsciemment, je déplie le chiffon... Inconsciemment, je rougis, et, comme pour m'excuser devant Leys, je mets précieusement le chiffon dans ma poche...

— C'est étonnant, mon cher, comme ces arrière-petits-fils de lettrés chinois, même domestiques, ont un respect de tout ce qui est écrit ! Savez-vous ce que ce brave « mafou[1] » vient de me remettre ? Une vieille note de linge sale... Il a raison. Elle n'est pas encore payée. Elle le sera.

Il a passé devant, sur son extraordinaire cheval agressif... Il s'enfonce dans l'aube grise. Manifestement, le Ciel hésite entre le grand hiver que je ne connais pas encore et le plein été qui se clôt. Il se prépare doucement cet Automne prolongé, légendaire, seule saison bien assise entre les trois autres qui éclatent comme des cataclysmes, en explosions de vent, de chaleur ou de froid, ou procèdent par grands assauts de poussière ou de caléfaction, ou de glace…

C'est décidément une bien belle aube qui se lève. Pour la première fois, je constate que René Leys est doucement ému par la pénétration de l'heure et des choses alentour… Il respire longuement. Un poète dirait aussitôt : qu'il « soupire ». Il regarde en haut, le « ciel », puis devant lui, tout l'« horizon »… et se retourne vers moi et me sourit. — Vraiment je ne l'ai jamais vu sourire ainsi : il semble chercher quelque chose de très difficile à exprimer… Il dit enfin, pleurant presque de tous ses yeux sombres devenus plus jeunes tout d'un coup :

— Ah ! il fait bien beau, ce matin !

J'ai compris : ce garçon est décidément amoureux.

Il se confie :

— Je n'ai pas suivi votre conseil. Vous m'aviez dit de refuser ?

— Refuser quoi ? La veste jaune ? Pas du tout !

— Non : la petite concubine offerte par le Régent.

— Encore moins ! Mais vous y pensez encore ? Mais c'est très grave : vous allez vous attirer une bonne scène de jalousie : vous ne pourrez pas vous cacher : qu'est-ce qu'Elle va penser de vous, l'Autre ?

Et, de mes deux mains levées, je fais le geste qui désigne Celle ou Celui que le Trône assoit!

Il me répond avec simplicité :

— Je n'essaierai pas de me cacher... Elle a une « contre-police-secrète »... payée par Elle, et qui ne me lâche pas. Mais c'est Elle qui m'a obligé d'accepter...

— Alors, qu'est-ce que vous faites ici, à cheval, à courir les chemins et à parler « sans agir » ?

— C'est déjà fait.

— Enfin!

— Oui; avant-hier, quand je vous ai quitté, ce n'est pas « Elle » que je m'en allais rejoindre.

Et son air est ravi à ce point que je ne dois dès lors plus rien ignorer. D'ailleurs, il m'explique :

— Elle aussi voulait m'offrir une concubine!

— Hein! Elle aussi?

— Mais oui. Ça n'est pas convenable qu'un homme un peu bien placé n'ait pas de concubine. Il y a des jours du mois où la concubine est nécessaire.

— Oui.

— Elle m'a présenté une suivante... Elle a compris que je ne la trouvais pas... acceptable. Puisque le Régent m'en avait déjà réservé une autre.

— Alors?

— Elle m'a permis de recevoir. Je suis donc retourné au Palais du Régent et j'ai offert à ma concubine une voiture Européenne...

— C'est tout?

— Alors elle n'a pas eu peur de moi. Je crois aussi que le Régent lui avait fait des recommandations.

J'admire beaucoup la poésie de cette défloration politique. Je ne puis m'aventurer à reconstituer au hasard les impressions de la jeune acceptée, — par ordre, — mais je dois dire que celles de l'acceptant lui ont donné ce je ne sais quoi de victorieux et de sûr qui s'attache aux fermes conquêtes...

Et, longtemps, la promenade se prolonge, mielleuse, comme un voyage de noces, alanguie comme un retour de confidences...

... — Bon! encore un méfait de son cheval! Cette bête endiablée a peur de tous les trous. J'avoue que l'écart est admissible, ici : à travers la campagne où nous trottons, elle a failli mettre le pied dans un puits! Toute la terre du Nord est ainsi : elle donne l'eau et suce les vivants par toutes ses bouches sans lèvres, sans margelles... Mais, à ma surprise, il n'a point cravaché son cheval. Il dit, comme un enfant qui s'accuse :

— Pardonnez-moi : c'est moi qui ai fait l'écart. J'ai eu peur...

... Que voulez-vous! Je songe que douze de mes meilleurs policiers sont déjà tombés là-dedans!

Alors, son visage change. L'heureuse expression de ses yeux fiers devient tragique. Il me surprend, et, à brûle-pourpoint :

— Voulez-vous me promettre d'exécuter mon testament?

Je vous confie ce que je voudrais que l'on fasse, si je meurs. Vous prendrez dans ma maison les deux grandes vasques de porcelaine qu'Il m'a données. Ensuite, vous diriez que je suis tombé dans le canal, — ou que j'ai pris le Transsibérien...

Ensuite, vous iriez à la Banque Chinoise, dont j'ai l'adresse dans la poche droite de mon veston, et vous...

Oh! Je l'interromps à temps: à quoi tout ceci a-t-il rapport?

— C'est une dernière affaire que je veux tenter. Je vous l'ai dit: ce sont maintenant les sociétés secrètes qui deviennent redoutables... J'ai essayé de les faire surprendre: elles ont tué mes douze meilleurs agents. Alors je vais assister moi-même à l'une de leurs réunions qui se tiennent toujours à Ts'ien-men-waï...

Il hésite...

— Si vous ne me revoyez pas, vous me chercherez... dans un puits.

Non. Je préfère ne pas le perdre. Ts'ien-men-waï me connaît assez bien, désormais. Et je propose:

— Dites-moi: la partie que vous jouez me paraît un peu lourde. Si je puis vous être utile!

Il réfléchit, se penche, me regarde en plein visage, et soudain sa décision me paraît être celle d'un homme:

— Je ne veux pas vous compromettre avec moi...

Bien. Mais si je tiens à être «compromis»? Je laisse passer un long moment de promenade. Nous voici revenus sous les remparts. Nous rentrons, de nous-mêmes, très sagement, au pas.

Alors, brusquement, spontanément, je change d'allure et de ton:

— Tu veux risquer le tout pour le tout? Tu m'as tutoyé en poésie chinoise: laisse-moi te le rendre aujourd'hui. — Dis-moi : n'oublie jamais, en Chine, que tu es Européen.

Il se redresse :

— Je sais bien ! ma mère était Française. Il faut que je me déguise en Chinois !

— Déguise-toi en Peau-Rouge ou en Lapon, si cela peut te servir... mais n'oublie pas qu'au moment juste où tu sentiras que « ça va mal », tu te réserves la transformation à vue : tu cries à ces gens : je suis « Étranger » !

Il sourit avec mélancolie :

— Ils auront peur, un peu, deux minutes, ... et ils m'étrangleront après...

— Oui. C'est plus grave. Où se passera l'incident ?

Il me confie, rapprochant la bouche de son cheval des oreilles du mien :

— Dans la ruelle des « Os de Mouton ». Il n'y a aucune issue. C'est tout près du théâtre...

— Bien. Je sais. Tu me feras le plaisir de tenir bon un peu moins de deux minutes. Mais d'abord, tu lanceras un coup de sifflet. Je ne serai pas loin de toi, aux aguets, dans le Restaurant d'en face. Je te jure qu'avant deux minutes, je serai avec toi, en complet, veston et chapeau Européen... Tes étrangleurs auront un second moment de surprise...

Il écoute. Il réfléchit. Il me tend la main droite :

— Entendu.

Nous rentrons au pas et sans presser l'allure.

X... — En effet, je connais assez bien ce quartier; mais j'ai eu l'envie soudaine d'y aller faire une re-connaissance. Il faut être bien sûr de ses puits et de ses échappées. J'ai pris le plus sage de mes chevaux. Sous couvert de plaisanterie à l'Européenne, j'entrerai tout monté dans les auberges et les maisons de jeux...

Et je dessine maintenant de mémoire, la marche du cavalier — du cavalier un peu ivre de vin de roses — sur le quadrillé compliqué et souvent bien déformé qui n'obéit point, comme les belles avenues de la Ville Tartare, au grand échiquier cardinal, Nord, Sud et Est et Occident... J'ai feint d'être ivre, par habileté policière... Tout Européen est admis partout, s'il paie bien. On lui reconnaît le devoir d'intriguer. Un Européen un peu ivre d'alcool chinois a droit à toutes les sympathies, les plus accueillantes... Je fus partout bien accueilli.

Au reste, afin de mieux jouer le jeu, je me suis véritablement enivré de vin... de vin de roses... ce qui permet toutes les licences, même poétiques. Je dois avouer ne pas en avoir connu d'autres...

J'ai lancé mon cheval, tête basse et reniflant sur des obstacles moins élevés que vraiment étriqués : les seuils formés d'une planche de la maison chinoise, mais encadrés de deux montants de la largeur d'un homme nu. Mon cheval a passé ; mes genoux aussi. Cet obstacle était précédé de quatre marches raides qu'il a fallu monter sabot après sabot... Mon cheval a monté ponctuellement, comme un âne de cirque. Il est dressé à monter des degrés religieusement. Je dois, à ma honte chinoise, avouer que c'est au Temple même de l'Agriculture[1] qu'il l'a appris pour mon grand sacrilège : mais le vénérable paysan, gardien des neuf marches impériales, riait d'aise, sous le pourboire à peine reçu... Ce jour-là, je devais être un peu ivre aussi... Comme il le fallait bien aujourd'hui !

C'est dans cette attitude empruntée à la fois et acquise que j'explorai un habitat douteux, ce faubourg interlope de Ts'ien-men-waï avec tous ses carrefours ambigus, et ses venelles particulièrement Pékinoises, ces « hou-t'ong » à deux issues et ces autres en cul-de-sac, il faudrait dire : culs de Hou-t'ong, que plus décemment le chinois de Péking dénomme : venelles « mortes[2] »... Mortes ! C'est évident : elles doivent toutes aboutir à un puits. Mauvaise impression !

Comme s'il comprenait la chose, mon cheval sage s'est tout d'un coup mis à prendre des peurs inconsidérées. Ainsi, je n'ai pas pu le décider à sauter à reculons cet obstacle — infime, une planche ! — qu'il venait de passer avec ses deux pieds de devant et de croupe... Il ignore évidemment les grands principes Taoïstes que « tout peut se tourner bout pour bout, rien ne sera changé[1] ». Et il s'est mal conduit dans un escalier pris à rebours, en descendant par le train d'arrière. Il s'est à peu près assis par terre. Il n'était pas assez ivre. Comme je l'étais, moi, par principe !

Comme je le suis encore, par fonction. Car tout ceci ressemble bel et bien à un enrôlement... dans sa police secrète. J'ai déjà fouillé le terrain. Je me fouille à mon tour. Je me retourne les poches du cœur. Est-ce par curiosité ? Par ivresse de savoir davantage ? Ou peut-être, et plus noblement, par amitié pour ce garçon brave qui tout d'un coup, la première fois devant moi a eu peur, vraiment peur, à propos d'un puits ! Là même il n'a pas été ridicule.

Mieux : c'est par désir de savoir ce qu'il est enfin, lui, — (et peut-être lui-même ne le sait-il pas encore !). Sa fortune est extraordinaire. S'il tient bon, un an de plus, et si j'ai le bonheur (fortuit également) de le tirer de quelque mauvais... puits, la mienne n'est pas loin d'être comblée : il me présente comme « son meilleur ami » à Celle... (le reste est affaire au Protocole)... Alors je saurai ce qu'il me plaît de savoir. Alors vivrai-je ce que je dois vivre. Ce sont là mes gages policiers, mes récompenses, mes triomphales vestes jaunes, à moi !

Voilà bien de quoi m'enivrer pour tout de bon. Après ceci, le sommeil pesant d'honneurs a bien quelques droits, lui aussi !

X... — Il a repris tout son courage et tout son entrain. Il a tout oublié : du pessimisme profond de sa dernière chevauchée (car il ne parle plus que femmes et fleurs et poésies adressées et reçues, et du beau temps d'automne à Péking, et de la nouvelle amitié que lui témoigne le Régent depuis acceptation de la Concubine !).

Voilà qui le justifie de toutes les accusations Jarignoux du monde : ce jeune homme trop sage possède en ce moment où j'écris, deux femmes officielles dans les bras ! Et quelles deux femmes ! L'une, expérimentée et de bonne tradition dynastique. L'autre, à peine innovée, toute prête à de nouvelles introductions protocolaires et traditionnelles... — C'est pourtant moi qui dois le ramener au sentiment de la juste convenance : lui reparler de ses devoirs professionnels : de ses craintes, de son testament d'il y a huit jours ; de ses entreprises ; de ses puits.

Il répond, avec un mystère que je sens déjà percé à jour, au grand jour :

— Oh ! ce n'est plus à Ts'ien-men-waï : les voilà maintenant *dans* le Palais.

C'est, en effet, beaucoup plus sérieux. Il ajoute :

— Vous ne vous êtes jamais demandé pourquoi Pei-King se nommait Pei-King ?

— Jamais.

— Pei-King, « capitale du Nord » ! Ça n'est pas le nom officiel. La préfecture « administrative » s'appelle toujours sur les papiers : Chouen-Te fou[1].

— C'est exact.

— Quand les gens des Provinces parlent de se rendre « à Pei-King », qu'est-ce qu'ils disent ?

— C'est vrai. Ils disent seulement qu'ils vont à la Capitale. Ils n'ajoutent jamais qu'il s'agit de la « Capitale du Nord ».

— Alors, d'où vient le nom de Pei-King ? Où est-il écrit ?

Je n'en sais rien. Pour la première fois, depuis plus d'une année, je me demande si le nom de la ville que j'habite (plus et mieux que nul de ses habitants, que j'essaie de posséder, de dominer autant et plus que l'Empereur lui-même), si cette ville et son nom détiennent une existence solide, foncière, autre que légendaire et historique !

Il me rassure :

— Les deux caractères « Pei-King » sont inscrits, *quelque part*, dans la Ville.

— Où donc ?

— Dans la Ville « Intérieure », *sous* la route qui mène du Peï-t'ang au Pei-t'a[2]...

— Oh ! j'y suis passé...

— Très souvent. Mais la première fois, avec

moi. C'est moi qui vous ai montré la route. Vous n'y avez rien vu d'extraordinaire ?

— Rien.

(Pourtant ! Je m'en souviens maintenant : les écarts incompréhensibles de son cheval... Je dois donc lui avouer :)

— Si ! Les écarts incompréhensibles de votre cheval...

— Vous n'avez pas remarqué... (il hésite et il sourit) — que cela sonnait creux ? Non ? C'est bien là. C'est pourtant à cet endroit que les deux caractères « Capitale du Nord », Pei-King, 北 京, sont inscrits. Mais je dois vous prévenir que le déchiffrage est difficile. D'abord, on ne peut rien voir en été : les eaux sont trop hautes.

— Quelles eaux ?

— Vous n'avez pas senti que la route à cet endroit passe sur l'aqueduc qui abreuve le Palais ?

— Non. Je n'avais pas senti. Mais en hiver ?

— En hiver ? Mais en hiver, tout est gelé ! On ne va pas se promener sous cet aqueduc. Ou alors, à tâtons, sur la glace...

Je casse à mon tour toute la glace :

— Je ne vois plus de rapports entre cet aqueduc et...

— C'est par là qu'ils ont pénétré !

Et du même coup, il m'initie... Oui, toute sa peur est surmontée. C'était pourtant une belle peur et la plus loyale, que la volonté se dresse à elle-même ! Je comprends, j'accepte ses allures compliquées : il a maintenant à faire face à trop de bonheurs à la fois : une amitié-régente, deux amours, dont l'une maîtresse, l'autre servante ;

un danger... mille et dix mille dangers à esquiver.

Il m'initie et m'admet « en profondeur ». Pei-King n'est pas, ainsi qu'on pouvait le croire, un échiquier dont le jeu loyal ou traître se passe à la surface du sol : il existe une Cité souterraine, avec ses redans, ses châteaux d'angles, ses détours, ses aboutissants, ses menaces, ses « puits horizontaux » plus redoutables que les puits d'eau, potable ou non, qui baillent en plein Ciel... Le tout, si bien décrit, qu'il parvient, enfin, à me faire frissonner moi-même...

Il m'initie ; et je commence à l'admirer. Il a son va-et-vient habituel, — son pas quotidien, — ou mieux, de chaque nuit. Il m'a ouvert d'un coup de bien autres Palais de Songes, aux chemins desquels j'étais loin d'avoir passé ! Ceci ne faisait point partie du « plan ». C'est, — et j'y reviens, et j'y redescends malgré moi ; c'est aussi mystérieux que la Cité Interdite ; c'est la nouvelle Capitale au creux de la terre ; et tout l'inconnu maçonné quadruplement derrière des murs de vingt pieds de haut se décuple, en s'affouillant à leur base de tout un mystérieux règne vertical : toute la Cité Profonde en ses cavitations de la terre !

J'entends ! Je me vois sourire ! un « souterrain » n'est plus qu'un tunnel manqué sans voie ferrée, depuis l'usage abusif qu'en ont fait nos romanciers romantiques et surtout nos ingénieurs. Ici, sous la large capitale plate, tout ce qui mord un peu la profondeur est inattendu et plein de trouble.

Et son étonnante habileté à faire cabrer son cheval, — cette mystique bête issue tout droit d'une apocalypse mongole avec pedigree improvisé aux courses à l'Européenne de Tientsin-Bank & Co ! — ce cheval me mordant la figure et s'en prenant, avec la divination que les poètes et les théosophes ont prêtée faute de mieux à cet animal obtus ! — ce cheval, enfin, se cabrant avec *cet* à-propos sur *ce* terrain qui sonnait vraiment creux ! Je me souviens de la scène : cela sonnait creux. C'est ensuite qu'il m'a conduit à travers l'extraordinaire promenade révélatrice. Il est vraiment curieux que je m'en souvienne à ce point : le premier jour où je l'ai retrouvé hors de chez moi et de chez lui, où je l'ai véritablement *trouvé*, — cela sonnait creux !

Et au moment où je vais lui faire part de mon admiration à son égard, et de mes craintes, et des moyens de police préventive que je lui suggère, — lui, négligemment :

— C'est prévu. J'ai donné ordre de murer cet aqueduc. J'ai dit que l'eau qui passait par là était sale, et que les Européens ne buvaient plus que de « l'eau en bouteille », par mode, ou bien de l'eau de pluie, bouillie et battue dans un bol…

Fort bien. Hygiénique, ingénieux et triplement plein de prudence. Toute révolte est ainsi par avance étouffée dans ses voies d'accès : l'Empire siège sur sa sécurité !

X... — Fait divers, dans le Journal Pékinois : « Révolte dans la province du Hou-Pei : la Xe division, casernée à Wou-tch'ang, vient de brûler le Ya-men du Vice-Roi. Le Vice-Roi, comme il sied, est en fuite. Les révoltés se sont rendus maîtres de l'artillerie et bombardent les forts de Han-Yang. On commence à s'inquiéter dans les concessions Européennes de Han-K'eou... [1] »

Ces trois villes, ou plutôt, cette « Triple Cité », beaucoup trop célèbre en Europe par cette espèce de centre ombilical de la Chine que lui confèrent, avec huit millions gratuits d'habitants, les « anticipations » de Wells[2], — ces trois villes sont en effet qu'on le veuille ou non, dans la politique chinoise, des localités à prendre en considération. Et d'ailleurs, la révolte est du type « militaire », avec fusils à chargeurs et artillerie... Beaucoup plus grave encore que le mot historique : ceci est une révolution !

Il ne peut y avoir « révolution » en Chine. À peine : une rébellion[3] ! Cependant, il me faut en parler à René Leys. Lui seul peut me fixer sur l'importance ou non de l'émeute. Lui seul est directement en cause, si l'on s'en prend aux gouvernants dynastiques du Trône. Après tout : comme chef de Police et Amant de la Reine Impératrice, Lui seul, — dirais-je, — est doublement, ou décuplement, payé pour ça.

Je saisis donc l'à-propos de sa présence pour attendre, sans le questionner, son avis sur là-dessus. C'est en grand mystère qu'il me rejoint. Il s'agit beaucoup moins d'une date Européenne, quelconque, le 11 octobre 1911, — mon anniversaire, paraît-il, et la fête de ma trente-cinquième année, — que de célébrer à la chinoise ledit anniversaire : il prétend me donner « le spectacle », non pas au théâtre, mais chez moi. Il est tout heureux de son idée. Il me promet des acteurs de première classe, la mieux payée. Il me donne le titre de la pièce : « La rencontre dans le champ de mûrier[1] ». Il a déjà payé mes domestiques pour dresser contre le mur ouest de ma cour une estrade — et il s'en va, repris d'une gaieté de bon aloi que je n'ai pas ressaisie chez lui, aussi franche, depuis longtemps.

Deux heures après, il est de retour, précédé d'un quatuor de musiciens, avec le violon à deux cordes, les claquettes, le Gong, Empereur de tout orchestre, et une sorte de chalumeau dont le son grave précède les entrées de Prince. Lui-même enfin, accompagné de « ses » amis.

Ils me font plaisir à revoir. Le « Gros bon garçon » et le Nième Neveu du Quantième de nos Princes... Toute la Troupe a disparu déjà dans un appentis qui me sert communément de remise aux harnais. En quelques instants, l'orchestre, occupant le fond de la scène, s'accorde avec un grand bruit discordant. Et tout à coup, devant moi, unique spectateur, le spectacle commence ! Cela représente... Cette fois je sais bien : la troupe de René Leys et de ses amis... Nouvelle organisation policière, sans doute... Ils évoluent, ils pirouettent, ils jouent avec une précision professionnelle. Là encore, il y a des combats, — mais obligatoires ; — des entrées, des reprises, des méprises, — mais par principe. Grâce à l'initiation bien retenue, je sais très exactement l'instant où il faut applaudir ; — et je pousse énergiquement à propos le « Rrrhao[1] ! » guttural qui tient lieu de toutes les claques parisiennes, de tous les sifflets Américains !

C'est en effet très aimable de sa part de me donner ainsi le théâtre à domicile. Je ne marchande point mes « Rrrhao ! ». René Leys me montre l'un d'entre eux : celui-là dont la voix est si cassée :

— Justement : c'est celui qui est payé le plus cher : parce qu'elle se claque vite !

Quand il me rejoint, modeste, la figure lavée des fards, un peu en sueur, fier et satisfait, je devrais tout d'abord le complimenter... mais un je ne sais quoi m'a déplu, m'a déconcerté... pourquoi lui cacher ce que je pense ? Je le lui dis : quelque chose de cabotin, quelque chose de très mauvais aloi, surtout en Chine, m'a déplu en lui.

Il répond, très sûr de lui-même :

— C'est qu'Elle aime tant le théâtre ! Elle m'avait fait promettre d'apprendre ce rôle. Vous me dites que j'ai bien joué : — c'est tout ce qu'il me faut, — devant vous. Mais je dois jouer devant Elle, ... après-demain.

Elle ? Et je répète indiscrètement tout haut :

— Devant Elle, ... Laquelle ? Devant qui ?

René Leys n'hésite vraiment pas.

— Devant ma « Première ». L'« autre » n'a rien à demander.

Heureux et victorieux jeune homme, ainsi conduit à numéroter ses amours ! Que la polygamie règne au milieu des plus saintes fonctions de l'État ! Je ne l'aurais point imaginée réduite en ses facteurs impériaux à la seule arithmétique. Et pourtant, René Leys a raison. Par décence, la jeune concubine offerte, acceptée, possédée, « K'ai-paolée[1] » demeure le numéro deux inscrit en sa colonne, en cette comptabilité nouvelle.

Et pourtant, sérieusement, je voudrais le prendre à parti ; le réduire au même dénominateur, aux mêmes facteurs, mais... révolutionnaires ! Qu'est-ce que l'on dit au Palais de ce qui se passe de nos jours — de ces jours que nous vivons, dans la triple ville de Wou-tch'ang, Han-Yang et Hang-K'eou ?

Mais il s'en va, d'un pas léger, ayant baissé le rideau sur le spectacle. (Geste intraduisible en langue de théâtre chinois !) Il a conscience d'avoir très bien « rempli » « *son rôle devant moi* ». Il est assuré de jouer sans crainte désormais, pour Elle. Il s'en va, d'un pas satisfait.

Le reste, — la révolte du Yang[2], à mille kilomètres exactement, dans le Sud, est un peu distant, et vu d'ici, centre de la Cour et des élégantes manières de théâtre, un peu... provincial.

X... — Il faut absolument que je le voie, en dehors de tout geste de théâtre. Ça va très mal, pour ses amis les Mandchous Dynastiques. J'espère que le Sud extrême, cette espèce de Colonie Tropicale qu'est le Kouang-Tong[1], travaillé et maladroitement soulevé par Sun Yat-sen, ne bougera pas... mais toutes les villes du Centre s'agitent; toute la vallée de l'immense Yang-tseu, du Tibet à la mer, — et les grosses villes pendues le long de son cours, « bourdonnent et essaiment comme des ruches », selon la comparaison déjà fatiguée par quatre cents ans de littérature historique chinoise.

Je l'ai, non pas vu... à peine entrevu au moment qu'il montait en un char, spécialement envoyé par l'Impériale Spectatrice... Déjà il était costumé, et, véritablement, fort bien costumé en princesse Mandchoue, — la tenue de service, la veste de cheval, le prétexte, le palladium, un zaïmph qui doit lui assurer partout ses entrées, — les petites et les grandes, — et lui ménager, tel un Mâtho mêlé de Schahabarim[2], ses dérobades sans danger : — J'ai à peine le temps de comprendre sa réponse, rassurante :

— Vous troublez donc pas ! On vient de mettre en route sur Hang-K'eou une bonne demi-brigade de troupes « impérialistes ». Les autres ne tiendront pas. Surtout, ne parlez pas de « révolution ». Ce sont des histoires de « rebelles ».

Ceci me semble avoir été déjà dit, mais à rebours, il y a quelque cent vingt années, et assez malencontreusement !

X... — Après tout, j'ai promis de l'aider. Je joue dans son jeu. Je prends parti : le parti de Nos Mandchous aux Belles Cités Interdites. Et j'observe les règles du jeu. J'étudie de nouveau par avance la marche de chacun des pions. — Que ce soir d'hiver approchant est tout d'un coup froid et désolé ! Cependant c'est pour Lui et notre parti que je sors, vers Ts'ien-men-waï, dont les alentours comprennent non seulement les quartiers d'ivresse et de plaisir, mais la Gare principale, la Tête de Ligne du chemin de fer Franco-Belge-Chinois de « Han-Keou-Péking » ! Je tiens à surveiller par moi-même la mobilisation des troupes Impérialistes, fidèles, et, par décret, victorieuses, avant peu, des « Rebelles ».

La Grande Porte est en effet encombrée d'artilleurs cherchant à rejoindre leurs canons, et d'une cohue de coolies s'efforçant d'embarquer les caissons. Le tout est revêtu d'un uniforme de couleurs allemandes que les taches rendent invisibles, de couleur kaki d'oie et beige sale. Telle est la « demi-brigade » destinée à soutenir là-bas, bien loin, au fond de la province, à la fois le Trône et l'Autel. Que ces gens, au départ pour la guerre, me semblent gais, inoffensifs et encombrants !

Voici que leur troupe un peu molle est tout d'un coup traversée d'une bande plus joyeuse encore, venant de la Ville Tartare, passant la Porte, destinée sans doute à Ts'ien-men-waï où elle tend... où elle promènera de porte en porte, de maison en maison de thé la cadence de sa future ivresse ! ... Dieux de la Guerre ! Et toi-même, Kouan-ti barbu[1] ! C'est la charmante société de jeunes gens bien appris dont René Leys m'a valu l'amitié... Et lui-même, en personne, au milieu d'eux !

Évidemment, il vient comme moi, très habilement entouré, surveiller l'embarquement pour la guerre...

Non. Il me prend très mystérieusement par ma manche Européenne :

— Figurez-vous qu'on allait se tromper de bout : ce ne sont pas les émeutes de Wou-tch'ang qui pressent... Savez-vous ce que je viens de découvrir, ici, à Pei-King... dans la ruelle « aveugle » au sud du Lieou-li-tch'ang[2] ?

Non, vraiment ! Je ne puis accepter... Ce qu'« on » a découvert est un peu trop anodin pour les temps que nous allons vivre... Il y aurait, paraît-il, une reprise du mouvement « réformiste » de K'ang-Yeou-Wei[3] — l'ancien conseiller de Kouang-Siu — et deux mille étudiants, munis de ses dogmes, seraient en marche pour battre la campagne, autour de Pei-King.

Non. Vraiment ! Je n'accepte plus... Il y a là-dedans ou bien cécité politique soudaine comme « l'hystérie de l'autruche », ou bien mystification intéressée dans laquelle je ne tiens pas à jouer de rôle. Je l'interroge assez brusquement :

— Et les deux télégrammes de Canton qui viennent de parvenir aux Légations Européennes ? Je les ai vus. Le chancelier ne m'a pas demandé le secret : les consuls de là-bas annoncent en dehors de toutes nouvelles de sources chinoises que les trois provinces se proclament en république. Elles n'ont peut-être pas beaucoup de vrais soldats ; mais elles ont des têtes, des otages, et pas mal d'argent...

René Leys revêt le mutisme très digne qui précède les grands aveux.

— Enfin, que pense-t-il de tout ça, ton ami Tch'ouen, fils du Septième Prince, et Régent ?

Il lui faut bien répondre — mollement :

— Le Régent n'en sait encore rien. Personne n'a osé le lui dire. On a donné des ordres en conséquence. Le Ministre de la Guerre est parti pour la guerre.

Bien. Les ordres sont donnés. Des troupes régulièrement payées prennent la route du Sud. Il fait une belle nuit d'automne expirant sa douceur fraîche avant les glaces et le bleu sec menaçant... Pourquoi me préoccuper à l'extrême de ce qui se passe non plus à mille mais deux mille et trois ou quatre cents kilomètres d'oiseau, dans ce sud exotique, aussi « nègre » pour le digne chinois de la Wei ou le blême conquérant de Mandchourie qu'un Wolof métissé d'arbi s'agitant à Dakar, quand le pouvoir impérial siège à Dunkerque sous les espèces d'un blond Norvégien[1] !

Et de plus, pourquoi René Leys qui devrait être à son travail de nuit, bureau de la Police Secrète, ou dans son lit, si c'est son tour de repos, ou dans d'autres lits que le sien — pour la nuit jaune, — pourquoi René Leys se rencontre-t-il ainsi en liberté dans ces lieux que sa police précisément tolère ?

Ce n'est plus l'heure de le lui demander. Les soldats nous rebousculent au passage, refluant de la gare sur la ville. Ils ne partent plus. On rentre aux quartiers. Et devant cette sérénité qui succède au tumulte, je songe que peut-être « les choses ont été exagérées », là-bas, par nos consuls, et que, selon leur habitude, les Européens sont toujours prêts à grossir ces émeutes que la Chine absorbe, digère et éructe de temps à autre comme un immense intestin ses borborygmes et ses vents.

X... — Cette fois, il faut absolument que je le joigne. Il lui faudra s'expliquer et me dire une bonne fois si les Impériaux ses amis sont des fous à honorer comme tels, et préparent une chute en beauté, — ou bien s'ils en ont assez de l'Empire et s'apprêtent à démissionner en échange d'une rente ferme, — ou mieux si l'Empire et le Palais tout entier ne sont décidément pas un rêve d'historien ; et tout ce que je viens d'écrire à ce sujet, fumée dansant sur une écume de non-sens !

Oui. Il faut absolument que je le voie. Si j'avais en poche le précieux mouchoir rose, mot de passe et passe un peu partout... Je me mettrais, avec cette baguette de sourcier, en quête de René Leys dont vraiment l'ubiquité m'effare. Quand j'ai besoin de lui comme aujourd'hui, où est-il ? Certainement point au gîte paternel ! Non plus à son École (fermée aux premiers jours de troubles par défaut de ses élèves, fils de nobles, passés en grand nombre à la « Révolution »). Il n'est même pas à Ts'ien-menwaï, — du moins dans les plus honorables maisons connues de lui et moi... (j'en arrive). Il est peut-être au Palais ? Dans le Palais ? Sous le Palais ? Nulle part ? Évaporé ? Subtilisé comme un mage[1] qui en a dit assez, et dont les jours sont clos... Je m'attends à quelque chose d'insolite...

Non. Rentrant chez moi, je le trouve paisiblement chez moi. Il est calme et quotidien. Je n'y tiens plus :

— Vous en faites de belles, au Palais !

Il prend un air innocent.

— Vous savez qui vient d'être nommé Vice-Roi des Deux Hou ? En pleine révolte !

— Je vous ai dit que le Ministre de la Guerre est parti.

— Un chou blanc. Votre ministre n'arrivera jamais. On lui donne un terrible Collègue !

Son maintien, son silence, son attitude réservée commencent à me jeter dans l'embarras.

— On vient de nommer...

Et je lui mets sous le nez, avec une vigueur excessive, le décret promulgué aujourd'hui par le Régent nommant Yuan Che-K'aï, — exilé, retiré dans ses terres —, Vice-Roi des provinces révoltées du Centre, Généralissime des armées de Terre et de Mer, soutien de la Dynastie menacée !

J'insiste : Vous êtes fous. Au pluriel. Comment le Régent peut-il supposer que l'homme à moitié décapité par lui il y a trois ans va revenir à son service ! Et le vieux Renard n'est point parti en disgrâce sans préparer et travailler à son retour. Mais quel retour ! Il a ses soldats, cinq ou six mille Honanais, sa garnison, bien armée, bien payée, bien exercée : il a toute sa province autour de lui, le Ho-nan, l'essentielle « Fleur du Milieu »...

Mais René Leys me ramène à une moins poétique évaluation des faits. Assez négligemment, il ajoute :

— La nomination Yuan ? Mais c'est moi qui l'ai provoquée.

Il me regarde :

— C'était le meilleur moyen de l'écarter de Pei-King où il pouvait être gênant, ces jours-ci. C'est un bon soldat. On l'envoie se faire tuer ailleurs.

Le ton, le regard, la formule sont d'une telle décision que je n'ai plus qu'à m'incliner. Ces Mandchous sont décidément d'habiles politiques ; et René Leys le plus adroit de leurs jongleurs de théâtre.

X... — Pourtant, il m'arrive assez inquiet, aujourd'hui :

— Pourriez-vous me garder un peu d'argent ?

— C'est facile. Mais les Banques Européennes...

— Je ne veux pas être connu : j'aime mieux vous remettre ceci... C'est tout ce que j'ai pu sauver de la banqueroute.

Tout ce qu'il a pu sauver ! Ce doit être considérable : ne serait-ce qu'un dixième et me voici responsable d'un dépôt.

Il me tend une enveloppe chinoise en papier bleu à fleurs, assez pleine, et sort de sa poche un gros paquet lourd enveloppé du fameux mouchoir de soie rose.

— Bien. Je vais vous donner un reçu de ce dépôt. Quel chiffre ?

Il insiste pour que nous recomptions de pair. Il y a quarante-huit dollars en argent — piastres du Tche-li — vingt-huit billets de cinq dollars, de la Banque « Hong-Kong et Shanghai », dont quinze, émission de Tientsin, et treize, émission de Pei-

King. En tout, cent quatre-vingt-huit dollars. À peu près quatre cents francs.

Et voilà *tout* ce qui reste de ses fabuleux appointements ! Voilà les quelques sapèques sauvées... mais de quelle immense banqueroute... ?

Mon air impoliment déçu le force à s'expliquer : Voilà ce qui est arrivé la nuit dernière : les nouvelles de la rébellion du centre sont telles que toutes les banques chinoises de Shanghai ont sauté.

— Vous leur aviez confié...

— Pas à elles ! Mais à leurs commanditaires de Pei-King. Songez donc ! Elles me donnaient vingt-quatre pour cent par an !

— Et Pei-King a sauté aussi ? Vous ne pouviez pas le prévoir... seulement... la veille ? Juste le temps... Qu'est-ce que vous faites à votre Police ?

— Je l'ai su avant n'importe qui.

Une grande flamme orgueilleuse, — celle des meilleurs jours — lui passe dans ses yeux que je reconnais tout entiers :

— C'est moi qui avais reçu l'ordre de les déclarer en faillite, et d'arrêter d'abord les banquiers.

— Vous l'avez fait ?

— Oui. Cette nuit. Cinq de mes hommes et moi. On s'est battu.

— Et vous y avez tout perdu ?

— Et j'ai gagné un bon coup de pied dans le ventre. J'ai très mal ici.

Ses yeux s'éteignent. Les prunelles chavirent. Il va tomber. Il se redresse :

— Allons ! tout est à recommencer.

Il refuse de s'allonger, de s'étendre, de se

mettre au calme avec de la glace sur le ventre, comme on doit le conseiller, je crois, en pareil cas. Il s'en va, d'une allure presque négligente même à recevoir le reçu que je lui tends.

X... — Je viens de me heurter au détour de ma rue, de notre rue, — au gros rire et à la face encombrante de mon voisin Jarignoux. Impossible de lui tourner le dos : ce serait fuir devant lui, et céder le terrain : impossible d'espérer qu'il ne m'arrête pas jovialement au passage... Et j'ai fort envie de savoir comment il va recevoir ceci : cette lettre un peu sale que j'avais mise après désinfection, en réserve, dans ma poche, précisément, pour la joie de ce moment-ci. Je la lui déchiffonne avec soin :

— Ah ! vous l'avez gardée ? C'est pas prudent. Je me suis permis de ne pas me compromettre. Vous auriez pu être gêné pour m'en parler. Mais vous pouvez déchirer ça. Je vous remercie de l'avoir secoué, ce garçon-là : il m'a payé deux jours après.

Et, avec une soudaine bonhomie :

— Il a peut-être eu bien du mal. Ce garçon n'a plus un sou. Il a dépensé en filles tout ce qui lui restait des appointements de l'École, qui est fermée, et qui ne rouvrira pas de sitôt grâce aux camarades socialistes de Canton ! Tous ses élèves ont déjà foutu le camp à Wou-tch'ang comme apprentis révolutionnaires. Et puis voilà qu'on dit que le « père Yuan » remonte sur Pei-King. Je ne donnerais pas une piastre de la peau d'aristo du Régent ! Ça fait plaisir de voir un beau pays, et riche alors, s'ouvrir aux lumières du progrès !

Je froisse et déchire avec un mépris ostensible la lettre cause de l'entrevue, et prends un congé que je crois définitif. Ce futur électeur chinois me semble bien peu renseigné sur le sens politique de la rentrée de Yuan. « Nous savons bien, — et malgré moi j'entends le timbre habituel et assuré de la voix de Leys, — nous savons bien que Nous lui avons donné l'ordre de gagner son poste au plus vite, à la tête des Troupes des Provinces afin de l'écarter de la Capitale[1]... » Que Yuan Che-K'aï remonte sur Péking... Encore une histoire de naturalisé pontant sur sa venue et désireux de reprendre ses bassesses autour de lui !

Oh ! du nouveau enfin, parmi la caste mandchoue ! Maître Wang, disparu depuis deux mois, — de vacances policières — me revient très affairé, parlant à voix basse, et sa bonne figure énergiquement effrayée : On a, paraît-il, une peur extraordinaire au Palais. On ne sait pas exactement de quoi, et s'il faut craindre que Sun Yat-sen ne remonte tout à coup, à bord d'un vaisseau de guerre Japonais, le Canal Impérial de Hang-tcheou à Tien-Tsin ! On craint aussi qu'un perpétuel descendant des Ming ne se fasse sacrer Empereur à Nan-King. On a peur que la Mongolie n'aille porter ses tributs en Russie, et que les Français divisent le Yunnan en départements, et que les Fleuves gelés dans le Nord ne se mettent à fondre ! On a vu des signes dans le Ciel : un dragon sans tête coiffé d'un chapeau de feutre noir, de la forme du melon d'eau ; et une tortue jaune, écorcée, revêtant un complet Européen[1]. Alors, les mesures traditionnelles commencent. On a payé deux mois de solde en retard à la Garde Impériale. On a licencié trois cents Eunuques ; la Princesse Épouse du Régent boucle ses paquets et veut fuir ; elle ne sait point vers où ; à Jehol[2], dans les montagnes-nord, sans doute. C'est l'abri familial dans tous les cas de grande débâcle.

— Et vous, Maître Wang ?

Maître Wang ne tient pas à fuir, mais simplement à déménager. Il m'aide à comprendre que dans le cas d'une émeute à Pei-King, sa vie, très compromise de par la coiffure et la race de son épouse, se trouverait fort agréablement en sûreté chez moi. Oh ! un simple logis dans les dépendances !

Je demeure embarrassé. Je n'ai vraiment : je ne dispose que d'un seul corps de bâtiment : celui du Sud.

— Vous voyez : c'est la chambre de Monsieur « Lei[3] ». Il est vrai qu'il n'y vient plus souvent.

Et je songe un instant à prier ce brave René Leys de me permettre d'abriter à sa place un couple infiniment plus en danger que lui… quand je réfléchis que lui-même est plus exposé que tous : le chef d'une Police Secrète, s'il ne démissionne ou disparaît à temps, est le premier à laisser en gage sa personne, à ces jeux antidynastiques. Les dangers peut-être imaginaires ou grossis dont il m'a... — dont il avait peur — ne sont rien à côté de ceux qu'on devine... Maître Wang qui « *en* » fait partie, comprendra !

J'explique donc : je suis au regret : mais les « hautes fonctions » de Monsieur Lei sont fort dangereuses pour lui, je tiens à lui conserver cet asile, chez moi.

Maître Wang fait un peu l'étonné :

— Un Européen n'a rien à craindre ; même s'il est Professeur à l'École des Nobles !

— Je veux parler de ses hautes fonctions à... la Police Secrète...

Au moment où chacun doit se compter dans « notre » clan, il n'y a plus de prudence à garder. Je mets donc l'infime policier, Maître Wang, au courant des derniers titres officiels de René Leys, et de quelques-uns de ses plus avouables exploits.

Maître Wang prétend tout ignorer. Il y avait bien, dit-il, un étranger, employé dans cette confrérie, mais avec un grade inférieur. C'était un Allemand. On l'a convaincu de vol, et chassé. Le chef actuel est un Pékinois nommé Siu.

Maître Wang est lui-même un fort bon policier, secret et discret, qui ne trahit point même pour moi, ses patrons. S'il savait que je sais tout, et, comme le Phénix, bien d'autres choses encore ! — Nous convenons de lui aménager un recoin qu'il découvre derrière mes bâtiments de l'ouest, où j'ignorais ce prolongement, dont il s'arrangera, dit-il, ainsi que Madame Wang, sans nous compromettre.

Un mot de plus. Qu'est-ce qu'on dit, parmi ses amis Mandchous, du retour en grâce du Chinois Yuan Che-K'aï ?

Rien. On n'en dit rien. La chose a passé parmi les nominations quotidiennes. Il est maintenant à la guerre, dans le Sud. Quand l'affaire sera finie, on lui donnera un témoignage de satisfaction.

X... — Je n'ai pas eu même le temps de courir chercher René Leys : une ruée de gens en fête dans la rue des Légations m'apprend « qu'Il arrive » — « qu'Il sera là dans dix minutes » ; et que l'on s'attend à des troubles ; et que l'on ne sait pas si tout Pei-King ne va pas brûler cette nuit[1].

Oh ! oh ! moment historique ! Le vieux renard a bien joué : un secrétaire à la Russie me détaille, en courant avec moi vers la gare, le jeu, tout le jeu de l'offre et du refus si bien mené jusqu'au gain, et dont aucun écho n'était parvenu au fond de mon quartier chinois alors que tous les Étrangers depuis dix jours en marquaient les étapes. Voici : Yuan Che-K'aï, l'exilé, le disgracié, nommé soudain Vice-Roi des deux Hou, — refuse ; politiquement, médicalement (sa jambe est encore bien malade). En réponse, on le nomme non plus Vice-Roi, mais généralissime des troupes envoyées contre les Rebelles ; il accepte, et ne bouge pas. — On lui enjoint de regagner son poste, au front, à quelques lieues d'Han-Keou ; à mille kilomètres sud de Pei-King, et, brusquement levant tout ce qu'il a de troupes bien à lui, il se met en route, mais vers le nord ; sur Pei-King… Il arrive… il sera là dans dix minutes… Du haut de la muraille on verra l'entrée… Nous courons toujours, nous arrivons à temps !

Premier train ; bien plus long que le quai. Il en sort un millier de soldats aux figures rondes et rouges ; des paysans bien nourris. Second train, de même contenu. Rien de plus, pendant deux heures…

À la nuit, dernier convoi : des valets, des gardes, des femmes, des soldats d'ancien modèle aux hallebardes terribles, et formant haie mouvante et drue autour d'un homme court aux gestes vifs, aux yeux puissants et inoubliables qui, d'un trait, boivent et absorbent ces créneaux d'où je me penche, saisissant la Ville où il Entre, déjà maître avant le siège, serviteur plus fort cent fois que celui qui le nomme. Il est vêtu de la robe jaune, de la Veste de cheval, du chapeau d'hiver à plume de faisan ! Un second coup d'œil, très doux celui-là, amical, pour les Européens qui n'ont jamais en vain compté sur lui, et l'acclament… et le voici porté presque par ses gardes jusqu'à la berline à grands chevaux noirs, — un peu trop russe en ce moment de Chine Antique… Les gardes courent et s'accrochent aux marchepieds… l'équipage passe à grande allure la porte… *latérale*[1], celle que le peuple emprunte tous les jours quand, descendant du train, l'on pénètre dans la demi-lune de Ts'ien-men-waï.

Bien que déjà très sûr de lui, il a eu cette patience, cette décence de ne point exiger qu'on ouvre les vantaux du Sud, impérialement clos. Il sait bien placer, dans leur ordre, chacun de ses gestes. Il roule confortablement sur ses ressorts Européens et va loger, en bon père de famille, dans le Yamen bien protégé de son fils aîné, Yuan K'o-ting[2].

Voilà tout ce que je brûle de raconter à René Leys, que je m'étonne fort de ne pas saisir dans la foule qui descend avec moi des murailles, — mais qu'il me semble naturel de découvrir, frais et reposé dans sa chambre où il vient de dormir, me dit-il, tout l'après-midi, — comme il n'avait pas dormi depuis longtemps. Il craignait que ce coup de pied ne lui ait « brisé un nerf dans la vessie »… « Mais il ne souffre plus du bas-ventre, et il urine… » — me prend-il pour un médecin ? Il est indécent. J'ai pudeur de mon enthousiasme pas encore tiédi… Je ne lui parlerai pas aujourd'hui de la belle arrivée de Yuan. Je me tais.

Lui, m'interpelle :

— Eh bien ! vous étiez persuadé qu'on ne le déciderait pas à partir ?

— … ?

— Il est parti.

— Il est parti… et arrivé. Oui. Je l'ai…

— Arrivé, à son poste.

— Ah ?

— Je suis fier d'avoir tant insisté pour l'expédier là-bas. Le Régent ne pouvait croire qu'on le dépêcherait aussi facilement…

— Ah !

— Le voilà aux prises avec les Révolutionnaires et leurs vingt ou quarante mille hommes. Il aura fort à faire. J'avoue qu'il pouvait être dangereux dans le Nord... N'en parlez à personne : je viens d'assister au dépouillement des dépêches confidentielles reçues de Han-K'eou : il en est aujourd'hui exactement à dix kilomètres... Ça nous en fait mille de Pei-King...

Je regarde René Leys avec une candeur dont je ne savais pas mon visage capable. Je suis tout à fait calmé par son calme et j'arrive prodigieusement à lui confier ceci :

— Qu'est-ce que tu as fait aujourd'hui ? Tu as bu ? Tu es malade ? Tu as reçu des lettres de famille ?

Il s'étonne, et très candidement à son tour. J'explique :

— Eh bien, moi qui n'ai reçu aucune dépêche confidentielle, je vais t'annoncer sous le sceau du secret absolu que Yuan Che-K'aï est dans nos murs...

Il prend un air très fermé... Je ris avec un peu d'aigreur :

— Jure-moi de n'en rien dire aux cinq cents personnes qui l'ont vu arriver tout à l'heure à la gare...

— À la gare ! dit René Leys, un peu déconcerté. Par quel train ? À quelle heure ?

— À l'instant.

— Pas possible.

— Oh ! j'y étais.

Et je me mets en scène : les deux trains de soldats, les gardes, la foule... et les Européens que l'on ne trompe pas...

Il se tait. Pour la première fois, chercherait-il ce

qu'il a l'intention de m'apprendre ? Et je me tais aussi... Ce qui me redéconcerte... Et je reprends avec difficulté... (est-ce l'énervement sec de l'hiver déjà commencé ? Il y a quelque crépitation dans mes syllabes...)

— Enfin, raconte-moi ce que tu veux sur tes amis particuliers, mais laisse-moi te parler de mes « connaissances » ! Je connais assez le « Père Yuan » pour t'affirmer l'avoir vu descendre du train... spécial, le troisième, à sept heures dix de l'horloge Européenne, monter en voiture, ... (deux chevaux noirs) et entrer à Pei-King, par la porte... latérale de l'Ouest, et passer Ts'ien-men-nei[1]... et s'en aller...

Il m'interrompt avec autorité :

— Vous avez vu quelqu'un... monter en voiture ? Ce n'était pas lui.

— Hein ?

— Je vais vous confier une chose de la plus haute importance ; et que vous serez seul à connaître, avec le Régent et moi...

Je le regarde. Je lui ai fait de la peine. Il est blême comme je ne l'ai jamais vu blême... J'ajoute, pour le consoler :

— Dites.

— Le vieux Yuan est bien à Pei-King. Mais j'avais raison de vous dire que vous ne l'aviez pas vu monter en voiture : ce n'est pas lui : c'était son sosie, celui qui prend sa place, officielle, par prudence[2]. L'autre, le vrai, était arrivé depuis... depuis...

Ah ! tant pis ! qu'il s'évanouisse et qu'il donne sa crise et que tout soit fini ! La plaisanterie devient insupportable de tension ! Je vais la lui faire un peu sentir...

Mais c'est trop tard. Je n'ai plus devant moi qu'un enfant dans un fauteuil la tête penchée en arrière, les yeux chavirés, les lèvres blanches. — Je sais, cela dure dix minutes, et ça lui vient après des émotions diverses... Quelle est celle d'aujourd'hui ? L'arrivée de Yuan en chair et en os bien qu'en sosie, ou son dépit à n'être pas cru dans une version incroyable ?

Il est peut-être temps de le rappeler à lui — quelques tapes dans les mains... une serviette mouillée sur la figure... C'est fait.

Discrètement je le laisse redescendre tout seul en ce monde réel.

X... — Il revient de lui-même sur cette aventure d'hier soir, et me dit, un peu gêné :

— C'est la première fois que vous me voyez m'évanouir ?

— Non. La troisième.

Tout à fait déconcerté, il se livre, et m'avoue que d'« autres choses lui font peur » parce que dans « ces moments » il ne sait pas qui il est, ni dans quel endroit il se trouve.

Et il précise, avec des mots cherchés, un très curieux état de transposition visuelle dont je ne connaissais pas d'autre exemple : ainsi, quand il se promène en un coin précis de Pei-King, par exemple, dans une rue au Sud-Ouest, il a tout d'un coup la certitude de *voir*, devant lui, mais comme dans un miroir aux images symétriques, le point correspondant, mais en diagonale exacte ; en ce cas : la ruelle du coin Nord-Est ; mieux : il se promène à sa guise dans ce lieu géométrique : aussi longtemps qu'il garde les yeux grands ouverts, sans ciller. Il lui faut aussi prendre garde de ne pas respirer. Le détail précisément neuf est que tous ses mouvements subissent la même transposition diagonale : il tourne à droite s'il veut aller à gauche... Ceci arrive sans qu'il y prenne garde... il ne peut pas obtenir ses « visions » quand il le désire... mais quelquefois il en a trois ou quatre dans la même journée, ... et... c'est alors bien fatigant !

Je dis, innocemment, presque affectueusement :

— Vos entrées dans le Palais ne sont-elles pas un peu... influencées par ces « visions » ?

Il persiste à chercher des mots, pour lui-même, et à formuler des « souvenirs » :

— Je commence à comprendre pourquoi j'ai si peur de monter sur les murailles ou dans les tours...

— Pourquoi ?

— Parce que... une fois... cela m'est arrivé et que naturellement je me suis trouvé noyé au fond d'un...

Oui. Je comprends moi aussi. Dans « ces moments particuliers » il existe dans un espace inversé bout pour bout, avec d'horribles angoisses des pénétrations dans la matière ou de pesanteur à l'envers...

D'autres diront : angoisses imaginaires. C'est possible. Il en invente peut-être le sujet : l'anecdote : partie méprisable ! Je prétends qu'au moment même où il me parle et se confie, il les vit, ces angoisses, avec une intensité enviable, presque redoutable... Et pourtant, je voudrais bien savoir :

— Vous n'avez pas eu des « visions » de ce genre, dans le Palais même ?

— Non.

Il pousse un terrible soupir mécanique. Il respire comme on souffle... Ces alertes ne valent rien pour un « cœur » adolescent, un *cœur* au physique, ce muscle creux ! Il est temps de revenir à des sujets pleins et moins vertigineux. À des à-propos familiers... Je m'informe donc :

— Depuis quand ne L'avez-vous pas revue ?

— Depuis avant-hier. — Non ! Depuis trois nuits.

— Oh ! dites-moi... mais c'est assez délicat. Si vos premières « nuits » vous coûtaient cher...

— Oui, six mille dollars...

— Pardon ! Quatre mille... J'ai le reçu dans ma poche ! Comment faites-vous pour acquitter le péage, maintenant...

Maintenant que votre école est fermée et la Banque... Mais, vous savez que je plaisante... Et d'ailleurs, je suis à votre entière disposition... Il ne faudrait pas vous arrêter en chemin... Si vous aviez besoin d'un service... ou d'un refuge, ou d'une mise en sûreté de ce qui vous est précieux...

— Non. Les Eunuques savent bien que j'ai tout perdu. Je leur fais des billets à terme, sur mes appointements futurs...

Pourtant, si j'ai un service à demander jamais à quelqu'un, c'est à vous que je m'adresserais... Soyez-en sûr. Vous n'aviez pas besoin de me le répéter. Si j'ai quelque chose de précieux à cacher, je vous le porterais ici... Je l'ai déjà fait...

C'est vrai. Et quelle meilleure promesse ?

Lui parti, je reste tout d'un coup singulièrement gêné devant moi. Voilà moins d'une année que je connais ce garçon. Il m'a raconté toute son histoire. Et ses histoires. Je n'en ai rien dit à personne. Je dégustais le développement et la saveur sans un doute sur la réalité.

Or, aujourd'hui, — est-ce d'aujourd'hui seulement ? — je doute de quelque chose... c'est-à-dire, d'un seul coup, — de tout.

L'un est aussi déplacé que l'autre. Il y a le même élément de créance brutale à tout croire ou à tout repousser. Je me reprends : je m'explique : ce n'est pas devant le merveilleux de l'aventure que l'on doit se récuser. Il ne faut pas tourner le dos au mystérieux et à l'inconnu. Les rares instants où le Mythe consent à vous prendre à la gorge... à solliciter son entrée parmi les faits quotidiens de la vie... les minutes hallucinées mensurables pourtant à la montre, — dont le battement retentit ensuite sur les années... Il ne faut rien négliger de cela...

Le fait est là : ce garçon m'a raconté *des* histoires mystérieuses et merveilleuses. Une seule. Il m'a laissé voir, il m'a conduit, il m'a ouvert... Oh ! voici que pour la première fois depuis tant de mois son surnom chinois me revient à l'oreille : il m'a véritablement ouvert au long des nuits chaudes ou froides, la porte de laine du « *Jardin Mystérieux*[1] » dont il me semblait le maître... Il conte si bien ! Et tant de gens pourraient envier cela !

Cependant, il faut bien, aujourd'hui, par logique apprise ; par habitude mondaine ou philosophique ; il me faut essayer de discerner le *vrai* du faux ; le possible du probable ; le croyable du déconcertant. Posons d'abord, qu'il y a eu du vrai; — mais qu'il a pu, par vantardise de jeunesse, enjoliver bien des détails. Et mettons en présence, d'une part, son récit :

— Un jeune Belge, fils d'épicier Belge (mais de mère purement Française : il y tient absolument), s'en vient en Chine avant la puberté. Il apprend une langue réputée difficile; il entre au Palais, réputé fermé. Il devient le chef d'une organisation secrète; l'ami du Régent. L'a... mant de la Douairière. Le conseiller Européen de l'Empire au moment le plus critique que la fonction « Fils du Ciel » ait connu depuis la fondation !

Et, d'autre part, ses dons :

— Une aptitude en dehors des moyens à apprendre tous les langages composés de sons imités; à recueillir toutes les notions imposées ou suggérées... Une ardeur, un élan, une beauté adolescente; un attrait évident, non point, de lui, vers la femme, mais de la femme pour lui... Il semble que la comparaison soit pleine d'équilibre... et que dans un procès de ce genre, le défenseur aurait réponse à tout.

On rétorquera : crédulité excessive ! Non. J'ai admis déjà que certaines aventures ont été édulcorées, accentuées, dépouillées de toute anicroche... mais c'est bien le rôle du conteur ! En revanche, combien d'épisodes, combien de « mots » ne relèvent que du « moment vécu » et par là seraient dignes, avec le Prix Goncourt, de l'école du Document humain !

Et l'on n'invente pas des détails, des éclats, des coups d'œil, des lueurs comme...

— Ce qu'on voit du haut de la Montagne de

Contemplation. La poignée de main maladroite, du Régent, qui saisit le pouce, et laisse tous les doigts en dehors... La peur du danger passé, de ce même Régent.. Le récit historique de la Nuit de Noces Impériales, ... et ce geste... [n'insistons pas!] Tout cela qui s'est empreint lucidement dans le souvenir gravé comme un sceau, de ces jours!

Il faut bien que René Leys ait vécu cette extraordinaire existence... Et d'ailleurs, le parti est simple : ou bien, l'accuser en moi-même, derrière lui, comme un Jarignoux anonyme, — (et... mon parti est déjà pris, tout d'un coup) ou bien, lui dire carrément, dans un moment de grande confidence, tous les doutes, ridicules, maladroits ou trop divinateurs, qui me sont venus, aujourd'hui, à son propos.

Mon parti est donc pris: celui de la toute grande confidence.

X... — Ceci va de mal en malheur, et à l'extrême pour l'Empire : Le marché est mis à la gorge : le Régent de Demain, le Régent qui monte, Yuan Che-K'aï, a respectueusement fait connaître au Régent d'aujourd'hui — Prince Tch'ouen — et presque d'hier, qu'il faut abdiquer ; — qu'il faut avoir abdiqué avant que le jour de demain ne lève. Cette nuit sera donc la nuit du grand débat ; peut-être de la grande lutte. J'essaie d'imaginer la lutte : les cinq mille Honanais payés par le vieux Yuan, renforcés de tous les mécontents payés aussi vont assiéger le Palais défendu par la Garde Impériale ; — par la P. S. et ce brave petit René à leur tête. Il y aura bataille antique et moderne, avec grands cris et visages terribles, et aussi : Mausers[1] à magasins. Malgré toute la fidélité que je leur porte, les Mandchous seront battus. Alors vient le sac du Palais. Deux cents concubines, la plupart respectables puisqu'elles remontent au lit et au Règne de [Celui] qui régna durant notre second Empire[2], demandent grâce de vie, et s'abandonnent aux vainqueurs. Les Eunuques s'efforcent d'obtenir les mêmes attentions. Quelques braves de l'Ancien Temps décident la lutte, sont bousculés, repoussés, et finalement acculés…

Ce qui suit n'est pas de moi. Nous en avions parlé d'avance lui et moi. Il m'avait fait remarquer que, dans les sièges de la Cité Violette Interdite, c'est toujours aux quatre angles que s'opèrent les derniers massacres :

— C'est l'endroit le plus éloigné des portes, vous comprenez ?

— Oui. Il suffit d'un coup d'œil sur le plan.

— Sur le plan ! soupire René Leys. Il réalise sans doute que s'il y a massacre, c'est à l'un des quatre angles qu'il retombera. — Mais, lui-même, n'a-t-il aucune « issue » ? Et comment, par avance, le tirer de là ? Sa place évidemment, loyalement, est bien là.

C'est avec un reposant plaisir que je le vois donc m'arriver un peu avant la nuit, la Grande Nuit. Malgré l'angoisse dynastique et les préparatifs, il consent à dîner avec moi, généreusement. Nous dînons ; lui, de grand appétit. C'est bien. Qu'il se prépare. On dessert. On s'étire. Le temps est dur en cet hiver. Il devra bien se couvrir. A-t-il sa fourrure ? Je sonne un boy pour l'habiller ici ; qu'il ne prenne froid avant l'heure ! — Et tout simplement, j'ouvre la bouche pour lui réoffrir mes services, [surtout pour cette nuit-là !…]. Il me prévient :

— Je ne sors pas.

Il s'installe, allongé, sur la même chaise dans le même confort, mais plus intime par huit mois de confidences, et l'enfermé de la maison d'hiver. Il ne sort pas. Il ne va pas au Palais. Je lui laisse entendre que sa présence ici, près de moi, me rassure sur lui. Il n'a rien à craindre en effet, malgré ses aventures policières : « sous les plis du drapeau d'étranger » battant à ma porte ; laquelle ainsi que du sang de l'agneau protégeant du massacre, est marquée d'un vieux lampion tricolore ! Mais Elle ! Et que lui a-t-elle dit, à leur dernière entrevue ? Depuis quand ne l'a-t-il pas revue ?

Il revient du songe familier, s'étire, et ne répond rien. Puis brusquement :

— Et si… Elle venait vous demander asile cette nuit ?

Oh ! mais, voilà qui est bien. C'est si direct que je suis tenté de le prendre au mot. Qu'elle vienne… cette nuit… ce soir… maintenant… tout de suite. Viendra-t-elle seule ? Et le Régent, pourquoi pas ? Et… le petit Empereur ? Une maison Européenne en quartier chinois est plus diplomatiquement discrète que le refuge en l'une des dix Légations Étrangères, parmi lesquelles il faut officiellement choisir[1]… — Donc, nous L'attendons, ce soir ?

Il dit, avec la même simplicité :

— Je venais m'assurer que tout était prêt pour La recevoir.

La recevoir ! Si vite… À la chinoise, « ma maison est bien peu grande, mais elle y sera la toute bienvenue… » Enfin l'on va s'arranger. Mon premier boy arrange tout. D'abord, je cède ma chambre… Il devine mes combinaisons :

— Elle ne sera point ici avant la troisième veille. L'attaque du Palais commencera juste à la quatrième. (Il y a des raisons… stratégiques…)

Il est, comme toujours, très à propos renseigné. La troisième veille, cela nous fait onze heures du soir. Il en est à peine huit. Oh ! en temps d'émeute, mon Impériale Invitée sera indulgente pour l'immonde petit ver de terre qui la recevra dans son abject cocon [style de politesse].

— D'ici là, mon cher, nous pouvons causer comme « autrefois ».

— Oui. Mais je dois recevoir un message d'Elle, qui me forcera à vous quitter un instant.

— Rien de plus logique. Vous serez libre, et c'est vous qui l'introduirez ici... (car nous avons pris, d'instinct, l'usage de nous servir à volonté, avec souplesse, du « toi » ou du « vous » selon les incidents, l'heure, et l'humeur, le sérieux ou la gaieté).

— Et ce message sous forme de... Voulez-vous que je prévienne discrètement le portier ?

— Non. Sous forme d'un courrier de la P. S. qui demandera à me voir et me remettra un mouchoir de soie...

— Rose ?

Il prend un air offusqué tout d'un coup :

— Mais non. Jaune.

— Ah ! pardon. C'est vrai. J'oubliais. Ceci ne vient pas de Ts'ien-men-waï.

Il paraît calme. Pourquoi ne le serais-je pas ? Ce soir, et depuis de longs soirs, il n'est plus possible de s'étendre sous le Ciel... Il faut se confiner dans les chambres chaudes, et parfois, ouvrir grande la porte pour aspirer avec joie l'air glacé qui entre d'une seule haleine...

Est-ce cela seulement ? Les mots sortent avec

difficulté... La confidence n'existe plus dans son atmosphère primitive... Il s'efforce, d'instinct lui-même, de me ramener en arrière ; il me parle de sa Concubine ! (et qu'en fera-t-on cette nuit !) de ses projets grandioses, « impérialissimes », quand les Ts'ing, consolidés comme une valeur branlante et remâtée, seront fixes, après la crise. En vérité, en vérité je me le dis : il parle comme il a toujours parlé depuis six mois. Mais j'avoue ne plus écouter du tout de même...

J'écoute ailleurs. Il m'a dit : « avant la troisième veille, on me portera un message ». J'attends, bien plus que lui, le message. J'attends, — et il n'y a pas un souffle extérieur, — le message à travers l'air froid de la Grosse Cloche qui sonnera peut-être sa dernière battue, cette nuit ; et qui vient de nous dépêcher à travers le ciel le double coup de la Deuxième veille. J'attends. Lui, parle toujours.

Ce qu'il dit ne m'intéresse plus. Le doute a porté ses fruits. Qu'il parle de ceci ou non... Qu'il dise ceci ou cela... J'attends le fait, pris sur le fait, le grossier événement palpable que je toucherai de mes doigts, la plaie même, à travers sa poitrine et son cœur, où je mettrai le doigt [fût-ce après sa mort] : mieux que le battement de la Cloche de Fer j'écoute le tintement de garde de ma sonnette... l'arrivée du léger mouchoir de soie jaune... *avant* le coup de la Troisième veille.

... La Troisième veille a frappé, là-bas. Et il me semble n'avoir rien entendu, lui, pourtant si près de moi. — Est-ce à moi à le mettre sur ses gardes ?

Aucun message n'a paru. Aucun tintement à ma porte. Aucun pas dans la ruelle dont le sol gelé serait un bon avertisseur... Il paraît écouter au dehors, puis se remet à parler. Il raconte à merveille, comme en ses meilleurs jours... Mais pour la première fois aucun désir de noter ni même de retenir ce qu'il me dit.

Les heures chinoises étant doubles des nôtres, un peu énervé, j'attends le coup de la Veille Quatrième; bien que non précédée du mouchoir, elle viendra, puisqu'il est ici, et qu'il ne marque aucun mouvement pour la joindre en cette nuit que j'ai décidée : tragique. D'ici là, qu'il parle encore; j'ausculte dans le silence plus grand que ses paroles, la sourde et claire nuit d'Hiver, j'épie plus loin que sa voix le coup de la cloche qui me dise mécaniquement, péremptoirement, si ce soir Elle est fidèle, ou non; si lui, que j'ai appelé mon ami, est digne d'amitié, oui ou non...

J'attends...

— La cloche. Quatrième veille.

Je laisse le son retomber. J'écoute un instant de plus. Je lui fais grâce d'un peu de silence. Rien. Ma porte reste fermée. Il a menti. Ce qu'il m'a prédit et promis n'arrive pas. Tout ce qu'il m'a raconté serait-il vrai ou faux? ... À mon tour, en confidence inverse, de reprendre son histoire, ou ses histoires...

Mais il est chez moi; il est mon hôte. Même les anthropophages respectent leurs hôtes ou les cuisinent avant de les dévorer... Je change de jeu, et, sur le ton coutumier que l'on m'assure plein de politesse insolente, je l'interpelle :

— Dites donc, René Leys, vous n'avez pas l'air de savoir l'heure?

Aucune réponse. Je poursuis.

— Nous devions recevoir : à neuf heures, la visite d'un mouchoir jaune. À onze heures, sa visite, à Elle, l'Autre, la Première… Il est exactement onze heures cinq.

Il ne dit rien. Je poursuis :

— Vous m'aviez demandé autrefois si vous pouviez compter sur moi ?

Ceci le réveille, le redresse : il n'hésite pas :

— Oh ! oui. Je voulais pouvoir compter sur vous !

— Bien. Comme ami ?

— Oh ! oui, comme ami.

— Alors, laissez-moi vous faire à mon tour des confidences… amicales. Laisse-moi te dire que… je ne comprends plus rien aux histoires que tu me racontes ; que je n'en crois plus un mot ; et qu'au lieu de m'en plaindre à Jarignoux qui s'est plaint à moi de t'avoir prêté… cinq francs, je préfère te parler carrément… Cette nuit, où nous avons désormais tout notre temps libre…

— Bien. Parlons-en…

— Il commence à faire chaud et lourd dans la maison. Sortons. Nous serons plus libres dans la rue.

Il est debout… Il me précède. Je l'arrête.

— Et si tout à fait par hasard *Elle* venait et ne trouvait personne ?

— Qui ça ?

— Elle !

Il dit avec un grand soupir mécanique :

— C'est fini maintenant !

Nous allons dans la ruelle, sous la fraîche

douche de lune, pluie éblouissante dans le Ciel lucide du Pei-King d'hiver. C'est un clair-pénétrant. Des ombres violettes. « *On lirait un journal cette nuit...* » Va-t-on lire des choses moins imprimées ? moins quotidiennes ? Cette lumière fouille les recoins et bleuit jusqu'aux tas d'ordures... Va-t-on voir des joyaux que le grand soleil ou l'ombre n'ont pas encore décelés ?

Mais qu'il fait froid ! René Leys n'a point songé, dans sa hâte à sortir, qu'on ne sort plus sans fourrure. Il tremble dans un pardessus mince. Et la lumière est spécialement blême sur son visage. On ne voit plus que ses yeux agrandis que cette lumière ne pénètre pas... Remarque faite au hasard... Et son air d'angoisse véritable. Sentiments ! Reflets ! Ne jouons plus ; ou enfin, jouons plus serré. Tant pis si je suis dur :

— Avant de faire un pas de plus, j'ai besoin de savoir trois choses. Si je me trompe tout à fait, tu arrêteras mes questions. Si elles te déplaisent, tu auras le droit de te taire. Si je tombe juste, tu répondras. Convenu ?

Il fait signe que nous sommes d'accord.

— Première question : comment es-tu devenu l'ami et le familier de l'Autre... pas Elle... Lui, pas le Régent, — l'Autre ?... Enfin, par où es-tu entré pour la première fois au Palais ?

Pas de réponse. Bien.

— Seconde question. Quelle somme exacte as-tu payée pour entrer... à l'intérieur de l'intérieur du Dedans, chez Elle. Où est le reçu du prix de passe ?

— Je... il fait un effort... Je l'ai... perdu.

C'est exact. C'est moi qui le possède et ne m'en dessaisirai pas.

— Troisième question : *oui,* ou *non,* as-tu couché avec l'Impératrice ?

J'ai employé à dessein le verbe neutre activé d'un adverbe qui porte son sens à l'extrême... ceci afin de provoquer coûte que coûte une réponse, au besoin même un déni formel...

Il me regarde, et simplement, fermement :

— Oui. J'ai couché avec Elle.

Moi de même, simplement, fermement :

— La preuve ?

Lui, d'un grand naturel :

— La preuve ?... L'enfant.

— Ah !

— Et c'est un garçon. Le grand Eunuque Ma me l'avait annoncé par téléphone il y a huit jours, presque à la minute de sa naissance, au bureau central de la P. S. Je ne l'ai pas vu. Il me ressemble... Il a un nez Européen...

Qu'il est gênant avec ses réponses à tout ! Je commence à le trouver déplacé :

— Qu'est-ce que tu fais ici ?

Il ne comprend pas. Il hésite. Je dois lui expliquer : un homme qui a femme et enfant ! loin de son ménage, dans cette nuit où « les siens » doivent peu dormir ?

Il en convient :

— Oui, tu as raison... Je devrais être là-bas Dedans... Et il me regarde avec une telle gravité, d'un incomparable aveu sous le ciel impitoyable que j'hésite et j'ai peur de la gravité et du profond de ce regard... Je tempère : je console :

— Oh ! rien n'arrivera de ce que l'on avait craint, cette nuit... C'est toujours comme ça, dans la Chine... L'abdication va se traiter à l'amiable... C'est peut-être déjà fait... Il est tard. Et le Palais n'a vraiment plus le temps de brûler cette nuit... Et puis les vents ne sont pas au massacre...

Cependant j'ai un conseil à te donner... C'est d'avoir moins peur des puits, de laisser claquer des bombes chimiques qui ne font de mal qu'à leurs émissaires, et de veiller un peu plus, pour ta sécurité personnelle, sur un danger culinaire que tu m'as l'air d'ignorer tout à fait... dont tu ne m'as jamais parlé, et qui est pourtant d'un emploi... historique, en Chine.

Il écoute avec un sérieux tel que je voudrais me taire, tout d'un coup... Mais le sérieux est vraiment trop déplacé. Tant pis :

— As-tu songé dans *« tes histoires »*, au poison ?

Il prend un temps pour répondre avec calme :

— Non. C'est vrai. J'y songerai. Merci de m'y avoir fait penser.

Il s'en revient avec moi, d'un pas de promenade accomplie ; il s'en revient, paisiblement, un peu lâchement se réfugier chez moi dans cette nuit que lui-même m'a peinte comme décisive... Je le quitte avec une nouvelle mauvaise humeur, humilié de recevoir un tel hôte en un tel moment.

X… — Ce matin ressemble à tous les matins de l'hiver… Rien ne s'est passé durant la nuit. Rien ne s'est fait. Pei-King, pour la première fois, m'a déçu : Pei-King [et pas même les portes extérieures], Pei-King n'a pas brûlé cette nuit !

Faut-il croire à tant de bassesse ? L'abdication, le passage, la transmission des pouvoirs du Ciel se font-ils donc avec tant de souplesse aux pouvoirs de la terre ? Le Petit Empereur véridique, la main conduite par les doigts mous et gras du Régent, a « laissé tomber de son pinceau » le geste qui confère, au Dictateur, à Yuan Che-K'aï, tout pouvoir pour le Bonheur du Peuple et le Soin de la Santé de l'Empire… Après quoi, chacun sans doute est rentré dans ses appartements. Chacun dort paisiblement…

Il est peut-être indiscret ou maladroit de se réveiller à cette heure… historique pourtant. Et d'être soudain tout aussi lucide que « le grand Ciel sec de l'hiver ». Je me réveille de très loin. Pour la première fois ce jour n'est pas ce que j'attendais. Pei-King n'est plus l'habitat de mes rêves.

Et ma grande mauvaise humeur envahissant et assiégeant le Palais même, j'en arrive à douter de mon désir d'y avoir jamais désiré entrer !

Comme après une nuit trop ivre de mauvais champagne belge, j'ai la bouche et surtout les idées — mauvaises. Je voudrais avoir très mal à la tête, un prétexte à ce nauséeux état des idées... J'écris ceci d'une plume grinchue, et sans risquer une enquête politique, aujourd'hui, je me recouche une dernière fois dans l'aube de Pei-King. Ce soir ou demain, je bouclerai mes malles.

Et d'un geste machinal relisant le seul premier feuillet du manuscrit, je souligne ces mots : *« Je ne saurai rien de plus... je me retire... »*

et j'ajoute, d'une tout autre écriture :

— et ne veux savoir rien de plus.

X... — Pour la régularité de mes comptes, je suis allé tout au Nord de la Ville Tartare payer à Maître Wang sa dernière mensualité. Il l'a reçue avec une reconnaissance étonnée. Depuis qu'il m'avait demandé asile chez moi, il se considérait, ai-je compris, comme mon locataire moral... et c'est lui... qui aurait dû...

J'arrête cette effusion de politesse en lui avouant que je vais quitter avant peu ma maison du « coin sud-est » et sans doute la Capitale et rentrer dans « mon royaume »... mais je ne veux pas le laisser sans refuge Européen, s'il a de nouveau besoin d'asile, une carte de moi, que j'ajoute à sa collection, lui ouvrira les portes de France à l'adresse bien connue de sa Légation.

À ma grande surprise, il accepte la carte et le refuge. Tout est calme maintenant, et « les affaires » vont reprendre. Le décret d'abdication a paru dans les journaux d'hier au soir.

Je n'ai donc plus qu'à prendre congé de mon professeur, avec qui je suis en règle, et, bénéficiant autant que possible de ses leçons à tenter de traduire, sans ironie déplacée, le décret impérial dont le texte est dans toutes les mains, pour « un cuivre » — dix sapèques… le prix d'une tranche de pastèque, déjà sucée, au marché !

X... — Et vraiment, je n'ai plus dans ce quartier que je quitte — car ma résolution est vraiment bien prise, et mon déménageur déjà requis, — je n'ai plus qu'un seul devoir de voisinage à accomplir : prendre congé du voisin Jarignoux. À défaut de Princes du Sang, ce vendeur de son sang Européen me livrera peut-être la raison marchande de cet épilogue, sans doute payé : l'abdication, le désistement sans bruit...

Au moment où je tinte à sa porte, il en sort, et s'exclame :

— Tiens ! Justement ! J'allais chez vous ! Vous... Vous ne savez pas ce qui vient d'arriver ?

— Non. Il n'est rien arrivé du tout !

— Oh ! ce pauvre monsieur Leys !

Je sais. Je sais d'avance. Monsieur Leys, deux fois remarié, doit être déjà deux fois cocu.

— Mais ce n'est pas du père dont je vous parle ; ce pauvre monsieur René...

— Eh ! bien ?

— Ce petit, qui était tout le temps chez vous... On l'a trouvé mort *empoisonné* ce matin.

Oh ! la belle histoire ! une de plus à toutes celles qu'il m'a déjà si bien contées…

Jarignoux attend évidemment quelque réponse. Le moment est doux pour plaisanter enfin :

— Dites-moi, Monsieur Jarignoux, c'est bien René Leys lui-même qui vous a chargé de m'informer de sa mort ?

— Hein ? répond l'autre qui n'a plus sa figure d'imbécile à tout faire et m'exaspère en prenant le masque du « brave homme ».

— Oui : c'est René Leys qui vous a raconté ça ? [Où est-il ? Voilà deux nuits qu'il ne découche plus de chez moi…]

Jarignoux, hébété de ma réponse, ne peut que bégayer :

— Mais puisque je viens de le trouver sur son lit, chez lui… Allez-y voir, vous qui le connaissez !

Et le brave homme, tout ému, ajoute qu'il a reçu ce matin, vers huit heures, la visite du boy de René Leys qui trouvait « que la maladie de son maître » durait plus longtemps que d'habitude aujourd'hui…

La « maladie » ! René Leys est en syncope. L'absence d'émotions attendues, peut-être !

Ou peut-être ai-je été un peu dur, l'autre jour, avec mon questionnaire en trois points. Il s'est endormi, pour un peu trop longtemps… Il abuse… Je lui dois bien d'aller le réveiller.

X... — J'y suis allé. J'en reviens. René Leys ne s'est pas réveillé. Pour la première fois, Jarignoux avait raison : René Leys est véritablement « mort-empoisonné »... puisque je n'ai trouvé sur son corps aucune trace de blessure. Cette matinée, dans cet horrible Pei-King, déjà presque en république, dans ce ciel révolutionnaire... ne peut s'oublier. Son boy, plus blême que lui, — craindrait-il qu'on l'accusât de quelque chose ? — pleurait auprès de lui comme un chien sentimental. La maison était ouverte et sans aucune garde... Le boy devait savoir à quoi s'en tenir, car il n'a pas imploré mon savoir Européen pour guérir son maître, et il semble lui avoir épargné les habituels remèdes chinois de la dernière heure... pointes enfoncées un peu partout...

Le visage de René Leys était exactement celui de ses grandes syncopes... dont celle-ci est la quatrième : un beau visage fixé, posé, qui a fini de se tendre vers le but en action ; quel que soit le but ; — les yeux étaient grands ouverts, avec, plus que jamais et pour toujours, cet étrange envahissement de tout l'iris par le sombre de la prunelle... Je n'ai pas fermé ces yeux qui jouaient leur rôle charmeur jusqu'au bout dans le charme indécomposable de ce visage. — Je l'ai déshabillé, pour me rendre compte, avant que les médecins n'interviennent, de la cause de sa mort : René Leys est véritablement « mort empoisonné », puisque je n'ai trouvé sur son corps aucune trace de blessure... Le dessin de son corps m'a surpris : tant de force en tant de souplesse ! une parfaite élégance symétrique... à suivre le contour de ses reins et de ses cuisses, j'ai compris comment il se liait souplement à son cheval fou, et le geste même détendu de ses bras m'a fait voir comment il aurait s'il avait vécu dompté les femmes « avec » lui ! Juste assez brun pour n'être pas traité de « blanc » par les Jaunes... Et un dépoli de la peau déjà froide très semblable au toucher délicat de l'épiderme chinois...

Donc, sans blessure, et déjà froid, René Leys est mort, peu de temps après m'avoir quitté, avant-hier. Mais, de quel poison ?

Si je posais ce doute, les médecins exigeraient l'autopsie. L'analyse intestinale... des profanations de ce beau corps que je revêts et recouvre... Je ne poserai point ce doute : je veux cependant, non pas en médecin mais en homme : je veux savoir à quoi la mort est due.

Jusqu'ici, de tout ce qui précède, un seul fait est certain : René Leys est mort... et certainement point de mort naturelle : qui d'ailleurs, pour les bons taoïstes, n'existe pas : moins encore pour lui que les autres : quand on a vécu près de lui à grande allure, à grande action, on sent que ses organes étaient bons. Et l'on pourrait conclure : empoisonné par les Chinois, ses confrères, ses compétiteurs... ses rivaux... Mais je sais bien que les Chinois évitent le poison rapide, aussi dangereux pour le cuisinier que pour sa victime, et s'adressent toujours aux poisons lents qu'ils manient avec sécurité.

Alors, est-il mort empoisonné... par Lui ?

Mais pourquoi ? C'est vrai, ses « affaires » dynastiques allaient depuis quelque temps assez mal. L'abdication... Mais elle a dû être payée... Et il avait « tout perdu » dans la faillite de sa banque. Mais, à dix-sept ans ! Car depuis que je le connais, voici tout juste dix mois ! il n'a même pas changé le chiffre de ses années ! tant de choses en si peu de jours !

Et il avait eu ce geste et ce mot : tout est à recommencer ! Il était de taille à le faire : même si la fortune mandchoue tombait à plat, il était de jeunesse à retailler entièrement la sienne dans les « milieux Européens »... cette prodigieuse facilité d'assimilation... son don des langues : parlant Anglais, Pékinois, Shangaïen, Cantonais et Pidgin à volonté... En quelques autres mois, sur ma recommandation, il pouvait entrer dans une banque, même honorable... et, pour un fils d'épicier, — n'oublions pas, — se créer sa situation. Pourquoi ne s'est-il pas ouvert à moi ? Je l'aurais certainement tiré de là !

Alors, il s'est empoisonné : par dépit d'amour ? Il n'a jamais été très amoureux. Que faisait-il près de moi, et non pas auprès d'Elle, durant la nuit qui devait être la Grande Nuit Tragique !

C'est pourtant au lendemain même de cette nuit qu'il est mort. Au lendemain du moment où j'ai pour la première fois douté de lui ; où je l'ai mis en cause, directement... où j'ai failli ne pas le croire... où il a vu ses « histoires », sa merveilleuse histoire contestée... sa parole mise en doute !

Dans ce cas, il aurait fait usage de « feuilles d'or », mort impériale... et tout à fait de la couleur de ses récits... La feuille d'or, image et symbole, qui seule ne pourrait tuer, malgré toutes les explications qu'on en donne, mais enrobe l'opium... Il méprisait l'opium[1].

De ce doute, — s'il avait laissé quelque testament, quelque histoire écrite... Mais il n'y a pas un meuble — que ce petit lit mince, dans l'ancien logis de son père. Et il se méfiait de ce logis ouvert à tous les marchands...

Rien non plus, chez moi, sauf deux lettres, déjà transcrites...

Et cet énigmatique Reçu « de la première nuit d'amour au palais » — qu'il croyait perdu... sans que je le détrompe. J'ai déjà tenté de le déchiffrer. Mais suis-je mauvais élève, ou le devoir trop dur ? Ces caractères représentent des objets redoutables : des couteaux, une lance à croc ; des yeux en long ou dressés en hauteur, des fleurs, des dents de rat, des femmes se cachant le ventre, des puits, des creux, des tombes, des trous lutés d'un couvercle... un fourneau magique... une bouche vide... un bateau[2]... De tout cela, qu'est-ce qui exprime ce thème... Première Nuit d'Amour au Palais ?

Faut-il faire traduire ? Si c'est faux, et peut-être

un compte de maison : quel ridicule sur moi. Si vraiment il s'agit de... cela : quelle trahison pour lui qui ne peut plus s'en défendre... et qui ne peut plus s'en expliquer...

Ou simplement : ce papier ne serait-il pas écrit de ses mains : car la calligraphie n'était qu'un jeu dans ses étonnantes aptitudes...

Et je reviens, et je me retrouve face à face avec mon seul témoin valable : ce manuscrit, — dont j'aurais voulu « faire un livre », voici dix mois ; et que je regarde avec une défiance lourde de tout ce qu'il contient. Je me souviens qu'il n'en ignorait pas l'existence : lui-même m'avait prié de le continuer avec soin. C'est avec son gré, dédié à sa mémoire, que je le rouvre et pour la première fois le relis d'un bout à l'autre...

X... — Et pour la dernière fois, le referme non sans y écrire ce qui suit. J'ai relu ce manuscrit, mot par mot, dans un corps à corps et avec une émotion grandissante, croissant à chaque page, non plus avec mon doute ni ma défiance, — mais établissant l'irrécusable certitude de ma propre culpabilité.

René Leys ne s'est pas tué. *On* ne l'a pas empoisonné. Et pourtant il est bel et bien mort par le poison. [Ce paradoxe est le plus véridique des aveux.] Le poison : c'est *moi* qui le lui ai proposé, — certes le plus méchamment du monde — c'est de moi qu'il l'a reçu, accepté et bu... et cela, depuis notre première entrevue...

René Leys, fils économe d'épicier belge, ne songeait guère aux Chinois, encore moins au Palais quand, pour la première fois, je l'ai pris pour confident du mystère du Palais... Il est vrai que sa réponse dépassait déjà mon attente. C'est moi, le premier, qui, sur la foi de Maître Wang, l'entretins sur l'existence d'une Police Secrète : Huit jours après il en faisait partie, et m'enrôlait au bout de deux mois. Les attentats à la vie du

Régent ne m'appartiennent pas : on les lisait dans tous les journaux, mais je m'accuse de cette question répétée :

— Dites-moi, Leys : une Mandchoue peut-elle être aimée d'un Européen... et... » — Et quinze jours après il était aimé d'une Mandchoue...

Enfin, enfin, je m'accuse de lui avoir tenu, voici quatre jours exactement, le propos trop suggestif : « Pensez donc au poison »... Il a répondu : « Merci de m'y avoir fait penser »... m'a pris au mot et ne s'est pas démenti.

Il ne s'est jamais démenti. L'interrogatoire incisif dans la claire nuit froide ne pouvait conduire à rien... Je demandais : *oui* ou *non*, as-tu... Mais j'aurais été cent fois déçu s'il avait renié ses actes, même inventés ; mais je tremblais plus que lui à sentir vaciller le bel échafaudage... Mais j'entendais venir sa réponse : il m'aurait plus durement trompé en me détrompant sans pitié. Il est resté fidèle à ses paroles et peut-être toujours obéissant à mes paroles...

Tout ce que j'ai dit ; il l'a fait, à la chinoise... puisqu'il vient, à la chinoise, de m'en donner par sa mort la meilleure preuve, — chinoise — qu'il préférait perdre la vie et sauver la face[1]... et ne pas se trahir ni me trahir ; et ne pas démériter... Tout ceci est donc vrai à « la chinoise » ?

Tout ce que j'ai dit, il l'*a fait*, même *un enfant*.

Enfin, la preuve réclamée par moi, posée par moi-même... la preuve cruciale : l'enfant : de lui-même : il me l'a dit : — C'est un gros garçon... même si cet enfant est vivable et viable... pourquoi me surprendre à compter tout d'un coup sur mes doigts... jusqu'au nombre neuf? — Il me semble que le terme est un peu court, entre ma suggestion et l'enfant... Ce garçon est décidément surprenant... Mais part à deux! part à moi-même... saurai-je jamais ce qui lui vint de moi? — Restent des moments inexplicables... des aperçus, des éclats, des éclaircies... des lueurs, des mots impossibles à inventer, des gestes impossibles à imiter... Toutes ses confidences habitaient vraiment un Palais Capital bâti sur la plus belle assise... Et la mise en décor... et cette pleine vie protocolaire et secrète et Pékinoise que nulle vérité officiellement connue ne pourra jamais suspecter...

À bien réfléchir, sa part est donc beaucoup plus riche que la mienne... la jeunesse... d'avoir osé cela! la foi peut-être de l'avoir accompli... Et je suis là, vivant, promenant autour de sa mort mon doute comme une lanterne fumeuse... Alors que fidèle à lui-même, — et je m'en aperçois tout d'un coup —, je devrais d'abord me souvenir de sa parole : l'autre, l'Empereur, est mort sans un ami auprès de lui... — J'étais son ami — m'a dit avec un profond accent René Leys...

— J'étais son ami, — devrais-je dire avec le même accent, le même regret fidèle, — sans plus chercher de quoi se composait exactement notre amitié... dans la crainte de le tuer, ou de la tuer une seconde fois... ou ce serait plus ingrat encore, d'être mis brusquement en demeure d'avoir à répondre moi-même à mon tour à mon doute, et de prononcer enfin : *oui* ou *non*?

DOSSIER

VIE DE VICTOR SEGALEN

1878-1919

1878-1895. Naissance le 14 janvier 1878 de Victor Segalen à Brest, d'un père breton et d'une mère mi-bretonne, mi-champenoise, catholique pratiquante, très autoritaire, Ambroisine, dont la figure austère hantera longtemps Segalen. Études classiques chez les Jésuites — au collège Notre-Dame de Bon-Secours (1888) — puis au collège de Lesneven (1893), où il ne reste que quelques mois (après un premier échec au baccalauréat) et enfin au lycée de Brest (1894, classe de philosophie), où ses professeurs laïques lui font découvrir et aimer littérature et philosophie ; c'est une révélation (prix d'excellence). Grande importance de la musique dans son enfance et dans son adolescence.

1895-1898. Entrée à la faculté des sciences de Rennes, pour obtenir un « certificat préparatoire » à l'École de médecine navale de Brest ; il est reçu premier au PCN (Physique, Chimie, Sciences naturelles) en 1896, avant de se présenter à l'École de santé navale de Bordeaux. Activité musicale et bicyclette.

1898. Entrée à l'École de santé navale de Bordeaux (jusqu'en 1901). Grande activité musicale (instrumentation et composition), camaraderie. La surveillance familiale est relayée par l'aumônier Lelièvre. Segalen écrit fort souvent à ses parents restés en Bretagne.

1899. Premiers émois amoureux, envers Marie Gailhac, et opposition d'Ambroisine, que Segalen réprouve (premières « crises » nerveuses). Rencontre de Huysmans en août, par l'intermédiaire du père Thomasson de Gournay, connu à Bordeaux. Segalen a plusieurs entretiens très marquants avec l'écrivain trappiste.

1900. Dépressions assez graves : mai puis novembre, où Segalen prend en horreur tout ce qui a trait à la médecine. Il reste deux mois à Brest. Rupture sentimentale douloureuse, imposée par la famille en juillet (Saveria, jeune fille corse avec qui Segalen avait eu une passion tumultueuse). Il commence à s'intéresser aux maladies nerveuses et mentales, auxquelles il consacrera plus tard sa thèse.

1901. Rencontre de Saint-Pol-Roux et de Remy de Gourmont (par qui Segalen entre dans le milieu du *Mercure de France*).

1902. Soutenance d'une thèse de doctorat le 29 janvier : *L'Observation médicale chez les écrivains naturalistes* (devenue *Les Cliniciens ès lettres* dans une édition composée pour les parents et amis), sur « les névroses dans la littérature contemporaine ». En avril, publication dans le *Mercure de France* de : « Les Synesthésies et l'école symboliste ». Stage à l'hôpital maritime de Toulon, puis départ, le 10 octobre, vers la Polynésie, *via* l'Amérique (New York puis San Francisco). Segalen est affecté comme médecin de bord sur l'aviso colonial *La Durance*, basé à Papeete. Immobilisation à San Francisco pour fièvre typhoïde. Segalen visite Chinatown.

1903. Arrivée à Tahiti le 23 janvier, encore convalescent. Tour des îles Tuamotu (février-mai), ravagées peu avant par un cyclone. Article sur « Le Cyclone des îles Tuamotou », dans *Armée et Marine*, en avril. Arrivée en août à Hiva-Oa, île où vient de mourir Gauguin (8 mai 1903). Segalen visite sa case, consulte les papiers et souvenirs, ressent une grande émotion (« Je puis dire n'avoir rien *vu* du pays et de ses Maoris avant d'avoir parcouru et presque vécu les croquis de Gauguin », lettre à Georges-Daniel de Monfreid) et aide à la vente aux enchères des derniers biens du peintre, tout en se procurant quelques objets : la palette de Gauguin (pour Georges-Daniel de Monfreid), des bois sculptés (pour Saint-Pol-Roux), une des toiles du peintre, *Vil-*

lage breton sous la neige, et plusieurs albums de dessins. Il écrit « Gauguin dans son dernier décor », qui paraît au *Mercure de France* en 1904. *Les Immémoriaux* devront beaucoup à cette rencontre posthume puisque Segalen interroge sur place le pasteur Vernier et Tioka, derniers compagnons de Gauguin. Il rencontre aussi une vieille femme qui lui récite l'épopée originelle maorie. Segalen est conquis par la Polynésie qu'il connaît en théorie (par la lecture d'ouvrages spécialisés avant le départ) et en pratique : il est « marié » à une indigène, Maraea, et profite comme les Blancs des *Immémoriaux* des derniers rituels maoris, sensuels et sacrés, en essayant de recueillir leurs traditions en perdition. Il écrira plus tard à Henry Manceron : « Je t'ai dit avoir été heureux sous les Tropiques. C'est violemment vrai. Pendant deux ans en Polynésie, j'ai mal dormi de joie, j'ai eu des réveils à pleurer d'ivresse du jour qui montait. Les dieux du jouir savent seuls combien ce réveil est annonciateur du jour et révélateur du bonheur continu que ne dose pas le jour. J'ai senti de l'allégresse couler dans mes muscles. J'ai pensé avec jouissance ; j'ai découvert Nietzsche ; je tenais mon œuvre ; j'étais libre, convalescent, frais et sensuellement assez bien entraîné. J'avais de petits départs, de petits déchirements, de grandes retrouvées fondantes. Toute l'île venait à moi comme une femme. Et j'avais précisément, de la femme, là-bas, des dons que les pays complets ne donnent plus. » *La Durance* repart en septembre 1904. Segalen travaille à son bord aux *Immémoriaux.*

1905. Retour en France après une très longue escale à Ceylan (avaries de deux mois sur *La Durance*), où Segalen lit Claudel, étudie le bouddhisme et commence *Siddharta.* Projet de *Notes sur l'Exotisme* (extrait du *Journal des îles* : « En vue de Java, octobre 1904. Écrire un livre sur l'exotisme... Argument : parallélisme entre le recul dans le passé (historicisme) et le lointain dans l'espace (exotisme) »). Escale à Djibouti d'où naîtra « Le Double Rimbaud » (*Mercure de France,* avril 1906). À Toulon, il rencontre Claude Farrère (pseudonyme de Charles

Bargone), puis rentre à Brest, où il est nommé médecin de l'École des mousses (jusqu'en 1909). En juin, mariage avec Yvonne Hébert, fille d'un médecin de Brest. Escapades à Paris, où il retrouve Monfreid, qui finit de lui faire découvrir Gauguin, et où il va au concert (*Pelléas et Mélisande*).

1906. Rencontre de Debussy, très admiré de Segalen : il lui soumet un projet d'opéra (*Siddharta*) en avril, que le musicien écarte pour proposer le thème d'Orphée (1907) : une longue collaboration naît, bien que le projet fût abandonné plus tard (Debussy écrira en juin 1916 : « Quant à la musique qui devait accompagner le drame, je l'entends de moins en moins... il nous restera d'avoir écrit une œuvre dont certaines parties sont très belles »). Rencontre de Jules de Gaultier, philosophe inventeur du concept de « bovarysme », qui a profondément marqué Segalen en éclairant pour lui le « cas Rimbaud ». Naissance le 15 avril d'un premier fils, Yvon.

1907. « Dans un monde sonore », nouvelle publiée dans le *Mercure de France* (août). Publication des *Immémoriaux*, sous le pseudonyme de Max Anély, à compte d'auteur, en septembre, au Mercure. Segalen vise le Goncourt et échoue. La tradition veut qu'il n'ait obtenu aucune voix. « Voix mortes, Musique Maori », article composé sur la demande de Debussy pour le *Mercure musical* (publié en octobre). Projet en cours du *Maître-du-Jouir*. Visite du musée Gustave Moreau (il écrira, en 1908, « Gustave Moreau, maître-imagier de l'Orphisme »).

1908. Segalen commence à apprendre le chinois à l'École des langues orientales (professeur : Arnold Vissière) et suit les cours d'archéologie chinoise d'Édouard Chavannes au Collège de France. Il lie connaissance, par l'intermédiaire de Claude Farrère, avec Augusto Gilbert de Voisins. Ils projettent un grand voyage en Chine. Installation à Paris pour préparer le concours d'élève-interprète de la Marine. Fréquentation des milieux littéraires.

1909. Reçu en mars au concours d'élève-interprète de la Marine, il obtient un détachement en Chine pour se perfectionner. Départ pour une expédition avec Gilbert de Voisins (25 avril). Segalen passe par Aden et par Colombo, et pense à Rimbaud et à Claudel. Arrivée à Pékin le 12 juin. Rencontre de Claudel (consul à Tianjin). Arrivée de Gilbert de Voisins, par le Transsibérien, en juillet. Le 9 août, départ pour une grande randonnée en Chine centrale : tourisme éclairé à cheval jusqu'en janvier 1910, à travers la Terre Jaune, le Sichuan et le Yangzi. Les deux amis explorent les paysages, les traces archéologiques et l'art chinois. Plusieurs séances de fumerie d'opium, dont Voisins collectionne les pipes. Nombreuses ébauches littéraires, plusieurs projets dont *Le Fils du Ciel.* Rédaction de *Briques et Tuiles.* Envoi régulier de lettres à sa femme Yvonne, restée en France : ces *Lettres de Chine* constituent un témoignage important et émouvant.

1910. 1er janvier : rencontre de Jean Lartigue à Chongqing. Il deviendra l'un des amis les plus chers de Segalen. Février : courte escale au Japon en attendant l'arrivée d'Yvonne à Hong-Kong (fin février). Retour à Pékin et installation. Augusto retourne en Europe. Perfectionnement en chinois et rencontre de Maurice Roy qui sera le modèle de René Leys (mai-juin). Réception officielle dans la Cité interdite en juin. Segalen travaille au *Fils du Ciel* en même temps qu'il tient ses *Annales secrètes d'après MR* (MR est le monogramme désignant Maurice Roy dans les manuscrits de Segalen), et compose sa première « stèle », « Empreinte », le 24 septembre.

1911. Départ en janvier pour Shanhaiguan, où il remplace le docteur Mesny, décédé lors de son combat contre la peste en Mandchourie. Séjour à Dagu (Takou), en mars, pour organiser une quarantaine, puis, en mai, installation à Tianjin (Tientsin), où Segalen est professeur à l'Imperial Medical College. Il travaille à *Stèles* et à *Peintures.* Segalen se rend souvent à Pékin. Il y fréquente Maurice Roy. 10 octobre : début de la Révolution (voir la chronologie de la révolution).

1912. Segalen devient le médecin personnel de Yuan Keting, fils de Yuan Shikai, alors président de la République chinoise. Il reste à Changde (Tchang-te-fou) jusqu'en avril 1913, où il travaille à *Peintures*, à *Odes*, et au *Fils du Ciel*. Il met sur pied et fait imprimer l'édition princeps de *Stèles* en août (81 exemplaires à la chinoise, respectant ainsi le nombre sacré de dalles de la dernière terrasse du Temple du Ciel à Pékin, « non commis à la vente », tous dédicacés, exemple de bibliophilie rare). Projet de créer le premier musée chinois, dans la Cité interdite. 6 août : naissance d'un deuxième enfant, Annie.

1913. Segalen se consacre largement à l'écriture. Projet du *Combat pour le sol* (réinterprétation du *Repos du septième jour* de Claudel). Retour à Tianjin (trois mois à l'Imperial Medical College à partir d'avril). Voyage en France (juillet-octobre). Projet de fondation d'un Institut sinologique à Pékin. Préparation de l'expédition archéologique et hydrographique Lartigue-Voisins-Segalen. Rencontre de l'éditeur parisien Georges Crès, qui lui confie la « collection coréenne », projet d'où sortira la publication de *Stèles* (augmentée de quelques pièces, en 1914), de *Connaissance de l'Est* et d'*Aladdin* (traduction de Mardrus). Segalen entame le premier manuscrit de *René Leys* sur le bateau qui le ramène en Chine. Arrivée à Tianjin en octobre, une heure après la naissance de son troisième enfant : Ronan. Décembre : publication de seize nouvelles stèles dans le *Mercure de France*.

1914. 1er février : départ de la Mission Lartigue-Voisins-Segalen qui doit suivre la « Grande Diagonale ». Découvertes importantes : localisation du tumulus de Qin Shihuangdi (Ts'in Che Houang-ti) — ce n'est qu'en 1974 que l'on découvrira l'armée de terre cuite qui y a été enterrée ; exhumation de la plus ancienne statue monumentale chinoise alors connue, datant des Han (« Cheval piétinant un Barbare »). Rédaction de *Feuilles de route*, dont une partie élabore *Équipée*. Interruption de la Mission par l'annonce de la Première Guerre mondiale, au moment d'entrer au Tibet. Retour en France par Saigon et Toulon. Entrevue avec Claudel et Saint-John Perse. Séjour à l'hôpital maritime de Rochefort, puis affectation à l'hôpital militaire de Brest.

Décembre : compte rendu de la Mission à l'Académie des Inscriptions et Belles Lettres.

1915. D'abord envoyé sur sa demande à la brigade des fusiliers marins de l'amiral Ronarc'h, sur le front belge, où il retrouve Lartigue, Segalen est ensuite rapatrié en juillet à l'hôpital maritime de Brest, pour blessures. Échange de correspondance avec Claudel sur la religion. Fonctions administratives à l'hôpital (directeur-adjoint), qui lui laissent le temps de relire, corriger ou réécrire ses manuscrits (*Peintures, Équipée, Orphée-Roi, René Leys*).

1916. Publication de *Peintures* chez Crès. Rédaction d'*Équipée*, d'*Hommage à Gauguin*, du deuxième manuscrit de *René Leys* et achèvement d'*Orphée-Roi*. Projet des *Immémoriaux bretons* (« Retour à l'os ancestral. Que ce livre, par un non-reniement soit semblable au premier »).

1917. Troisième expédition en Chine, où Segalen se porte volontaire comme médecin attaché à une mission de recrutement de travailleurs chinois devant fabriquer des armes pour la France en guerre. Départ le 25 janvier *via* Saint-Pétersbourg (visites aux Rembrandt du musée de l'Ermitage). Segalen passe par Pékin et rencontre Maurice Roy une dernière fois : il est très déçu (« insipide, gentil, fini », écrit-il à son sujet). Il écrit à sa femme sa déception pour la Chine républicaine dans laquelle il ne se reconnaît pas : « La Chine, *pour moi*, est close, sucée. » À Nankin, Segalen profite de ses temps libres pour continuer des recherches archéologiques (tombeaux des Liang, Vᵉ et VIᵉ siècles). Projet d'une *Histoire de la Grande Statuaire chinoise.* Rencontre de Gustave-Charles Toussaint à Shanghai qui lui soumet un manuscrit tibétain d'où naîtra *Thibet.* Le retour en France est très long (station à Hanoi, d'août à octobre où il lit tout ce qu'il peut sur le Tibet) et éprouvant (deuxième immobilisation à Singapour).

1918. Arrivée à Marseille le 2 mars en très mauvaise condition physique. Séjour à Paris (mai-juillet), pour une spécialisation médicale. Retour à Brest à l'hôpital maritime : Segalen soigne la grippe espagnole. Très affecté par les morts de Chavannes (29 janvier) et de

Debussy (25 mars), sevré de l'opium (qu'il consommait depuis ses études à Bordeaux ou Toulon, conformément aux habitudes de la Marine à l'époque), Segalen entame une longue période de neurasthénie. Il retrouve Hélène Hilpert, amie de jeunesse de sa femme, qui devient plus qu'une amie de cœur et d'esprit. Longue et émouvante correspondance. Après avoir travaillé à *La Grande Statuaire* et à *Thibet*, Segalen doit cesser toute activité le 12 novembre.

1919. Hospitalisation au Val-de-Grâce en janvier pour « neurasthénie aiguë ». Voyage en Algérie pour convalescence pendant deux mois, sans résultat. Il écrit ainsi à Lartigue (21 avril) : « Je suis lâchement trahi par mon corps. Voici longtemps qu'il m'inquiète mais il m'obéissait pourtant et je l'ai traîné dans pas mal de randonnées qui en apparence n'étaient pas faites pour lui. Depuis cinq ou six ans, c'était au prix d'une énergie spontanée mais consciente ; d'une usure sans réparation. Mon entrain pouvait donner le change. Il n'allait pas sans une angoisse secrète. Je sais maintenant que j'avais raison. M'arrêter plus tôt eût été tomber plus tôt... Je n'ai aucune maladie connue, reçue, décelable. Et cependant "tout se passe comme si" j'étais gravement atteint. Je ne me pèse plus. Je ne m'occupe plus de remèdes. Je constate simplement que la vie s'éloigne de moi. » Retour en Bretagne, où il essaie de se reposer dans le village de Huelgoat. Parti le 21 mai dans la forêt avec un casse-croûte, il est retrouvé mort après un violent orage, le 23 mai, adossé à un arbre auprès duquel il avait passé un moment avec sa femme quelque temps auparavant. Blessé profondément à la cheville, peut-être sur un « sicot », branche coupante saillant du sol, il tient *Hamlet* à la main. Suicide ou syncope ? 24 mai : obsèques religieuses au cimetière de Huelgoat où il repose.

NOTICE

Genèse, publications et principes d'édition

Il faut remonter à la première visite de Segalen en Chine pour brosser l'historique de *René Leys.* Lorsque le poète aborde le continent chinois en 1909, il séjourne quelque temps à Pékin dont la beauté mystérieuse l'éblouit, puis part sur les routes, à l'aventure, avec son ami Augusto Gilbert de Voisins, avant de s'installer plus durablement, avec son épouse, dans la grande Capitale du Nord. C'est là, en 1910, qu'il apprend à connaître plus intimement les trésors de Pékin, se plongeant spirituellement dans la symbolique chinoise de ses lieux les plus écartés, siège du pouvoir impérial et de l'autorité de la civilisation millénaire de la Chine — la Cité interdite, ses habitants, ses fantômes. C'est là aussi qu'il rencontre Maurice Roy, jeune Français installé depuis plusieurs années à Pékin, grand connaisseur des mœurs chinoises et très habile à manier la langue mandarinale ou divers dialectes célestes. Le jeune homme lui raconte des choses étranges sur la Cité interdite, que Segalen cherche à mieux comprendre pour pouvoir écrire *Le Fils du Ciel,* auquel il travaille alors, et qu'il entoure de ses espoirs littéraires et personnels les plus forts, comme le narrateur au début de *René Leys.* Car le Palais impérial, centre névralgique de la capitale et de la grande Chine, est pour lui comme la réalisation, l'incarnation mystérieuse et ancestrale de ce qu'il appelle le Mythe.

La première étape du long cheminement vers ce qui deviendra plus tard *René Leys* est alors franchie : il s'agit d'un cahier, que Segalen entame le 14 juin 1910, reprenant les récits et les révélations que lui fait Maurice Roy. Ces *Annales secrètes d'après*

MR (MR étant le monogramme désignant Maurice Roy) sont alors un document secret, dont la forme — déjà presque diariste — et la destination — plus littéraire que personnelle, puisque Segalen y consigne des éléments qu'il se promet de réutiliser — formeront le cadre structural futur de *René Leys.*

On trouve dans ces *Annales secrètes* le portrait de Maurice Roy et du futur René Leys, ainsi que la plupart des affirmations reprises dans le roman : l'amitié avec le Régent, la relation peut-être invertie avec Guangxu, les hautes responsabilités policières, les exploits réitérés pour la sauvegarde du souverain et, *last but not least,* après la séduction de Longyu et le récit des soirées passées en sa compagnie, l'annonce (au téléphone) de la naissance d'une fille, issue de ses amours impériales.

Le caractère rocambolesque des assertions de Maurice Roy n'échappait pas à Segalen, mais, soit que la fascination fût plus forte, soit qu'il abdiquât tout jugement de crédibilité devant la beauté des récits du jeune homme, il semble bien qu'il adopta la même attitude que le narrateur : une réserve permettant une ironie tendre, sans cependant invalider la *parole* elle-même. Comme pour un lecteur devant une œuvre de fiction, le critère du vrai fut sans doute remplacé par celui du vraisemblable.

L'amitié des deux hommes dure jusqu'en 1911, au moment de la Révolution chinoise, comme dans le roman où la figure du narrateur doit évidemment beaucoup à ce que Segalen a vécu pendant cette période, sans qu'on puisse cependant les confondre. Mais à ce stade, il n'envisage pas encore de faire de cette histoire un roman.

L'acte de naissance du projet doit être situé les 3 et 4 octobre 1913 : de retour à Paris pour préparer une expédition archéologique à travers la Chine, Segalen lit à deux amis les *Annales secrètes d'après MR,* et écrit à sa femme :

> *Le soir, en sirotant du whisky, lu à Augusto et Henry* Le Siège de l'Âme *(qui n'obtient aucun succès ; bien que je tienne bon dans ma propre opinion) et commencé, à dix heures, la récitation mimée des* Annales secrètes d'après Maurice Roy — À une heure et demie *mes auditeurs ne dormaient pas encore, et c'était fini, dans la même équivoque : où est le vrai ? le faux ? Augusto hurle au roman nécessaire, tout fait d'avance... il le voit en vente... — C'est bien pour ça que je n'en ferai sans doute rien.*

Contrairement à cette première affirmation, le projet verra bien le jour, et Segalen s'attelle à un premier manuscrit dès son départ pour la Chine et jusqu'à la veille de son expédition, de novembre 1913 à février 1914. Il s'appuie alors sur une trame narrative et événementielle constituée de ces fameuses *Annales secrètes,* des lettres que Maurice Roy lui a envoyées avant et pendant la Révolution, et d'un deuxième dossier (intitulé *Révolution*) qui traite à la fois des épisodes qui ont scandé l'automne révolutionnaire, et des derniers contacts qu'il a eus avec Maurice Roy, au moment de la brouille définitive. Il accompagne alors son manuscrit, émaillé de remarques, de scénarios, de notes de régie et d'interrogations, d'un ensemble de feuillets regroupés dans une enveloppe, et qui serviront aussi au moment de la rédaction du second et dernier manuscrit, ensemble intitulé *Notes et Plans* (que nous reproduisons dans l'annexe I, ainsi que les dernières pages du premier manuscrit, et qu'une réflexion théorique sur le genre romanesque).

Ce n'est qu'en août 1916, au moment où la guerre se déchaîne, que Segalen réécrit, sous le titre définitif de *René Leys,* le roman inspiré par Maurice Roy et par l'existence qu'il a menée à Pékin, dans ce Pékin immémorial qui a soudain basculé dans l'histoire moderne pendant la Révolution de 1911. Il a bien sûr d'abord relu le premier manuscrit, qui vient alors s'ajouter à l'accumulation de documents et de sources ; il relira encore le second manuscrit, au cours de l'année 1916.

Ensuite, le silence est venu s'installer : gagné par ce qu'on diagnostiquait à l'époque sous le nom de « neurasthénie aiguë », il abandonne ses écrits, laissant en plan, selon son expression, des « chantiers » nombreux, quelquefois à peine entamés, quelquefois presque achevés — et c'est le cas de *René Leys* : même si l'auteur n'a jamais signé de bon à tirer et que le manuscrit comporte encore des zones d'ombre, le texte, plus que lisible, a toute la cohérence d'une œuvre romanesque à part entière.

C'est pourquoi *René Leys* fut parmi les premières œuvres posthumes de Segalen à être publiées : en 1921 dans la *Revue de Paris,* puis en volume chez Crès, l'éditeur fidèle de Segalen, en 1922. Le texte avait été établi par son ami Jean Lartigue, Augusto Gilbert de Voisins avait rédigé une préface pour la *Revue de Paris* et Georges-Daniel de Monfreid avait composé en hommage la couverture de l'édition Crès, en l'ornant d'un magnifique dragon « vibrant dans ses ailes courtes et toutes ses écailles jusqu'aux griffes » (*Équipée*, chap. 28). À cette première édition, largement fautive car Lartigue avait beaucoup corrigé le manuscrit, a succédé une deuxième édition chez Gallimard en collection Blanche, en 1971, reprise ensuite dans la collection L'Imaginaire.

Le texte et la présentation proposés ici reprennent les principes qui ont présidé à l'édition critique complète de *René Leys*, parue en 1999 chez Chatelain-Julien. Nous donnons le même et nouvel établissement, qui veut respecter à la lettre le manuscrit et offrir le texte tel quel, en formant le pari que le manuscrit, malgré certains problèmes de lecture, constitue déjà un texte littéraire à part entière, ou du moins que les difficultés résiduelles ne gênent pas une lecture de *René Leys* en tant que roman — difficultés résiduelles que, de toute façon, nous ne saurions résoudre à la place de Segalen. On n'y trouvera donc ni la répartition chronologique en dates du journal du narrateur (qui avait été faite par Lartigue) ni le plan inaugural (ajouté par Annie Joly-Segalen, fille et continuatrice éclairée de l'auteur, qui s'était chargée de l'édition de 1971) : Segalen, tout en séparant les séquences diaristes de *René Leys*, n'avait stipulé que la première date sur le manuscrit ; le dossier *Notes et Plans* (voir l'Annexe I) comportait un plan chinois magnifique, que Segalen utilisa pendant l'élaboration de *René Leys*, sans pour autant l'avoir inséré dans la fiction (ce plan n'a pu être reproduit ici).

Les principes d'édition qui ont guidé notre travail sont donc ceux du respect maximal du texte légué par l'auteur : cadre spatio-temporel, mais aussi noms chinois de l'époque, qui obéissent à la transcription (d'ailleurs quelquefois approximative ou changeante chez Segalen) de l'École Française d'Extrême-Orient, en vigueur en ce temps-là, majuscules flottantes qui s'apposent arbitrairement aux adjectifs de nationalité ou aux points cardinaux par exemple, incohérences apparentes ou réelles dues aux corrections ou modifications interlinéaires de l'auteur, et utilisation récurrente des tirets — tout vient de Segalen, de sa manière d'écrire qui tient d'un style et d'une graphie « Art Nouveau » et très personnels à la fois, et nous plonge dans une lecture qui prend, du coup, la saveur d'une aventure qui nous paraît aujourd'hui, un peu... exotique.

CHRONOLOGIE DE LA DYNASTIE QING

(1644-1911)

Étapes et généalogie

Les Qing, d'origine mandchoue, ont envahi la Chine au début du XVIIe siècle, puis, parvenus au trône, se baptisèrent « Purs » (Qing — ou « Ts'ing[1] »), respectant la tradition chinoise (les Ming, par exemple, signifient les « Brillants »).

1616-1626. Nurhaci commence l'invasion de la Chine.
1644. Pékin est prise. Shunzhi, premier empereur mandchou à la tête de la Chine.
Kangxi (1662-1722), « K'ang-hi ». Conversion des empereurs mandchous à la culture chinoise.
Yongzheng (1723-1735).
Qianlong (1736-1796), « Ts'ien-long », « K'ien-long ».
Ambassade Macartney. Importations d'opium.
Jiaqing (1796-1820).
Daoguang (1821-1850), « Tao-Kouang ».
Guerre de l'opium. Hong-Kong aux Anglais.
Xianfeng (1851-1861), « Hien-fong », « Sien-Fong ».
Les Taiping, les Nian. Sac du Palais d'Été.
Tongzhi (1862-1874) « T'ong-Tche ».
Fils de la concubine Cixi (« Ts'eu-Hi » ou « Tseu-Hsi »).
Corégentes : Xian, première épouse de Xianfeng et mère adoptive de Tongzhi, et Cixi, concubine de

1. Nous avons joint au pinyin les transcriptions française ou anglaise (entre guillemets) qui étaient utilisées par Segalen, ou qui le sont encore quelquefois.

Xianfeng et mère de Tongzhi, 1861-1873. Tongzhi meurt jeune de la petite vérole.

Guangxu (1875-1908), « Kouang-Siu ».

Cousin germain de Tongzhi, neveu de Xianfeng, fils de Yihuan (fils cadet de Daoguang). La filiation est tout à fait inhabituelle.

Régentes : Xian et Cixi sont corégentes de 1874 à 1881, puis, à la mort de Xian, Cixi devient seule régente jusqu'en 1889, à la majorité de Guangxu.

1894-1895 : guerre de Corée perdue contre le Japon. Shimonoseki.

1898 : les Cent Jours : Guangxu tente de moderniser la Chine et s'entoure de Kang Youwei.

Cixi reprend le pouvoir après un coup d'État en 1898. L'anecdote est reprise par Segalen dans *Le Fils du Ciel*.

1900 : les Boxers. Les « Cinquante-cinq jours de Pékin ».

Cixi garde le pouvoir jusqu'en 1908, chose inhabituelle pour une femme, date où ils meurent tous les deux. *René Leys* commence sur les interrogations du narrateur à propos de cette mort plus que mystérieuse : c'est, au départ, l'énigme qu'il voudrait résoudre. C'est Cixi qui désigne l'empereur suivant, contrairement à toutes les habitudes.

Xuantong (Puyi) : 1908-1911. « Pu-Yi ».

Neveu de Guangxu, fils de son frère Caifeng, donc arrière-petit-fils d'une branche cadette de Daoguang, et petit cousin de Tongzhi. Désigné à l'âge de trois ans.

Régent : Caifeng, plutôt appelé Chun (« Tch'ouen »), père de Puyi et chef des Mandchous réactionnaires, 1908-1911.

10 octobre 1911 : « Double-Dix », insurrection à Wuchang.

On s'achemine vers une monarchie constitutionnelle.

1er janvier 1912 : République proclamée à Nankin par Sun Yatsen.

12 février 1912 : abdication de Puyi, fin du régime impérial.

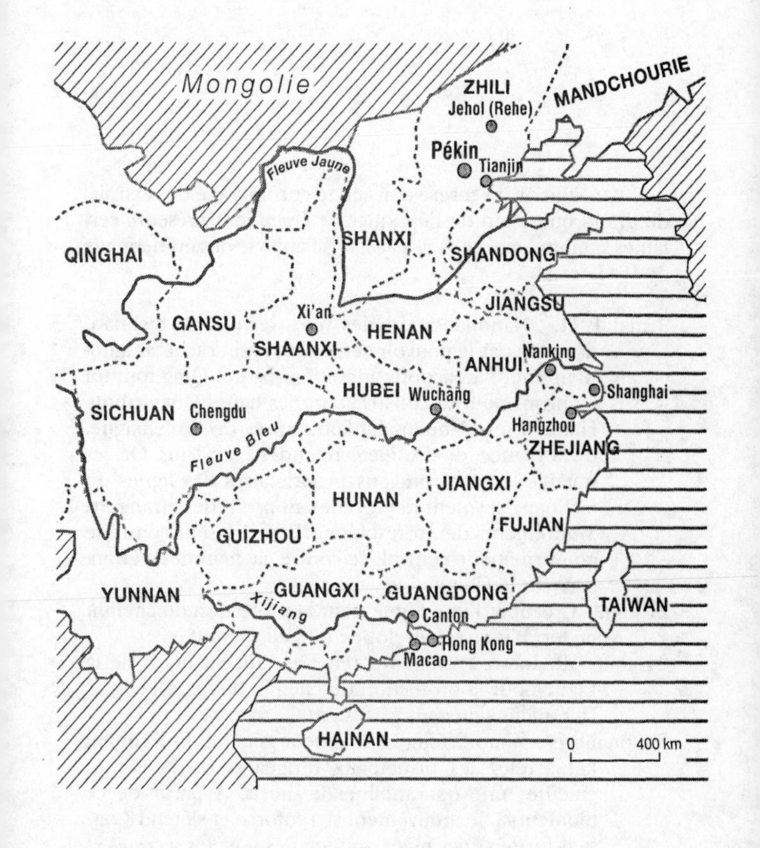

Les Provinces principales de la Chine avant 1911.

CHRONOLOGIE DE LA RÉVOLUTION

Mai 1911 - avril 1912

N.B. : Nous avons inséré dans cette chronologie des extraits du grand quotidien de l'époque, *Le Temps*, qui présente certaines similitudes avec *René Leys* dans l'analyse des événements de 1911.

9 mai 1911. Nationalisation des voies ferrées du Sichuan, décrétée par le pouvoir central, qui veut racheter autoritairement les actions à moitié prix. Les Qing font un emprunt pour la construction des lignes Guangzhou-Hankou, et Sichuan-Hankou auprès de l'Allemagne, de la France, de l'Angleterre et des États-Unis. Or, les notables locaux, anciens propriétaires des lignes du Sichuan, se voient dépossédés au profit des étrangers. Mouvements de protestation. Ils se dressent contre le gouvernement central et contre la mainmise étrangère sur la Chine.

21 juin. Création d'une Ligue pour la protection du chemin de fer. L'idée se développe un peu partout.

24 août. Réunion à Chengdu (chef-lieu du Sichuan) de la Ligue pour la protection du chemin de fer. Meetings. Des milliers de gens y assistent.

7 septembre. Zhao Erfeng, gouverneur général du Sichuan, fait arrêter les principaux dirigeants de la Ligue ; émeute ; une quarantaine de morts. À partir de ce moment-là, le mouvement se renforce et s'étend (paysans formés en armées, soutien des sociétés secrètes et des étudiants révolutionnaires). Soulèvement armé au

Sichuan (forces impériales ébranlées). Explosions de violence. Les désordres augmentent malgré l'arrivée de contingents prélevés sur l'Armée nouvelle du Hubei.

10 octobre (« double-dix »). Insurrection à Wuchang (Hubei). Les promoteurs de cette insurrection sont deux organisations associées au Tongmenghui (Société de la Conjuration, fondée en 1905 à Tokyo par Sun Yatsen), qui avaient entrepris un travail révolutionnaire au sein de la Nouvelle Armée et des sociétés secrètes du Hubei. Ils avaient gagné à leur cause cinq mille officiers et soldats, soit environ le tiers de l'armée provinciale. Encouragés par les succès du Sichuan, ils décidèrent de déclencher un soulèvement le 11 octobre. Mais le 9 octobre, l'explosion accidentelle d'une bombe au siège de l'Association alerte les autorités ; le quartier général de l'insurrection est alors mis à sac, et le plan de soulèvement décelé. Le gouverneur général du Hubei fait arrêter et exécuter un grand nombre des dirigeants révolutionnaires. Pris de court, les autres avancent la date du soulèvement, et passent à l'action le 10 octobre. Durant la nuit, l'armée révolutionnaire attaque la résidence du gouverneur général, qui s'enfuit avec ses fonctionnaires.

11 octobre. Wuchang est aux mains des insurgés. Ils mettent des notables modérés ou conservateurs au pouvoir. Un ancien commandant de la Nouvelle Armée, Li Yuanhong, est choisi comme gouverneur militaire.

12 octobre. Les révolutionnaires de Wuchang occupent Hanyang et Hankou. Appel aux provinces prônant la révolte et la cessation de reconnaissance de l'autorité de Pékin. Ils visent particulièrement la Nouvelle Armée et les sociétés secrètes, très influentes dans les différentes provinces (en novembre, Pékin ne contrôlera plus que la Mandchourie, le Zhili, le Henan et la province de Shandong, alors que le Hubei, le Hunan, le Yunnan, le Shenxi, le Shanxi, le Guangdong passent aux Révolutionnaires dès octobre, suivis en novembre par le Jiangxi, le Jiangsu, le Zhejiang, le Fujian, le Sichuan, le Shandong et le Guizhou).

14 octobre. Yuan Shikai devient vice-roi des « deux Hou » (provinces du Hubei et du Hunan), en remplacement du gouverneur de Wuchang, en fuite.

15 octobre. On envoie par le chemin de fer Pékin-Hankou une division commandée par le ministre de la Guerre, Yin Chang, qui inflige une défaite aux rebelles le 27 octobre. Le 16 octobre, l'amiral Sa Zhenqing remonte avec ses canonnières à Wuchang. Tous les deux sont placés sous les ordres de Yuan Shikai.

Le Temps *(18 octobre) : « Youan Chi Kaï, que le gouvernement de Pékin a chargé de la vice-royauté des provinces révoltées pour y rétablir l'ordre, a accepté cette tâche. Il aurait cependant demandé des garanties pour une politique libérale dans l'avenir. »*

Dans le même numéro : « Le mouvement insurrectionnel de Hankéou a eu, comme nous l'avons dit, sa répercussion à Pékin, où la garde impériale est venue renforcer la défense du palais. Une panique a suivi l'arrivée des nouvelles et la population s'est hâtée dès le premier jour d'effectuer le retrait des fonds déposés dans les banques.

Les déposants continuent à assiéger les banques indigènes.

Quelques banques étrangères sont même affectées. »

Le Temps *(20 octobre) : Le Régent envoie une dépêche à Yuan Shikai pour le rappeler. Ce dernier répond qu'il veut pouvoir traiter avec les révolutionnaires sur la base de larges réformes constitutionnelles ; il veut toute liberté pour pacifier l'empire ; le gouvernement, en signe de bonne volonté, nomme l'un des principaux lieutenants de Yuan Shikai ministre des communications.*

Le Temps *(21 octobre) : Yuan Shikai écrit au Régent que des raisons de santé font qu'il doit ajourner son départ pour le Houpé, mais que des mesures sont en cours. Il reçoit l'ordre de partir le plus rapidement possible.*

27 octobre. Reprise de Hanyang et de Hankou (28 octobre) par les Impériaux. Mais ces succès sont momentanés. Yuan est nommé Haut-Commissaire du Yangzi.

Le Temps *(29 octobre) : Le gouvernement se rend à toutes les exigences de Yuan Shikai : un édit le nomme plénipotentiaire suprême, commandant des forces de terre et de mer du Yang-tsé. Il a le rang de ministre de l'empire. On enjoint au vice-roi de coopérer avec lui.*

30 octobre. « Édit abject ». L'Empereur s'accuse des maux qui ravagent l'Empire, dans la tradition du Mandat céleste.

Le Temps *(1er novembre) : « L'empereur de Chine, qui a cinq ans, vient de faire publier l'édit suivant :*

"Je règne depuis trois ans ; j'ai toujours agi consciencieusement dans l'intérêt du peuple, mais étant dépourvu d'habileté politique, je n'ai pas employé les hommes comme il convenait.

J'ai donné à des nobles trop de postes politiques importants, ce qui est contraire au régime actuel.

J'ai mis ma confiance, en ce qui concerne les chemins de fer, dans quelqu'un qui m'a trompé, ce qui a indisposé l'opinion publique.

Quand j'insiste pour faire des réformes, les fonctionnaires et les notables en profitent pour détourner l'argent.

Quand on abroge d'anciennes lois, les hauts fonctionnaires tirent parti de la situation pour leur intérêt personnel.

On a pris beaucoup d'argent au peuple, mais on n'a rien fait pour son avantage.

En plusieurs circonstances, des édits ont promulgué des lois, mais on ne s'est conformé à aucun d'eux.

Le peuple murmure. Cependant je ne le sais pas : un désastre approche, mais je ne le vois pas.

Ce furent d'abord les troubles du Sé-Tchouen, puis la rébellion de Wou-Chang. Maintenant des nouvelles alarmantes arrivent du Chan-Si et du Hounan et des émeutes éclatent à Canton et au Kouang-Si : tout l'empire est en ébullition.

L'esprit du peuple est troublé et les esprits des neuf derniers empereurs ne peuvent plus jouir en paix des sacrifices qui leur sont offerts

Tout cela est de ma faute, et par le présent édit, j'annonce au monde que je jure de me réformer, d'appliquer fidèlement la Constitution avec le concours de nos soldats et de la nation, de modifier les lois, de développer les intérêts du peuple, de faire disparaître la souffrance en conformité de ses désirs et de ses intérêts.

J'abrogerai celles des anciennes lois qui ne sont plus appropriées aux nécessités actuelles.

J'établirai entre les Mandchous et les Chinois l'union dont parlait le dernier empereur.

Les griefs du Houpé et du Hounan, quoique amenés à la période aiguë des soldats, sont dus à Djouitchen.

Je prends le blâme sur moi parce que j'ai eu, à tort, confiance en lui et que je lui ai trouvé du mérite.

Quoi qu'il en soit, nos finances, notre diplomatie touchent au fond de l'abîme ; je crains d'y tomber même si nous nous unissons.

L'avenir de la Chine est désespéré si les sujets de l'empire n'honorent plus le destin et se laissent égarer par des gens sans aveu.

Jour et nuit je suis accablé d'inquiétude. Mon seul espoir est que mes sujets comprennent bien la situation."

L'édit promet d'annuler le règlement relatif au cabinet provisoire, d'organiser immédiatement un cabinet dont les nobles seront exclus. »

2 novembre. Yuan est fait président du Conseil. Il est nommé général en chef des armées. Proposition d'une nouvelle constitution de 19 articles. Nouvelle attaque de Hanyang. Wuchang est promise à une chute prochaine, mais arrêt soudain des hostilités et début de pourparlers entre Yuan et les Révolutionnaires.

4 novembre. Shanghai passe aux Révolutionnaires.

Courant novembre. Li Yuanhong demande aux généraux en chef des provinces révoltées de faire élire un délégué par province afin d'établir un gouvernement central à Shanghai, et de se prononcer sur l'organisation de ce pouvoir républicain. Douze délégués répondent à cet appel. Le lendemain de la prise de Nankin (2 décembre), ils décideront que le siège du nouveau gouvernement se tiendra dans cette ville, et qu'il sera présidé par Sun Yatsen.

Le Temps *(12 novembre) : « Youan Chi Kaï est le dernier espoir de la cause impériale. »*

13 novembre. Yuan Shikai arrive à Pékin.

Le Temps *(14 novembre) : « [M. Jean Rodes, qui a déjà été envoyé par le* Temps *à plusieurs reprises en Chine, d'où il nous a adressé d'intéressantes séries de lettres, vient d'arriver à Pékin, d'où il nous expédie aujourd'hui le télégramme suivant.]*

En dépit des difficultés que l'on me prédisait lors de mon passage à Kharbine, j'ai pu arriver à Pékin, qui est aujourd'hui d'apparence calme. De nombreux habitants continuent néanmoins à déserter la ville. On évalue le nombre des départs à près de 150 000.

La situation est d'ailleurs extrêmement complexe. Les choses ne suivent pas le cours des événements d'Europe. Leur aspect change d'un jour à l'autre. La population est certainement favorable aux rebelles, mais il n'y a ici personne pour prendre la tête du mouvement. Bien des Chinois influents vous disent confidentiellement qu'ils sont révolutionnaires tout en se gardant d'agir. En réalité, fidèles à leurs vieilles maximes de prudence, ils sont flottants et cherchent le vent pour être à coup sûr et sans risques avec le plus fort. C'est ce qui explique l'incertitude extraordinaire dans laquelle on vit. Alors qu'il y a deux jours Pékin semblait à la merci de la rébellion, aujourd'hui tout semble rentrer dans l'ordre. Le haut personnel officiel a donné du reste le spectacle d'une panique écœurante. Lorsque aucun danger ne pressait, la plupart de ces personnages sont accourus dans les légations pour y chercher refuge. Actuellement ceux qui ne sont pas partis sont rentrés dans leurs yamens, quelques-uns en laissant leurs familles dans le quartier étranger.

Contrairement à ce qu'on a dit, l'empereur et le régent sont toujours à Pékin. Comme forces militaires, le trône semble pouvoir disposer de la première division mandchoue et des deux tiers de la garde impériale; la vingtième division du nord du Petchili, aux réclamations de laquelle on a donné toutes satisfactions, reste cependant très douteuse. Les troupes mêmes qui à Hankéou combattent énergiquement les rebelles seraient beaucoup moins sûres ici contre la population dont elles sont originaires.

Certes, la situation est extrêmement critique, puisque les provinces du Centre et du Sud se sont proclamées indépendantes et que le mouvement gagne le Nord — le Chantoung notamment ayant refusé de fournir au trône ni argent ni soldats. Un fait également à signaler est que tous les représentants des provinces se sont retirés du Sénat provisoire où ne siègent plus que les sénateurs nommés par le gouvernement. Pourtant le flottement et les possibilités de revirement des Chinois sont toujours tels que contrairement à ce qui est généralement admis, la dynastie ne paraît pas encore irrémédiablement perdue. J'apprends de source très sûre que Youan Chi Kaï, son dernier espoir, arrive ce soir. Dans tous les cas, si elle sombrait, l'avenir serait très obscur, car comme me le disait un personnage très important, ce qui frappe le plus depuis une semaine, c'est l'émiettement de l'effort révolutionnaire et les tendances séparatistes des provinces et même des grandes villes. Ce sont là autant de menaces de désordre et d'anarchie et l'on se demande comment on parviendra à les conjurer. Dès à présent l'opinion européenne doit se préparer aux éventualités les plus considérables. »

Le Temps, *même numéro, page 6, télégramme de Jean Rodes : « Youan Chi Kaï est arrivé ce soir à cinq heures. Son train, rempli de troupes du Hounan levées par lui et composées de ses anciens soldats, était précédé d'un autre train où se trouvait un fort bataillon de la garde. D'autres contingents étaient encore massés à la gare et sur la muraille.*

Youan Chi Kaï a traversé le quai étroitement entouré, porté presque par ses soldats. Le spectacle était impressionnant. Lui-même paraissait en excellente santé et souriait quand il est passé devant le groupe européen où je me trouvais.

Il s'est tourné vers nous et s'est presque arrêté pour répondre avec une insistance gracieuse à notre salut. Son arrivée va certainement fortifier le trône tant par le sérieux appoint de force qu'il représente lui-même que parce qu'il est le seul homme inspirant assez de confiance pour obtenir l'appui financier de l'étranger. La population, qui la semaine dernière était prête à passer à la rébellion, sera certainement très influencée par ce retour. J.R. »

17 novembre. Manifeste aux puissances étrangères (politique de rapprochement des Révolutionnaires). Les Anglais refusent d'aider la dynastie Qing.

18 ou 19 novembre. Yuan crée un gouvernement.

26 novembre. Le Régent prête serment à la constitution (au Temple des Ancêtres). Le régime mis en place est alors une monarchie constitutionnelle.

1er décembre. Trêve signée à Hankou.

7 décembre. Démission du Régent, voulue par Yuan Shikai.

16 décembre. Première constitution républicaine en 21 articles, votée par les douze délégués des provinces, qui refusent par conséquent la voie moyenne de la monarchie constitutionnelle votée à Pékin.

25 décembre. Arrivée de Sun Yatsen à Nankin et Shanghai où il est reconnu chef de l'Assemblée. Il est élu président provisoire de la République de Chine le 30 décembre.

1er janvier 1912. Cérémonie d'investiture de Sun, qui prête serment à la constitution, et proclamation de la République chinoise. Le 4 janvier, Li Yuanhong est nommé vice-président. Une nouvelle constitution provisoire est promulguée pendant ce mois de janvier 1912 (56 articles en 7 chapitres). Mais cette république n'est que la continuation des anciennes assemblées provinciales, sans pouvoir central fondamental, et sans assise dans la capitale. De plus, seul Yuan Shikai dispose d'une armée bien équipée, et de l'attention bienveillante des étrangers. Sun se déclare alors prêt à abandonner la présidence au profit de Yuan si ce dernier se rallie à la République.

Mi-janvier. Yuan fait pression sur la Cour pour un retrait volontaire de l'Empereur.

27 janvier. Par télégramme, Yuan réclame l'abdication immédiate de l'Empereur.

12 février. Abdication de Puyi.

Le Temps *(14 février) :*

LA RÉVOLUTION EN CHINE

L'abdication

Trois édits ont été promulgués hier matin par lesquels le trône déclare accepter la République dans les conditions déterminées entre Youan Chi Kaï et les révolutionnaires et porte à la connaissance des vice-rois et gouverneurs qu'il renonce à la direction des affaires politiques en accord avec les vœux du peuple.

Voici le contenu de ces édits :

« Nous l'empereur, avons accueilli avec respect les édits promulgués par Sa Majesté l'impératrice douairière. À la suite du soulèvement de l'armée républicaine auquel les provinces ont répondu, l'empire est devenu semblable à une fournaise ardente, et la nation a été plongée dans la misère.

Sur ces entrefaites, Youan Chi Kaï a nommé une commission chargée d'aller négocier avec les républicains et de s'entendre avec eux afin d'organiser la réunion d'une Assemblée nationale qui va se prononcer sur la forme nouvelle du gouvernement. Il a fallu des mois pour aboutir à l'accord.

Il est clair maintenant que la majorité de la nation désire l'établissement d'une république, et dans les préférences manifestées par le peuple il faut reconnaître la volonté de Dieu. Comment pourrions-nous combattre le désir de millions d'âmes pour assurer la gloire d'une seule famille ? L'impératrice douairière et l'empereur, tenant compte de ces vœux, confèrent la souveraineté au peuple.

En conséquence, moi, l'empereur, je décide que la forme du gouvernement en Chine sera une république constitutionnelle.

Mon attitude est guidée par le désir d'être agréable à tous mes sujets et par le souci d'agir en harmonie avec les anciens sages, qui considéraient le trône comme un héritage public.

Youan Chi Kaï a été formellement élu par le Sénat président du conseil. En ce moment de transition entre l'ancien régime et le nouveau, il est essentiel que l'union règne entre le nord et le sud.

Le ministre Youan Chi Kaï a pleins pouvoirs pour organiser un gouvernement républicain provisoire. Il se concerte avec les républicains sur les moyens qui permettront de ramener la paix parmi les partis, dans l'empire tout entier, et de créer une grande république où fusionneront les Mandchous, les Chinois, les Mongols, les mahométans et les Thibétains.

Moi, l'impératrice douairière, et l'empereur nous nous retirerons ensuite et assisterons à l'établissement d'une administration parfaite. »

Le deuxième édit ne s'occupe point de faits qu'on ne connaisse déjà. L'empereur renonce à ses droits politiques, mais il garde ses fonctions religieuses : à lui incombe la responsabilité d'offrir les sacrifices traditionnels dans les temples des empereurs et des ancêtres, dans les mausolées.

Le troisième édit insiste sur la nécessité de réprimer les désordres et de rétablir la paix, et il conclut :

« Si les hostilités continuent, le pays douloureusement éprouvé par les misères qui accompagnent la guerre civile ira droit à l'abîme et rien ne saura l'en tirer. »

La situation de l'empereur

La presse chinoise

Les journaux chinois consacrent de longs commentaires à ce qu'ils appellent le triomphe de Youan Chi Kaï. Le ministre est en effet parvenu à faire accepter son programme politique par les républicains.

Le petit empereur conservera le titre de ta-tchin. Il recevra une pension viagère annuelle de quatre millions de taels, et après la réforme monétaire de quatre millions de dollars.

Il gardera le personnel du palais, mais ne pourra plus faire des eunuques de ses nouveaux serviteurs.

Les allocations charitables que faisaient les Mandchous continueront jusqu'à ce que les bénéficiaires trouvent des moyens d'existence. La liberté religieuse sera garantie.

La cour habitera pour le moment la cité interdite et résidera ensuite au palais d'été, près de Pékin. »

Le Temps *(14 février), article d'analyse générale :*

BULLETIN DE L'ÉTRANGER

La république chinoise

En moins de six mois, car les troubles initiaux du Sé-Tchouen datent de la seconde semaine de septembre 1911, la Chine a effectué la transformation la plus formidable et la plus inattendue de son histoire. De monarchie absolue elle devient république. Sans qu'il soit permis de dire quel avenir est réservé au nouveau régime, car des soubresauts politiques d'une telle importance ne sont pas sans avoir dans la plupart des cas des chocs en retour, il faut reconnaître que les révolutionnaires ont manœuvré avec une précision et une décision qui permettent d'espérer la continuité de leur effort pour la défense des résultats qu'ils ont si rapidement obtenus.

Quelque jugement que l'on porte sur la personnalité de Youan Chi Kaï, le « vieux renard », l'« opportuniste », le « traître » a fait preuve d'un sens politique de premier ordre. Il a su tempérer des conseils de son expérience la fougue juvénile des républicains de Nankin, leur faire comprendre la nécessité d'une solution moyenne conservant à l'empire du Milieu une apparente cohésion où le respect religieux devait tenir lieu de loyalisme.

En signant son abdication, la dynastie mandchoue conserve une sorte de prestige qui rendra la soumission au gouvernement nouveau moins difficile à ceux de ses sujets que des siècles de traditions pourraient faire hésiter. Certes nous connaissons le lyrisme déconcertant et la phraséologie coutumière des édits impériaux chinois, mais les termes de celui par lequel elle accepte son sort malheureux sembleraient, si d'aussi graves intérêts n'étaient en jeu, du domaine de l'opérette ou rédigés par un écrivain facétieux, ami du paradoxe.

L'Histoire ne nous a pas habitués à des révolutions aussi protocolaires et polies. Jamais on ne vit dans une lutte où les adversaires risquaient la torture et la mort tant de formules et d'actes de courtoisie.

Les négociations de ces dernières semaines entre les révolutionnaires et les représentants du « tyran » sont toujours demeurées conformes à l'étiquette la plus stricte, et si l'on fait le total des pertes subies par les deux partis depuis le commencement des hostilités, pertes qui ont été relativement assez restreintes, on est forcé de conclure que la révolution chinoise s'est effectuée le mieux du monde et au meilleur compte.

[...] Ce sont les côtés pratiques de l'arrangement qui laissent à l'empereur déchu une situation empreinte de dignité, conforme au rôle de chef religieux qui lui est conservé. Le second édit enregistre la promesse des réformateurs de prendre à perpétuité la charge des sacrifices rituels à accomplir devant les mausolées et les tombes des ancêtres impériaux et d'achever le mausolée de feu l'empereur Kouang-Sou.

Les révolutionnaires n'ont ainsi pas voulu faire table rase du passé et cette précaution est prudente. Quel qu'ait été le succès de la cause républicaine, il eût été impossible de rallier autour d'elle la totalité d'un empire de quatre cents millions d'hommes en un aussi bref délai et de lui demander l'obéissance à un gouvernement dont les chefs ne représentaient rien pour elle que le triomphe d'une idée. L'Orient est trop habitué au prestige nominal.

En contrôlant les actes de l'empereur déchu, en se servant même, à l'occasion, de l'autorité partielle qui lui est conservée, le gouvernement provisoire républicain fera de plus utile politique.

Il est difficile aujourd'hui d'indiquer son programme constructif, car il semble bien qu'il s'est jusqu'ici surtout préoccupé de l'abdication de la dynastie mandchoue, condition nécessaire de toutes réformes ultérieures, et que les projets du docteur Sen [Sun Yatsen] avaient cette teinte d'utopie qui colore les rêves révolutionnaires.

Le problème plus immédiat qui se pose au nouveau gouvernement constitutionnel est celui de la défense du territoire de l'empire. L'exemple récent de la Turquie, dont la révolution devait être si vite suivie de manifestations de convoitises étrangères, est certainement inquiétant. Les dernières interventions russes en Mongolie, l'intérêt manifesté par le Japon à l'égard de la Mandchourie, l'agitation thibétaine surveillée de près par l'Angleterre sont autant de symptômes significatifs. Les grandes puissances ont jusqu'ici fait preuve d'une relative neutralité que leurs intérêts existants et les soucis de la situation européenne leur avait fait juger la meilleure des politiques.

Il faudra au nouveau gouvernement un grand sang-froid pour mener de front la double tâche d'une réorganisation intérieure colossale et d'une défense générale des marches de l'empire ; c'est pourquoi il semblerait imprudent de la part des « jeunes-chine » du sud, au lendemain de leur succès contre la dynastie mandchoue, d'entamer le procès de Youan Chi Kaï qui, de tous les hommes d'État de la Chine contemporaine, est le seul qui puisse apporter, en tout cas à la seconde partie de cette tâche, le plus précieux concours. Il reste à espérer que faisant crédit aux intentions xénophiles des républicains, les puissances les plus directement intéressées, par leur voisinage, aux affaires de Chine, n'abuseront pas des difficultés d'une situation nouvelle.

13 février. Sun se démet de ses fonctions pour être remplacé le 15 par Yuan Shikai (il est alors élu par le Sénat provisoire). Li Yuanhong est de nouveau élu vice-président.

6 mars. Yuan est autorisé à se charger de la présidence sans quitter Pékin.

10 mars. Inauguration des fonctions présidentielles de Yuan, à Pékin.

Avril. Sun abdique solennellement au profit de Yuan. Le Parlement se transporte à Pékin. Yuan Shikai essaiera par la suite de fonder une nouvelle dynastie, mais il mourra prématurément, en 1916. Ce sera alors la période des Seigneurs de la Guerre.

ANNEXE I

RENÉ LEYS,
OU LES PARADOXES DU ROMAN

Plusieurs raisons ont présidé au choix des textes proposés dans cette première annexe.

La première est d'ordre esthétique, et explique le fait que nous ayons reproduit des fac-similés : le fonds Segalen[1] est un trésor d'émotion pour un amateur de manuscrits ou pour un simple curieux de bon aloi. L'écriture calligraphique de Segalen investit élégamment le recto de pages dont la texture et la dimension sont originales : l'auteur coupait lui-même un papier épais, souvent asiatique (ce qui explique son excellente conservation), dans des proportions définies par lui seul. Bibliophile remarquable — on se souvient de son édition de *Stèles* en 1912, « non commise à la vente » —, il a souvent fait relier ses manuscrits, les plus impressionnants étant cousus à la chinoise, en cahiers recouverts de soie, ou pressés dans des planchettes de bois et serrés dans des coffrets[2].

La deuxième raison est d'ordre documentaire, pédagogique et presque éthique. Car il faut se rappeler que *René Leys*, bien qu'il fasse aujourd'hui partie de notre patrimoine

1. Il est conservé et répertorié à la Bibliothèque nationale, au Département des Manuscrits occidentaux — une partie des manuscrits est encore dans la famille de Segalen ; mais la donation est totale, ce qui constitue un fonds d'une cohérence et d'une richesse exceptionnelles.

2. Ce n'est malheureusement pas le cas des manuscrits de *René Leys* : les documents de départ, *Annales secrètes d'après MR* et *Révolution* sont de simples dossiers ; le premier manuscrit est écrit sur du papier chinois et fut relié par Segalen, mais à l'occidentale ; *Notes et Plans* et le second manuscrit ont été reliés par les conservateurs de la Bibliothèque nationale.

livresque et, bientôt, de nos classiques, n'a jamais été considéré par Segalen comme étant achevé. S'il a relu et corrigé plusieurs fois le dernier manuscrit, il était loin cependant de signer un quelconque bon à tirer et disait encore, quelques semaines avant sa mort, qu'il y retravaillerait peut-être un jour. Une incursion dans le matériau d'origine apparaissait donc comme des plus souhaitables.

Enfin, il faut souligner l'exemplarité du fonds manuscrit de *René Leys* : Segalen semble avoir conservé la quasi-totalité des documents originels, des étapes, des projets, des ébauches, des essais, des scénarios, des retouches, des corrections et des remaniements concernant ce roman. On peut ainsi retracer toute la généalogie de l'œuvre finale, et cela est très intéressant dans le cas de ce roman particulièrement car il est au carrefour de plusieurs caractéristiques segaléniennes. L'intérêt est biographique d'une part, dans la mesure où l'on voit se dessiner la personnalité de Maurice Roy, le modèle de René Leys, dont on avait peu de trace tangible, et dont le fantôme mouvant se prêtait à toutes les interprétations. Plus encore, on distingue son rôle dans l'activité créatrice de Segalen, depuis *Le Fils du Ciel* jusqu'à *René Leys* — et le fait de constituer un pont entre ces deux œuvres n'a pas un effet des plus minces. L'intérêt est historique aussi, puisqu'on peut suivre pas à pas le traitement que Segalen a fait subir à l'histoire chinoise, qu'il s'agisse des événements de la Révolution de 1911 ou de l'organisation politico-symbolico-sociale de l'Empire mandchou. Les conséquences de ces éléments forment un troisième et principal intérêt : l'intérêt littéraire et génétique. On peut ainsi voir s'opérer l'alchimie qui transforme le réel en art, le matériau documentaire en œuvre littéraire.

Il n'était évidemment pas question ici d'être exhaustif, ni de montrer les nombreuses étapes de la création d'un roman comme celui de *René Leys*[1], mais simplement de sélectionner quelques pages cohérentes. Leur intérêt est littéraire avant tout : il s'agit de voir que le fait d'écrire un roman était loin

1. C'est à une édition critique qu'il appartient de tenter ce genre de pari. C'est le travail presque archéologique (les manuscrits étaient loin d'être tous rassemblés ou accessibles) qui a été longuement fourni pour l'édition critique de *René Leys* chez Chatelain-Julien, 1999 — dont nous utilisons ici certains résultats.

d'être anodin pour Segalen. C'était même en soi un reniement car il avait depuis longtemps vilipendé le genre romanesque, à ses yeux vieilli, abâtardi, paradoxal et largement « prostitué », selon sa propre expression. C'est du moins ce qu'il développe dans le texte théorique que nous plaçons en toile de fond : *Sur une forme nouvelle du roman ou un nouveau contenu de l'Essai.* Cet art poétique romanesque, avec ses partis pris et ses rejets, s'est présenté avec acuité lorsque Segalen s'est lancé dans la composition de *René Leys*, dont l'aspect policier, mystérieux et somme toute vaudevillesque avait tous les dehors du romanesque estampillé « grande diffusion », celui-là même des romans à trois francs cinquante que l'auteur a toujours tenus en grand mépris. Les deux autres dossiers sélectionnés, *Notes et Plans* et les dernières pages du premier manuscrit, font état des difficultés qu'éprouvait Segalen à avancer dans la rédaction d'un livre qu'il semblait écrire à reculons. Il se livre, dans ces pages, à un certain nombre de réflexions, sur le roman en général, sur les aménagements qu'il établit par rapport à *René Leys*; il y tente de se justifier du faux pas esthétique qu'était le roman dans son *cursus litterarum*; mais le plus souvent, il s'y accable de sarcasmes et de notes satiriques, et — savoureusement — insiste sur les palinodies et les affirmations de mauvaise foi inévitables qu'il lui faut tenir. Cela donne lieu à des pages d'un humour ravageur, drolatique, où l'on voit un auteur qui ne s'épargne guère. C'est, en soi, réjouissant. C'est surtout troublant, et Segalen ressemble en cela beaucoup au narrateur de *René Leys*: la complexité de l'œuvre s'épaissit encore, car si le narrateur écrit un témoignage à charge, presque un roman, en croyant écrire un journal, qu'écrit l'auteur qui ne veut pas écrire de roman, tout en en écrivant un, mais pas un vrai roman, du moins pas pour tout le monde? Les niveaux de lecture, de reconnaissance des effets de pastiche et de moquerie, s'étagent jusqu'à l'infini et marquent les marches d'une lecture dynamique et hiérarchisée, où le lecteur est finalement renvoyé à sa propre lecture. C'est ce qui constitue, à nos yeux, la véritable modernité de *René Leys*, et ces quelques pages, dont l'intérêt est multiple, ont l'avantage essentiel de montrer à quel point cela faisait partie à la fois des préoccupations théoriques et de la pratique littéraire, en acte, de Segalen.

SUR UNE FORME NOUVELLE DU ROMAN OU *UN NOUVEAU CONTENU DE L'ESSAI*

N. B. : Ce texte rassemble des notes prises en 1910, au moment où Segalen réfléchit au projet du Fils du Ciel. *On peut y voir en germe tous les principes qui vont présider à la composition de la plupart de ses œuvres en prose, au nombre desquelles, particulièrement,* Le Fils du Ciel, René Leys *et* Équipée.

M'affranchir enfin de cette fatalité, de cette habitude, de cette superstition, de cet usage, de cette paresse peut-être qui, depuis plus de six ans, me fait revêtir toute idée nouvelle (non, *idée* est pauvre ; toute œuvre d'art a pour noyau, pour germe, un sentiment qui se vêt et s'éclaire de tout un monde étranger de souvenirs, de désirs, de savoirs, de volitions... Comment désigner cela ! n'est-ce pas un homoncule ? Et gros, déjà, d'hérédités... Oui, un Germe). Donc... qui me fait revêtir et nourrir tout *germe* nouveau de la forme même et de l'appareil du Roman de 300 pages couvert de jaune et vendu au prix réel de 3 frs. Ce roman possède une justification de tirage, une dédicace, un récit. Un récit surtout ! Soit à la troisième, soit à la première personne ; ou bien encore, adressé à la seconde. Et je n'en sors pas ! Il faut que je raconte ! Il faut que j'étale proprement une anecdote, comme un peintre en bâtiment une couche de ripolin. Certes, j'en vois l'arabesque et je suis libre d'en dessiner tous les contours. Je puis aussi les douer de cet « arrière-monde » sans quoi toute œuvre d'art existe peu. Des volets s'entrouvrent qui ont nom : Ironie, Allusion, Symbolisme même ou bien Analogie trouble... Mais est-ce bien suffisant ? N'est-ce pas m'amuser à faire tinter mes chaînes ? à les nouer de diverses sortes, comme ces anneaux chinois dont on ne peut sortir bien qu'ils semblent ouverts à tous les vents (c'est en réalité, le contraire qui est vrai). Vraiment, je tourne autour d'un pot. Je lui confère une valeur qui n'est que celle d'une commodité. Serait-ce par confiance en cette recette ? Non : je sais que le Roman se vend peu ou pas. Il faut bien que ce soit respect, malentendu, ou mieux, paresse intellectuelle. Car je ne dois pas croire à de l'impuissance.

Alors, il me faut imaginer autre. Ou plutôt, c'est fait. Il est certain que l'*Anecdote* n'est pas le germe. Celui-ci est trop profond et trop obscur pour être confondu avec une sorte d'historiette dicible. Pourquoi l'orienter mécaniquement dans cette voie, le couler implacablement dans ce monde ? Est-ce qu'il ne peut pas vivre sans lui ? être sans lui ?

Je ne puis croire au nécessaire triomphe du Roman. Sa formule est grossière par excellence et sa transsubstantiation médiocre. Il réclame de se développer. Il a besoin du temps. Il lui faut aligner toute une série de causes et d'effets, et il n'est même pas réversible. Comme un long fil d'acier, il doit surtout faire preuve d'une ductilité grande (300 pages) et, pour ne pas se rompre, d'une considérable ténacité. — Mais cette filière n'en est qu'une, entre autres. J'en ressens tout l'arbitraire. Et si je ne veux plus, enfin, y faire passer mon « germe » ? Mourra-t-il pour cela ? Non. Simplement : il changera de forme et de contrainte. Mais quelle est donc celle-là qui lui permettra le plus grand développement et la plus libre emphase ? Quelle est la Forme nourrie de sa substance et de ses acquêts, et réenveloppée sur elle-même, qui grossira, sans s'étaler en racontars et commérages ; qui exclura cet apocalyptique personnage de l'auteur qui voit tout, sait tout, commente tout et se traîne si longtemps vers un dénouement qu'il ignore avec une feinte hypocrisie... Cette forme, c'est l'Essai.

Elle existe. Elle a produit. Mais que lui a-t-on confié jusqu'ici ? Des « germes » au sens où je l'entends ? Peu. Des idées. Des concepts. Des équations. Des différences. Elle s'en est d'ailleurs assez accommodée. Si on lui donnait quelque *germe* ? Par exemple celui du *Grand œuvre*. Avec bénéfice de tout ce qu'elle détient d'immanent et de cyclique. Si je racontais non plus une histoire, mais seulement l'*Aventure* (éclosion, naissance, renforcement, éclatement et dispersion) d'un de ces êtres irréels qui, semblables à la foudre globuleuse, se promènent un instant parmi nous, voguent dans l'air selon des lois qu'on ignore, illuminent tout autour d'eux, et puis crèvent à grand fracas en nous laissant pour longtemps aveugles !

— Plus strictement : traiter en Germe sous la forme d'un Essai.

Chang-Haï, 3 février 1910.

Germes à qui pourrait se prêter cette forme nouvelle : *Siddhârtha* (Ier et IIe drame) mais prendre garde de doubler ainsi *Imitation de Buddha* qui doit rester Roman.

Le Grand œuvre, surtout, dont le fond même est un bel exemple de *Germe* pur, de germe psycho-matériel, et dans lequel je peux inclure, sans trop discourir ou professer, toute la substance de ce que je viens d'écrire.

Variations sur le même thème :

Oui, j'étouffe dans le Roman. N'y a-t-il pas d'autre alternative ? Pourquoi revêtir si fatalement tout germe de cette chape qui n'a sans doute pas dit son dernier mot, dont je reconnais toute la beauté, mais enfin, qui n'est qu'une forme entre d'autres ! Et si je voulais reprendre la Chanson de Geste ? Sans doute, on verra de belles œuvres se mouler encore sur le Roman ; — car, au jeu miraculeux de l'art, tout est possible et tout est permis ; le but étant d'arriver au but, — qui n'est même pas à définir !

Mais un concept, une rumination mentale, un orage intérieur, avec ses tempêtes, ses boursouflures et ses calmes et ses éclairs, se présentent forcément sous la forme d'une histoire qui se dévide dans le temps ? se mettent à la suite les uns des autres comme des personnages trop nombreux qui, dans les peintures primitives, prennent la file, faute de pouvoir se grouper ? Et d'abord, d'où vient le Roman ? Faire le procès dudit en promenant sur lui cette lentille nouvelle, ce point de vue ; — qu'il n'est pas la seule forme possible, et qu'à l'encontre de ce que l'on peut croire, il n'en est pas la plus souple.

(Ici encore, poursuis-je mon désir : de pureté, d'intensité, donc de différenciation. Toute ma morale du Divers.)

Donc, il y a eu de bons romans-romans. Il y a eu des romans-essais dont on ne savait ce vers quoi ils voulaient tendre. (*Là-Bas, À Rebours,* ce dernier d'une bonne composition, cependant, et aussi quelques livres du Sar[1].) Posons nettement que, raconter une histoire, n'est pas adopter l'unique forme de mettre en valeur ce qu'elle contient, soit : le *germe* qui lui a donné naissance. C'est prendre une sorte d'écriture, une sorte de composition, une sorte de tablature qui a ses lois, à la fois physiologiques et esthétiques, sa composition, son fatras.

Avant de formuler davantage, me mettre moi-même à l'œuvre. Au Grand-œuvre.

Kyôto, 9 février 1910

Que tout ceci ne me détourne pas d'écrire encore des Romans. Mais que je sache, au moins, que pour moi l'enclos est disjoint, et que je puis, d'un bond, me mettre hors des chaînes d'où juger ceux qui restent liés encore, et moi-même, si je m'y complais.

UN ÊTRE MÉPRISABLE

C'est l'auteur, l'« Auteur » de « Romans contemporains ». Notons que je ne dénigre pas les auteurs, mais seulement cet être informe, larvaire, inconsistant, inopportun, que je voudrais enfin définir et par conséquent démasquer.

Même sujet : Péking, 2 juillet 1910

Le Personnage haïssable de tout roman : l'Auteur. Celui-là qui sait invraisemblablement tant de choses, et les étale avec impudeur. Celui-là qu'on sent partout sans qu'il ait souvent le courage de paraître. Celui-là qui apostrophe ses lecteurs, et de quel droit ? qui prévoit que « le » chapitre va finir ; celui-là qui, ayant cru changer de sujet, aura donné son effort pour être neuf, et reste obstinément lui-même… L'auteur impersonnel est un être à tuer.

Je n'appelle pas auteur impersonnel celui des romans d'une

objectivité grande. *Salammbô*, par exemple : l'auteur pourrait être Carthaginois.

Ou bien, qu'il en prenne son parti ; qu'il rédige, sous son nom ! Mémoires, Lettres (quoique le roman par lettres soit souvent bien embêtant). Ou bien qu'il remplisse une fonction déterminée (mon annaliste du *Fils du Ciel*, personnage imaginaire sans doute, mais moins absurde que mon intrusion à moi, là-dedans !).

Notons que le roman, seul de tous les genres, possède ledit personnage haïssable : l'Auteur à tout faire, obstiné, importun, polymorphe ; plat, vil, qui flatte son lecteur, lui donne de petites tapes, parfois l'injurie. Pour moi, c'est là-dedans que réside la définition du ROMAN que j'exècre. (Cet auteur est le même que celui qui déifie puis encense son sujet. Autre étude.) Les autres genres l'ont ignoré, cet auteur hypocrite. Dans le lyrisme, le Poète, bien en scène, chante. Dans le sonnet d'Heredia, le Tableau vivant, bien en lumière, est décrit par un récitant d'à-côté. Dans la Tragédie, aucun doute. (L'auteur n'apparaît que quand on le réclame.) Dans le Roman de geste « … Seigneur ! » il y a encore, toute vive, l'intonation noblement émue, l'adresse aux écouteurs. L'épopée commence par « Je chante… » bref, tous ces *auteurs*-là pourraient être des êtres. Celui de « notre Roman » n'est au plus qu'une larve.

Écrire : LA HAINE DE L'AUTEUR
et LE MÉPRIS DU SUJET
en un ou deux articles.

DERNIÈRES PAGES DU PREMIER MANUSCRIT

N. B. : Le premier manuscrit, Notes d'après René Leys, *contient une dizaine de pages, montées à l'envers (elles sont toutes reliées en verso), après le texte proprement dit. Ce sont ces pages que nous reproduisons ici, avec leur fac-similé. Elles s'étagent donc approximativement de novembre 1913, date où Segalen entame ce premier manuscrit, à 1916, date où, l'ayant relu et corrigé, il entame le second.*

VICTOR SEGALEN

P. S.

. ROMAN VÉCU .

Divers Epigraphes :

— Savoir …

— « Je ne saurai jamais.

« AUX CENT MILLE EXEMPLAIRES :

SOCIÉTÉ GÉNÉRALE

DES

EDITIONS A GROS TIRAGE

1 Rue des Batignolles

PARIS.

3 janv 13

[FEUILLET 429, verso : essai de page de titre, en fin de rédaction du premier manuscrit (la date portée en bas de page est une erreur de Segalen : il faut rétablir 3 janvier 1914, et non 3 janvier 1913).]

VICTOR SEGALEN

P. S.

- ROMAN VÉCU -

Diverses épigraphes :
- Savoir…
- « Je ne saurai jamais. »

« AUX CENT MILLE EXEMPLAIRES »
SOCIÉTÉ GÉNÉRALE
DES
ÉDITIONS À GROS TIRAGE
1, Rue des Batignolles
PARIS.

3 janvier 1913

[Dédicaces]

Dédicace impossible :

« A SA MÈRE »

Dédicace possible

« A LUI-MÊME »

A RENÉ LEYS

[FEUILLET 430, verso : essais de dédicaces, possibles ou incohérentes, car si la mère de Maurice Roy (le modèle de René Leys) était omniprésente, Segalen a fait de son héros un orphelin. La dédicace « À sa mère », pourtant satiriquement appropriée aux relations ridiculement œdipiennes de Maurice Roy (pour Segalen), devient donc « impossible » — et du même coup tentante dans les paratextes ironiques.]

[Dédicaces]

Dédicace impossible :

« À SA MÈRE »

Dédicaces possibles

« À LUI-MÊME »

À RENÉ LEYS

Prière d'insérer :

Il n'est point exagéré de dire que jamais un roman ne fut aussi vécu par son auteur et par son héros, et jamais aussi ne fut mieux attendu de son public. Toutes les qualités depuis longtemps reconnues au roman d'aventures feuilleton (qui est bien notre épopée moderne) se retrouvent ici : vraisemblance du geste et du débit : on sent que l'auteur a éprouvé tous ses mots avant de les lâcher. On sent que le héros du livre, auquel, justement, le livre est dédié n'a point

Projet : Deux éditions de ce livre : l'une à succès & à prostitution. — L'autre, à cent [vingt] exemplaires, revêtue de toutes mes préfaces, épigraphes, débauches de rire bien permis après la prostitution volontaire...

[FEUILLET 431, verso : essai de prière d'insérer.]

Prière d'insérer :

Il n'est point exagéré de dire que jamais un roman ne fut aussi vécu par son auteur, et par son héros, et jamais aussi ne fut moins attendu de son public. Toutes les qualités depuis longtemps reconnues au roman feuilleton (qui est bien notre épopée moderne) se retrouvent ici : véracité du geste ou des détails : on sent que l'auteur a éprouvé tous ses mots avant de les lâcher. On sent que le héros, du livre, auquel, justement, le livre est dédié, n'a point

Projet : Deux éditions de ce livre : L'une, à succès et à prostitution. — L'autre, à cent exemplaires, revêtue de toutes mes préfaces, épigraphes, débauches de rires bien permis après la prostitution volontaire...

Du même auteur

CYCLE MAORI paru ou à paraître :

Les Immémoriaux. Mercure de France 19107

Les Immémoriaux, grand Album illustré et décoré par Georges Daniel de Monfreid. Edition des Coréennes.

Le Maître-du-Jouir, épopée. Mescure de France 1917

Introduction aux Pensers Maori, sous forme de préface au Noa-Noa- de Paul Gauguin.

CYCLE DES HEROS

Siddhartha, drame. philosophique 1908 L'Illuminé

Orphée, drame lyrique, 1909 Orphée-Roi

Chenn9-noung-Ti, drame religieux 1913 Le Combat pour le Sol

CYCLE DE LA CHINE

Livre des Annales Kouang-siu. 1916

Stèles 1912

Peintures 1915

Odes 1920

La Queste à la Licorne 19...

Voyage au pays du Réel 1915 – Équipée.

CYCLE DES LAISSÉS-POUR-COMPTE

Les Désincarnés ROMAN

Imitation du Bouddha ROMAN

CYCLE IMAGINAIRE

Imaginaires, nouvelles

CYCLE VECU

P.S.

[FEUILLET 432, verso : bibliographie (programme ?) frisant l'auto-dérision, tapée à la machine. Les dates correspondent souvent au moment de rédaction ; la colonne de droite, écrite à la main, donne la plupart des titres définitifs des œuvres entamées, sauf le Livre des Annales Kouang-siu *qui désigne* Le Fils du Ciel. René Leys *est alors intitulé* P.S. *(Police Secrète ? Post-Scriptum ?) et figure dans le cycle ironiquement appelé « vécu » (situé tout au bout de la liste), au lieu d'être inséré dans le cycle chinois, ce qui correspond évidemment à une mise à l'écart explicite des œuvres « nobles ».]*

Du même auteur
paru ou à paraître :

CYCLE MAORI

Les Immémoriaux. Mercure de France 1907.
Les Immémoriaux, grand Album illustré et décoré par Georges-Daniel de Monfreid. Édition des Coréennes.
Le Maître-du-Jouir, épopée. Mercure de France 1917.
Introduction aux Pensers Maori, sous forme de préface au *Noa-Noa* de Paul Gauguin.

CYCLE DES HÉROS

Siddhârtha, drame philosophique 1908 *L'Illuminé*
Orphée, drame lyrique 1909 *Orphée-Roi*
Cheng-noung-Ti, drame religieux 1913 *Le Combat pour le Sol*

CYCLE DE LA CHINE

Livre des Annales Kouang-siu 1916
Stèles 1912
Peintures 1915
Odes 1920
La Queste à la Licorne 19...
Voyage au pays du Réel 1915 *Équipée*

CYCLE DES LAISSÉS-POUR-COMPTE

Les Désincarnés ROMAN
Imitation du Bouddha ROMAN

CYCLE IMAGINAIRE

Imaginaires, nouvelles

CYCLE VÉCU

P. S.

Mon Ami « Jardin-Mystérieux »

—

L'histoire ou les "histoires" MR. sur le ton
du récit toujours équivoque, toujours ambigu sauf dans la première partie, bien
assise, avec déjà quelques incohérences expliquées — Peut-être sous forme « journal » — presque
Quand, vers le 3° tiers la question se pose :
qu'il y a-t-il de vrai ou de faux, mener
le récit sur l'incertitude croissante jusqu'
à l'espoir de la grande explication cynique, dans la nuit glacée & brillante de
Péking : « Oui ou Non, as-tu couché avec
l'impératrice ? » — Oui — Autre question :
réponse embarrassée .. Autre question : Oui
spontané & chaleureux ... Qu'est-ce qui
est vrai ou faux ! .. ~~Et je n'ai jamais~~
Je n'en saurai jamais plus que ... vous,
qui m'avez suivi jusqu'ici .. —

Paris 5 Octobre 13 — Lecture
des Annales secrètes d'après MR à
Augusto & Henry.

Conte ? — Livre ?

[FEUILLET 433, recto : premier projet connu de René Leys.*]*

Mon Ami « Jardin Mystérieux »

L'histoire ou les « histoires » MR sur le ton du récit toujours équivoque, toujours ambigu sauf dans la première partie, bien assise, avec déjà quelques incohérences expliquées — Peut-être sous forme « presque-journal ». Quand, vers le 3e tiers la question se pose : qu'y a-t-il de vrai ou de faux, mener le récit sur l'incertitude croissante jusqu'à l'espoir de la grande explication cynique, dans la nuit glacée et brillante de Péking : « *Oui* ou *Non*, as-tu couché avec l'impératrice ? » — Oui. Autre question : réponse embarrassée. Autre question : Oui spontané et chaleureux... Qu'est-ce qui est vrai ou faux ?... Je n'en saurai jamais plus que... vous, qui m'avez suivi jusqu'ici...

Paris, 5 Octobre 13. Lecture
des *Annales Secrètes d'après MR* à
Augusto et Henry[1].

Conte ? Livre ?

Premières feuilles — | Titres Dédicaces

VICTOR SEGALEN

« Jardin Mystérieux »

ou

René Leys

ou

Le Mystère de la Chambre violâtre

[FEUILLET 434, recto : autres essais de titres. Au crayon de couleur, en haut de la page : « Premières feuilles. Titres. Dédicaces. »]

VICTOR SEGALEN

« Jardin Mystérieux »

ou

René Leys

ou

Le Mystère de la Chambre violâtre

Prix :

0 f. 25 cent.

Cent exemplaires, signés de l'auteur : à ... 0.30 c.

Cent exemplaires signés du héros encore vivant de ce livre : 0.35 cent.

La double signature : 0.40 cent.

Dans un volume relié : 1.20.

Cet ouvrage a été tiré
à
Cent mille exemplaires
non numérotés

Justification du tirage (1) :

Note bibliophilique :
cet ouvrage a paru d'abord en feuilleton
dans le PETIT PARISIEN du 10 octobre 1915
au [illegible] 1916.

(1) Traduction possible : 大 內 : « être mis grandement dedans ».

[FEUILLET 435, recto.]

Prix :
$0^{f}\,25^{cent}$
Cent exemplaires, signés
de l'auteur : à........................ 0. 30c
Cent exemplaires signés
du héros encore vivant de
ce livre : 0. 35 cent
La double signature : 0. 40 cent
Dans une reliure de luxe : 1. 20

Cet ouvrage a été tiré
à
Cent mille exemplaires
non-numérotés

Justification de tirage[1] :

Note bibliophilique :
Cet ouvrage a paru d'abord en feuilleton
dans le Petit PARISIEN du 10 Octobre 1915
au Ier avril 1916

1. Traduction possible : 大 内 : « être mis grandement Dedans ».

NOTES ET PLANS

N. B. : Notes et Plans *est le titre d'une enveloppe qui regroupe plusieurs pages de différente nature, non reliées avec les manuscrits. Cette enveloppe était glissée, avec les lettres de Maurice Roy, dans le dernier manuscrit de* René Leys. *Il s'agit d'ébauches, de scénarios, de corrections et de commentaires qui ont accompagné les deux rédactions : certaines pages sont donc très anciennes dans le projet du roman, d'autres sont parmi les dernières. Enfin, il comporte le plan qui lui servait à se repérer dans Pékin et que, peut-être, l'auteur avait l'intention de joindre au texte du roman.*

[FEUILLET 1 : sans doute une ancienne page de garde du Fils du Ciel, *auquel* René Leys, *via Maurice Roy, était étroitement associé au départ. L'épigraphe chinoise,* Tianzi, *signifie littéralement «Fils du Ciel».]*

Première Partie

Premier Manuscrit

[FEUILLET 2 : essais fantaisistes de titres et de dédicace, et d'une ébauche (corrigée et reprise en marge) de l'incipit de René Leys. *Ce feuillet est biffé au crayon.]*

« Jardin Mystérieux »
« Feuilleton »

À l'instar de Gaston du Terrail et de Ponson Leroux : Le Mystère de la Chambre Violâtre.

Autres : Livre qui ne fut pas.
Mon ami « Jardin M ».
Le Dedans.
L'Amant de la Ville Violette.
Le Livre qui ne fut pas.
Cité Violette interdite

I
Dédicace impossible : « *À Sa Mère* »

Je ne saurai rien de plus. Je n'avancerai pas. Je ne pénétrerai... pas. C'est par ces aveux ridicules, que je dois clore avant de les avoir ouverts, ces notes et ce cahier dont j'espérais faire un livre. Le livre ne sera pas. Titre possible, après tout : « Le livre qui ne fut pas ».

Je l'avais décidé plus existant et plus « vrai » que n'importe quel autre livre seulement imaginé. J'avais espéré rompre avec des habitudes nuageuses et me rabattre — ou mieux : m'

[En marge :]

Je ne saurai jamais. Je ne verrai pas. Je ne pénétrerai pas. C'est par ces aveux ridicules que je dois clore, avant de les avoir ouverts, ces notes et ce cahier dont j'espérais faire un livre. Le livre ne sera pas. Titre possible, après tout : « Le livre qui ne fut pas... » Je l'avais un moment espéré plus existant et plus « vrai » que n'importe quel autre livre, seulement imaginaire. J'étais conduit à rompre avec des habitudes nuageuses, et décidé à me rabattre, — ou mieux, m'[1]

[VERSO DU FEUILLET 2 :]

Avant de réécrire
voir lettres —
et plans —

[FEUILLET 3 : sans doute l'intitulé d'une chemise, où Segalen rangeait ce qui lui servait dans l'élaboration de René Leys, *à savoir le présent dossier et les lettres de Maurice Roy.]*

René Leys

Plans — et Lettres

[FEUILLET 4 : titre définitif de ce dossier.]

Notes et Plans

[FEUILLET 5 : il s'agit d'un scénario numéroté, un « plan » de René Leys, qui date vraisemblablement du début de la première rédaction, puisque le héros est encore désigné par les initiales de Maurice Roy.]

Plan :

1. MR[1], pour se rattraper après sa réponse sèche, me propose une soirée. Soirée à 前门外[2]. La rigueur et la chasteté. La pudeur. La grande Policière et la Vierge par ordre. On prépare je ne sais quel attentat.

2. D'où viennent ces coups mystérieux? Des Révolutionnaires? Des Réformistes? — Non. Du Dedans! — Aveu, enfin du haut grade de la PS[1] de MR... mais tous ses efforts vont aller à pénétrer jusqu'à l'I.D[2], au cœur du Dedans.

3. Théâtre. Les huit géants et l'attitude dilettante de MR. Il me désigne, avant la Tragédie un *[ill.]* « Mandchou ». Et l'acteur Mandchou, amant de l'Impératrice. — Arrestation d'un Eunuque.

4. Le Régent l'invite à dîner et lui fait présent d'une concubine. René Leys ne la profite pas.

5. Des choses mystérieuses se passent. Il a pénétré au cœur du *Dedans* [Il est amant mais je n'en sais rien]. Préparation d'un nouvel attentat... Imbroglio : ça vient de l'I.D. mais il la couvre et rejette tout sur le fils du Prince Ts'ing.

6. Il est au faîte des honneurs. Ses Nuits, qu'il avoue à peine, au Palais. L'Été.

6 bis. Les Révolutionnaires... Les Puits.

7. Éclate la révolution (10 octobre). L'Automne. On ne doute de rien. On envoie trois brigades dans le Sud... Continuation des petites intrigues et de la Haute fortune amoureuse. Mais : la faillite de sa banque. L'arrestation. Le coup de pied au ventre.

8. Les Revers. L'Affolement. L'Écroulement. Comme un Tonnerre, la Nomination Yuan! Ses alternatives. Son entrée triomphale à Péking...

9. Les Contradictions René Leys... demande d'armes, séances d'Eunuques, asile aux Légations... Péking brûle et ne brûle pas.

[En marge du quatrième paragraphe :]

Çà et là : Une fête Franco-chinoise, peut-être le 14 juillet aux Légations. MR y est invité. Sa timidité étonnante envers Pierre Poulouen-Kersalut-Amouroux[3]. L'Écurie déborde. Le clan des auto méprisés. Ch. Petit et les Potins d'Écurie[4].

[FEUILLET 6 : scénarios et remarques, au moment de la première rédaction (Segalen hésite entre Leys et MR).]

Au faîte des honneurs. Ses Nuits, qu'il avoue à peine, au palais. L'Été. — Voici qu'il est responsable du Trésor. Il doit surveiller sa mise en banque, sa nature, argent, dollars, lingots, sapèques... sa distribution. Le Régent a 58.000 taels par mois. Les revenus des Princes.
Mais pailles[1] : d'abord, discussion, je ne sais sur quoi, avec « *cette femme de qui dépend* sa situation » [faire deviner seulement ensuite qu'il s'agit de l'Impératrice]. Puis, les Princes auraient communiqué au 中國報[2], avec prière d'insérer, cette nouvelle qu'un étranger, « Lei », professeur à l'Université, était chef de la police secrète et amant d'une grande dame de la cour. Il a fallu 7.000 dollars pour le faire taire. C'est untel, de la PS qui est allé les porter à 7 h du matin. La chose devait paraître à midi...

Péripétie : « *Qui est cette femme de qui dépend* »...

Je la découvre par un enchaînement autre que la γονορρ[3]... J'enchaîne la question « Et l'acteur impérial ? » — MR : assez ingénu : « *Il* ne *La* voit presque plus. *Elle* ne *Le* trouvait pas assez habile... — Comme jeu sur la scène, ou dans le lit ? — Au lit : beaucoup de femmes *lui* courent après ; alors... »

Grammaticalement, logiquement, je puis relier ces deux phrases. L'acteur était amant de l'Impératrice. Cette confidence, où MR a répondu *comme en rêve*, venait à la suite d'une longue *syncope* qu'il avait eue le matin même. Provoquée par des nouvelles banales de son père lui annonçant son remariage et sa fixation en France.

Des souvenirs des Noces de Kouang-siu, à placer *ici* : « *Il* était faible et ignorant. Un de ses amis lui conseilla : vous monterez sur le lit, vous vous étendrez sur votre épouse, et... vous agirez ». Ce qu'il essaya bien de faire. Mais il avait bu un peu trop... et, sitôt « étendu », oubliant d'agir, le jeune marié s'endormit. Ce qu'en Femme, elle ne lui a point pardonné.

[En marge de toute la page :]

C'est donc en perdant sa *propre virginité*, que MR fut amant de l'Impératrice. Cela lui coûta, dit-il, 10.000 dollars. Il fallait acheter la discrétion des Eunuques. La somme, au moyen de

plusieurs intermédiaires, fut remise à un Chef d'Eunuques, qui répartit. Mais qui donna un reçu, (lequel resta aux mains des intermédiaires) et des *Répondants.*
L'Impératrice a 35 ans. Bien conservée. Non certes : l'acteur n'est plus son amant : il n'a plus le sou pour payer ses entrées.
MR quittait le Palais à 4 h du matin. Ne se sentait tranquille que chez lui. Il a promis à l'Impératrice de laisser pousser ses ongles pendant 15 jours encore.
Pendant les manifestations, les deux Eunuques et les trois servantes se retirent à peine, dans une petite pièce à côté. Le lit est un lit chinois à grandes tentures formant presque alcôve. Parfois, une soirée lui coûte 4.000, ... d'abord les Eunuques en veulent 9.000. On marchande, par l'intermédiaire d'un prince qui a intérêt à voir une princesse suivante... avec laquelle il s'éclipse.

[FEUILLET 7 : 28 novembre 1913, Segalen commence à penser au dénouement de René Leys. *Les feuillets 9 et 10 auront le même souci.]*

Dernières pages...

La Révolution est finie. Les Mandchous sont en fuite, et, en vestons, répandus dans les concessions. René Leys a naturellement « tout perdu... » ce qui est explicablement réel... Il n'abandonne pas le « parti » mais me prie de lui trouver une « situation »... Alors, je vais risquer un grand coup : je vais savoir, enfin. Depuis trop longtemps je doute... À moi, de le tenir.

— Mielleusement : mon cher René, avant de vous « recommander », vous trouverez bon que je pose quelques questions auxquelles j'aurai à répondre moi-même, ensuite... On me demandera etc.

Puis, dans la nuit glacée, claire, avec des parties d'ombre lumineuse où l'on voit tout : (le tutoyant brusquement)

— Oui ou non, as-tu couché avec l'Impératrice ?

— Pard

Ceci trop brutal. Impliquer cette question dans le texte...

mais ne pas la faire apparaître. Je m'arrête : ceci serait du chantage...

Je ne puis pas demander cela. Après tout, la nuit est claire ; j'ai su, vrai ou faux, dix fois plus que je ne voulais savoir. Je reviens à l'inventé. Je reviens à moi... Ceci peut-être n'est que le reflet de ce que je lui ai suggéré... ??

Mais j'avais bien dit au début : je ne saurai rien de plus ; je n'avancerai pas. Je me penche seul, comme une revanche : ceci que je viens d'écrire, existe. Titre possible, après tout : Livre qui sera... Non, j'ai au moins cette reconnaissance et je le nomme de son nom double, à lui qui m'a donné prétexte : — « Jardin Mystérieux »...

[En marge :]

Mieux : deux derniers chapitres :

XVL.

Tentative de chantage dans la nuit claire... J'hésite. *Il s'en va : je ne saurai rien de plus.*

XVLI.

Épilogue court et dense. Ce livre, reflet de moi-même, retour à l'Imaginaire, et que je nomme avec reconnaissance : Jardin Mystérieux. Et j'ai eu cette aventure étrange de voir *mon* imaginaire se revêtir de la peau du Réel !

28
Nov
13[1]

[FEUILLET 8 : développement sur la comparaison entre Pékin et un jeu d'échecs chinois. Dans le manuscrit final, cette ébauche a été sup-

primée, et si la métaphore échiquière existe encore, elle n'est plus liée au jeu chinois.]

Péking, ville en jeu d'Échecs chinois

Bâtie sur un quadrilatère, quadrillée elle-même. Ses murs, les limites du Jeu. Tout au Sud, le Houang-ho[1], tout au sud évidemment.

« Cette Ville, qui doit s'élever là : Dessinez-la donc ainsi qu'on dispose les Figures mouvantes symboliques sur le jeu quadrilatien :

Les chars latéraux, les tours éléphants peu mobiles ; l'armée de gardes prête à passer le fleuve... et les canons, connus avant notre invention de la poudre...

Enfin, les sages ministres lettrés (ce qui nous change des primaires républicains)... qui ne quittent point le général en chef (représentant de l'Empereur qui ne peut point se prendre au jeu des échecs vu qu'il ne s'y risque pas...)

Ces ministres, sacrifiés souvent *pour* l'Empereur ; et plus souvent encore, sacrifiés *par* lui...

Tout cela, quel beau symbolisme de l'Empire !

— Non, dit René Leys avec mépris. Le jeu d'échecs est un jeu de coolie. Mes princes jouent à d'autres jeux. — Tant pis pour les princes ! Mais quel est donc ce peuple qui sur le trottoir joue au plus beau jeu impérial !

— Hélas, un peuple de coolies ?... Non *[ill.]*

[FEUILLET 9 : page de réflexion sur le dénouement (voir aussi les feuillets 7 et 10). Elle se situe à la fin de la première période de rédaction (le premier manuscrit, Notes d'après René Leys, *est terminé fin janvier 1914).]*

Schéma pour Dénouement.

1°) Ses contradictions
2°) Je m'efforce de l'en convaincre et de le prendre sur le fait — Impossible, il ne se coupe pas.
3°) Mais il se doute de quelque chose et devient tout d'un coup renfermé. Je ne saurai rien. Au même moment, ayant tout perdu, il mendie près de moi une situation.

4°) Cette fois, je saurai tout : ma demi tentative de chantage.
5°) Elle avorte. Le lendemain il me sert une histoire de conjuration plus grosse que tout. Elle m'exaspère. Je la prends en goguenardant « Vous courez en effet de terribles dangers ! Ça vous mène tout droit à être empoisonné en 5 secondes ».

Il pâlit. Je l'envoie promener.
6°) Deux jours après :
mort chez lui : { empoisonnement ? { volontaire / involontaire et criminel ?
suggestion { par moi ? / signe cardiaque ?
comme tout le reste dans le roman

De toutes façons, je suis bien responsable de sa mort. Mais comment ?
Je retrouve le papier qu'il m'avait confié : plein de signes épouvantables : je ne peux traduire ; je n'ose faire traduire et n'oserai jamais...

Différents avatars de ce journal : a) journal léger
b) — passionnant
c) — pièce à conviction
d) le manuscrit qu'on ne rouvre plus.

11 Janv. 14

[FEUILLET 10 : cette page date du même jour que la précédente ; il s'agit des suggestions, concernant la fin de René Leys, *des deux amis les plus proches de Segalen — Augusto Gilbert de Voisins et Jean Lartigue).]*

Dénouement proposé par Augusto :

Dans l'avant-dernier chapitre, RL est mangé de peur ; et se figure que toute cette Révolution est dirigée contre lui. Une chose évidente : il a peur ; mais le danger *existe.* La partie est dangereuse. Je lui conseille de passer 8 jours à Tientsin. Je suis très inquiet sur lui. Le lendemain, RL est pendu. — Voilà un pauvre garçon que je croyais menteur. Alors, tout est vrai ? On l'a pendu. Quelque temps après on me prie de mettre de l'ordre dans ses papiers. Je reconnais que l'une des dernières anecdotes est manifestement fausse. Mais alors ! Se serait-il pendu pour jouer son rôle ? La construction qu'il a bâtie l'exigeait...

Dénouement proposé par Jean :

Dans l'avant-dernier chapitre, gros complot. RL court un gros danger. Dans le dernier chapitre il vient me trouver et me dit : on me connaît, parmi les Révolutionnaires. Voilà ce que je viens de recevoir. Il me porte un papier mystérieux que je déchiffre avec lui : si vous faites telle chose, vous mourrez empoisonné. Là-dessus, il me quitte pour quelque chose d'important. Je suis perplexe ; inquiet ; je fais des démarches ; je trouve des papiers ; je découvre qu'il a menti d'un bout à l'autre. J'étais stupide de croire... Le lendemain, on m'annonce que RL a été trouvé mort, la face verte, comme empoisonné.

F. O.[1] 11 Janv 14.

[FEUILLET 11 : notes et ébauches éparses, sans doute jetées sur le papier à la suite d'une lecture du dossier Révolution, *un des manuscrits préparatoires de* René Leys.*]*

« J'ai pour ami quotidien et aimable *[ill.]*, l'amant d'une femme dont le mari est mon propre héros : Kouang-Siu aux noces fatiguées ; et je puis amasser tant de traits, et de telle sorte, que je touche enfin à l'heureux mépris du document.

... C'est une belle peur que celle que la volonté provoque à elle-même. Son père continue à le voir enfant.

Après sa déconfiture : il me pressent pour d'énormes et extravagantes affaires : mines de charbon, théâtre moderne, Parisien ! Verrerie au Chantoung.

Un Maurice maigre, dépenaillé, sale...

« Pressentiment » du Refuge Impérial, à la Légation... Alors, c'est de l'Histoire !

13 nov. Yuan arrive à Péking à 5 h 15.

Histoire du Sosie de Yuan.

Le Péking d'hiver : « O Hatamen Ta Kiai[1], boulevard large et cinglant vers la Mongolie vertueuse ; les boutiques basses aux hampes mordues par le souffle du Nord. Ciel gris et âpre.

Troubles de Péking ?

[FEUILLET 12 : il est très difficile de dater cette page, qui se préoccupe d'un motif récurrent dans les manuscrits de Segalen, comme dans son œuvre en général.]

Loger dans ce roman ce que je voulais mettre en Conte : la « traduction tragique ». Au moment de ma plus forte attente, vers la scène du puits et du guet-apens dans les maisons de Ts'ien-men, je reçois ou j'intercepte par un de ses pseudo-amis, un billet chinois : les mots dansent leurs figures ; les chevaux galopent de leur quatre petits points. Il y a des sabres, des lances à crocs. Un homme sous un couvercle : un tombeau, un puits etc... J'établis une traduction suggestionnée, — hallucinée...

Arrive un mot en Français de lui, — banal.

[FEUILLET 13 : réflexion écrite sur du papier administratif interne à en-tête de la Marine nationale, daté de 1915. Il y a tout lieu de croire qu'il s'agit d'une note que Segalen écrit au moment où il relit le premier manuscrit, avant d'entamer le second, tandis qu'il travaille à l'hôpital de Brest.]

Yuan doit se glisser dans le récit bien avant son arrivée. — Il doit être introduit comme prépersonnage, mystérieux, absent; dangereux peut-être.

Les massacres dans les parties angulaires du Palais préparés aussi d'avance.

Il faudra aller jusqu'à la Preuve jusqu'à *l'enfant.* Mais au Téléphone !

[FEUILLET 14 : même genre de remarques que celles du feuillet précédent, aussi sous la forme d'un billet.]

1) Ne faire apparaître le nom de RL que par une péripétie entre autres. Avant ou après les pétarades du cheval. Comme une secousse, et déjà une révélation.

2) Que le cheval pétaradant sur le souterrain veuille ensuite *me* mordre ; expliquer et introduire cette morsure ; développer ce cheval, — développer ce personnage prescient de cheval.

[FEUILLETS 15 ET 16 : cette note de régie se situe avant la reprise effective du deuxième manuscrit, mais Segalen travaille et corrige déjà activement le premier et tient compte des avis extérieurs.]

Lecture à Bargone[1], terminée le 30 Janvier 16. Les deux premiers tiers sont bons. Presque au point. Quand je reprendrai le livre, le reprendre tout d'abord au 3e tiers. À partir du moment où je commence à douter, remplacer le ton d'ironie oscillante par : franche et grosse mauvaise humeur quand j'ai l'impression « qu'il me trompe ». — Surtout j'ai horreur d'être dupe ! L'épigraphe ironique qui voudrait dire « être mis Grandement dedans ! », — puis par des retours confiants, affectueux, admiratifs. Ces deux mouvements, juxtaposés auparavant dans la même phrase, étant ici séparés par ondulations de chapitres.
Que l'ironie de la mort suggérée demeure IMPLICITE. Qu'il y ait un moment d'émotion EXprimée.

Pour le « gros du public », René Leys aura, par sa mort, consacré sa véracité. Pour quelques-uns, sa mort, suggérée comme le reste, dément alors tout le reste.
Abréger les pages finales.

— Autre : clarifier, simplifier, tous les moments de la Révolution. — Rapprocher, *juxtaposer* les deux grandes scènes : *arrivée de Yuan*, à grand *décor réalisé* (Saint Pol Roux) qui se fera le *jour* même de la *Nuit des Veilles* où j'attends son réfugiement chez moi, d'Elle. — À partir de l'arrivée de Yuan, Règle des Trois Unités. Grandir et personnaliser mes personnages. Yuan, vieux Renard. — Elle, Impératrice, et Mandchoue.
Tout se passera ensuite en peu de temps, — le temps juste de laisser refroidir le cadavre de René Leys. — Jeu de mots sinistre : « désormais, nous sommes liés, lui et moi, par un pacte. Désormais je dois le croire. *Il y a un cadavre entre nous. Le sien...* [Le sien propre...]

Le mot de la fin ?

[FEUILLET 17 : fantaisie écrite au dos d'une épreuve de Peintures *(qui paraît chez Crès en 1916), « Flamme aimante ».]*

Public. René Leys.

— 1er rez-de-chaussée de Journal —
« une ligne » — la ligne de 9 du Figaro
ligne de 36 caractères + interv. environ
Prix correct : 0f 50

Édition 3f 50. Se réserver le droit à édition populaire 5 ans après public
Céder l'édition pour 15 ans
Se réserver éditions de luxe.

[FEUILLET 18 : liste de modifications, corrections et vérifications à reporter au moment de la rédaction, ou même de la relecture du second manuscrit, c'est-à-dire en août 1916 ou après.]

p. 28 [p. 58] Je dis : « avez-vous remarqué comme la route sonnait creux ? »

p. 37 *[p. 63]* « Ils *en* viennent ».

p. 126 *[p. 120]* « Il y a des puits au Palais ! »

la PS, p. 136 *[p. 128]*, c'était moi qui l'avais suggérée !

p. 117 *[p. 114]* Ces amours... n'obtiennent jamais d'enfants !

1e crise, page 143 *[p. 132]*.

175 *[p. 156]* c'est moi qui suggère : après la bombe, le poignard.

180 *[p. 160]* Serrement de main du Régent.

188 *[p. 166]* « Une Mandchoue peut-elle aimer...

177 *[p. 158]* « Impératrice ! » et voir 205 *[p. 179]*.

Prix de la nuit : 3.400 taels p. 213 *[p. 185]*.

221 *[p. 190]* L'emprunt de son écriture à la mienne.

[FEUILLET 19 : plan chinois de Pékin impossible à reproduire ici du fait de sa trop grande dimension. Le plan de la p. 361 en reprend la structure.]

ANNEXE II

PÉKIN, « CHEF-D'ŒUVRE DE RÉALISATION MYSTÉRIEUSE »

PREMIÈRE RENCONTRE

Lorsque Segalen arrive à Pékin[1] en 1909, il n'en est pas à son premier voyage dans l'exotisme : il a déjà parcouru la Polynésie, les États-Unis, Ceylan, Aden. Avant même de gagner Pékin, après la mer et une nouvelle escale à Colombo puis Singapour et Saigon, il a traversé une partie de la Chine — Hong-Kong, Shanghai, Nankin puis Hankou. Mais Pékin, Capitale du Nord, est la ville élue, « l'habitat de [ses] rêves » et cette certitude se fait jour dès l'entrée dans la triple cité :

> *Enfin Pékin. Ma ville. Arrivée à 5 h. du soir. Murailles, grandes murailles. Légation. Tes lettres. Hôtel splendide. Tes lettres encore, et pour me bercer toute la nuit. Voilà tout ce que je sais ce soir de Pékin*[2].

L'intronisation est décidément amoureuse, tout en reprenant l'éternel leitmotiv, égrené avant lui par tant de voyageurs : le choc des murailles, imposantes, répétées, qui délimitent la Ville chinoise de la Ville tartare, et enserrent à nouveau des

1. Nous reprenons dans cette seconde annexe des éléments développés à des places différentes dans l'édition critique complète de *René Leys* chez Chatelain-Julien.

2. *Lettres de Chine*, 12 juin 1909, éditions 10/18, 1967, p. 58. Segalen écrit à son épouse, Yvonne.

enceintes moins pénétrables, plus interdites. Promise d'avance à ses tendresses, par la lecture antérieure d'un certain nombre d'ouvrages, savants ou simplement admiratifs de son urbanisme, la grande capitale lui offre un lieu entre tous inédit : un lieu où l'on circule dans le Réel autant que dans l'Imaginaire, corporellement, musculairement, à pied, à cheval ou en « rickshaw » autant que mythologiquement, symboliquement à travers les « fictions » (inventions et fabrications créatrices) du *fengshui* — la géomancie chinoise — ou du système impérial, métonymiquement clos derrière ses murs infranchissables. Pékin, ville des frontières tangibles et mythiques, ouvre nécessairement la boîte de Pandore qu'est la littérature.

Dès les premiers jours, Segalen prend le parti de cette Chine contre les réactions occidentales des visiteurs ou colons habituels[1]. Il délaisse le quartier exterritorial des Légations et son épopée fondatrice fortement teintée d'exclusion à l'égard des « Célestes » (les « Cinquante-cinq Jours de Pékin »), pour chercher une maison typiquement pékinoise, authentiquement pittoresque. Il attend son ami Augusto, avec qui il partira bientôt dans un périple exotique à travers tous les paysages de la Chine historique. Lorsque Augusto arrive, il l'initie, en mettant toujours en avant l'authenticité d'une approche directe, par la connaissance des textes, des légendes ou des histoires chinois.

> *Les chauves-souris tournent dans l'air et je songe encore à Yong-lo.*
>
> *Mon ami, faites que je l'imagine, parlez-moi de lui, décrivez-le-moi par des traits si vigoureux et si nets que je puisse le voir ! Mon ami, vous qui connaissez les livres, dites-moi ses gestes, son regard, dites-moi le timbre grave de sa voix ! Qu'il vienne hanter son temple, cette nuit, grâce à votre évocation !*
>
> *Alors, Segalen me parle de cet empereur du temps jadis. Je l'écoute pieusement, car il sait conter, il sait faire revivre*[2].

C'est certain, l'accès aux réalités de la Chine se fait d'abord par le récit respectueux des hauts faits impériaux, là où his-

1. Voir p. 41, n. 3 et p. 49, n. 1.
2. Augusto Gilbert de Voisins, *Écrit en Chine*, 29 juillet 1909 (éditions You-Feng, 1987, p. 88).

toire et légende se confondent dans l'hagiographie et dans l'art du conteur. Et il n'est sans doute pas indifférent que Yong-lo (Yongle) soit justement l'empereur Ming considéré, dès la première page de *René Leys*, comme le fondateur de Pékin et de la Cité interdite, ce « chef-d'œuvre de réalisation mystérieuse », « [levée] d'un seul jet monumental » par décret impérial, magique et démiurgique, qui remplaça le vide de la plaine jaune en cité impeccablement et triplement ceinte. Et même si la présentation de cet événement fait la part belle au rêve, et exagère le phénomène de génération spontanée de Pékin, du moins Segalen partage-t-il ici la mythologie chinoise elle-même.

PÉKIN, UNE VILLE CHINOISE

L'ancienne ville de Pékin était fascinante à plus d'un titre : construite dans une logique étrangère aux modèles urbains occidentaux, elle respectait la structure géométrique, prévue à l'avance, des villes chinoises impériales[1]. Cette structure, marquée par de grandes murailles entourant majestueusement des quartiers dont le peuplement était spécifique, d'un point de vue à la fois ethnique et social, était héritée non seulement de la tradition guerrière des Chinois (chaque ville étant une citadelle), mais encore et surtout d'une conception ontologique et cosmogonique, où tout est construit autour du centre du pouvoir — humain et divin.

Depuis les Han, en effet, les villes s'inscrivaient traditionnellement dans un carré symbolique entouré d'un mur d'enceinte, lui-même percé d'une porte sur chaque côté. À l'intérieur de l'enceinte, chaque quartier était délimité par un mur à entrée unique et était constitué d'une centaine d'habitations entourées également de murs ; le palais, ceint de murailles, se situait au nord et ouvrait sa porte principale vers le sud.

1. Voir par exemple le descriptif des villes chinoises traditionnelles, dans l'Encyclopédie de la Pléiade, *Histoire des mœurs,* 1990, t. 1, « Équipements collectifs », p. 1254-1258.

Du palais impérial part l'axe principal, nord-sud, dont la direction correspond à l'organisation symbolique de l'espace chinois : l'empereur, assis ou en mouvement, est toujours tourné vers le sud, faste, tandis que son dos est protégé par un paravent des influences néfastes du nord. Tout l'urbanisme de la ville dépend de cet axe impérial, véritable colonne vertébrale de la capitale.

La construction des enceintes, intégrée à un projet urbanistique global, délimitait des espaces qui n'étaient pas forcément encore construits, de là certaines portions de terrains vagues, dans le bourg lui-même, qui ne laissaient pas de surprendre les voyageurs occidentaux, habitués à l'entassement dans les murailles. L'étendue des villes était elle aussi étonnante pour les Européens, qui avaient l'habitude de voir les habitations déborder régulièrement les communes, et les calvaires se déplacer pour simplement entériner ces expansions spatiales, tandis que l'accroissement urbain chinois ne faisait en général que rejoindre les remparts, construits au départ dans une optique à long terme, et cela sans entassement, en respectant une découpe géométrique qui comportait déjà de grands axes — ce qui n'empêchait pas, à l'intérieur des pâtés de maisons délimités par ces grands axes, un fouillis de ruelles, les *hutong*. Le quadrillage par de larges artères dallées s'accompagnait d'une organisation très précoce de la voirie, des systèmes d'irrigation et à l'occasion (mais ce n'était pas partout le cas à Pékin), de canaux et de ponts.

Pékin avait ainsi, comme la plupart des villes chinoises, un aspect aéré, boisé, qui contrastait avec les densités de pierre de taille, de torchis et de brique de l'Occident. C'était aussi une ville plane, les constructions ne devant en aucun cas dépasser cent pieds de hauteur (pour ne pas entraver le vol des génies — bons ou mauvais), et aucun bâtiment ne pouvant surplomber la Cité interdite. De nombreux voyageurs, faisant une promenade (très prisée) sur la muraille tartare, ont parlé de leur étonnement devant l'étendue verte et peu élevée qui se déployait devant eux. Les petites habitations, en bois, participaient aussi de cette impression.

Aujourd'hui, l'une des caractéristiques majeures de la ville dans son ensemble, ses murailles, a disparu, de même que la plupart de ses spécificités. On pourra lire le beau tableau, élégiaque et intelligent, qu'en dresse Simon Leys dans *Ombres chinoises*[1].

HISTORIQUE DE LA VILLE

À l'époque des Royaumes combattants (403-221 av. J.-C.), une ville, Ji (non loin du Pékin actuel), fut le centre de l'État de Yan (l'un des royaumes). Sous les Han, l'historien Sima Qian (Sseu-ma-ts'ien) dit que Ji est au nombre des grandes villes du Nord (*Mémoires historiques*). Sous les Tang, la région de Pékin cessa d'être une des marches de l'empire : elle devint la province d'un empire nordique qui s'étendit ensuite vers le sud. Les Kitan, fondateurs de la dynastie des Liao, après s'être emparés de Ji (936) en firent leur capitale secondaire. Au début du XIIe siècle les Jürchen se substituèrent aux Kitan et fondèrent la dynastie des Jin ; ils s'emparèrent de leur ville et la rebaptisèrent Zhongdu (capitale du milieu). Au XIIIe siècle la ville de Zhongdu fut complètement rasée.

En 1267, Qubilaï (Khoubilaï Khan) décida de fonder sa capitale à l'emplacement du Pékin actuel et il fit retracer entièrement le plan de la nouvelle capitale mongole : Dadu (la Grande Ville). Au sud, la ville s'étendait jusqu'à l'actuelle Changanjie, qui borde la place Tian'anmen. Au nord, elle s'étendait au-delà de l'actuel Temple Jaune. Le palais occupait à peu près son emplacement actuel. Zhu Yuanzhang, empereur Ming, lorsqu'il eut renversé les Yuan (1368) transporta la capitale du nouvel empire à Nankin. Dadu prit le nom de Beiping (la Paix du Nord), et échut à l'un des fils du vainqueur. Lorsque celui-ci devint empereur en 1403 (sous le nom de Yongle), il transféra de nouveau la capitale à Beiping qui prit le nom de Beijing (la Capitale du Nord) — c'est-à-dire Pékin. La physionomie de la ville fut entièrement transformée.

On construisit un nouveau rempart, décalé vers le sud, en

1. Simon Leys, *Ombres chinoises* (1974, éd. revue en 1978), « Suivez le guide », « Pékin », éd. Bouquins, 1998, p. 280 sq.

deçà de l'ancien mur mongol. Puis encore au sud de ce nouveau mur, on fit construire un deuxième mur en terre (1524) puis en briques (1543). Au nord : la ville intérieure, à peu près carrée ; au sud : la ville extérieure, rectangulaire. Le Temple du Ciel et l'Autel de l'Agriculture furent aménagés dans la ville extérieure. Le Palais impérial fut considérablement remanié sous Yongle (1403-1424).

C'est sous cette forme que Pékin demeura jusqu'au XXe siècle. Les Qing ne changèrent rien au plan de la ville et se contentèrent d'embellir le Palais et de partager la capitale en une ville mandchoue au nord, d'où les anciens habitants furent expulsés pour laisser place aux conquérants, et une ville chinoise au sud. Ils construisirent également dans la banlieue nord-ouest les palais d'été.

C'est ainsi que la délimitation des quartiers par plusieurs murailles concentriques aboutit à l'image extrêmement marquante de plusieurs enceintes, de forme carrée, emboîtées les unes dans les autres et défendues par des murs imposants : la Cité interdite, inscrite dans le rectangle de la Ville impériale, elle-même au centre du carré de la Ville tartare, séparée de la Ville chinoise.

IMPRESSIONS PÉKINOISES

Le premier voyageur célèbre à avoir décrit Pékin, et plus particulièrement la Cité interdite, est bien sûr Marco Polo[1] : la majesté qui l'a marqué, l'ordonnancement des murailles, l'aspect dynamique d'une description qui suit la déambulation et le franchissement des portes, tout cela se retrouve dans la plupart des textes postérieurs des voyageurs, qui se réclament pratiquement tous du Vénitien. Le livre *Le Voyage en Chine*[2] regorge de descriptions de la ville, et le lecteur curieux pourra

1. Marco Polo, *Le Devisement du monde*, chap. 85, « Ci devise du Palais du Grand Can », éd. Phébus, 1996, p. 197-200.

2. *Le Voyage en Chine, Anthologie des voyageurs occidentaux du Moyen Âge à la chute de l'Empire chinois*, rassemblée par Ninette Boothroyd et Muriel Détrie, Paris, Robert Laffont, 1992, coll. Bouquins.

s'y reporter avantageusement. À l'époque de Segalen, la référence majeure est le *Péking* de Mgr Favier[1], qui fut longtemps évêque de la Capitale du Nord.

Au tournant du siècle, les visiteurs de Pékin ont parlé de la grandeur impressionnante de la capitale, l'associant toutefois très souvent à une image de décadence, la ville et le palais ayant été longtemps désertés par les empereurs réfugiés dans le Nord. Parmi les innombrables textes, nous avons sélectionné quelques pages du livre du comte de Beauvoir, beaucoup plus confidentiel que les références précédentes, mais tout aussi emblématique de la vision de l'époque, et même assez proche d'une certaine tonalité segalénienne, dans « l'en-allée » (comme le dit *Équipée*) vers la rêverie, vers la recomposition d'un passé inconnu mais grandiose, sous la forme du souvenir[2]. L'arrivée à Pékin se fait par le sud, et le locuteur franchit les murailles et les quartiers les uns après les autres :

> *Nous passons à midi devant le magnifique pont de Pa-Li-Kao, de glorieuse mémoire, et à trois heures nous entrons à Pékin. Grâce au ciel, nous quittons la chaussée sablonneuse et nous nous trouvons en face d'un vaste pont dallé, d'une longue et gigantesque muraille à créneaux et d'un portique majestueux. C'est bien assurément ce que j'ai vu de plus grandiose dans le Céleste Empire ! Cet ensemble a quelque chose des images saisissantes de l'histoire sainte, des descriptions des hautes enceintes de Babylone et des formidables remparts de Ninive. Figurez-vous un donjon élancé portant un toit à cinq étages de tuiles vertes, et percé de cinq rangées de gros sabords d'où sortent des gueules de canon ; à droite et à gauche, à perte de vue, s'étend la muraille, tantôt en granit, tantôt en grosses briques grisâtres ; des saillants, des créneaux, des meurtrières, lui donnent un air martial. — Au pied de cette muraille s'ouvre une voûte profonde où viennent pacifiquement s'engouffrer une foule convergente de Chinois, de Mongols, de Tartares bariolés, des convois de charrettes bleues, des files de mulets noirs, des caravanes de chameaux fauves et bien haut chargés : c'est l'entrée de la ville chinoise. [...]*

1. Mgr Favier, *Péking, histoire et description*, Lille, Desclée De Brouwer, 1900.
2. Comte de Beauvoir, *Pékin, Yeddo, San Francisco, Voyage autour du monde*, Paris, Plon, 1872, p. 51-58.

C'est décidément un décor d'opéra que la majesté d'une porte à Pékin ; dès qu'on est de l'autre côté, on croit qu'on a rêvé : les terrains vagues et les masures viennent de nouveau frapper les yeux comme une réalité lugubre. Pour vous en donner l'idée d'un seul trait, les chameaux dans cette partie de la Ville Céleste suivent des sentiers sinueux comme s'ils étaient dans le désert : quant à nous, continuant droit notre route, nous voyons verser deux charrettes sur sept qui composent notre caravane. En effet, Pékin, aux environs des portes, est pavé en immenses dalles d'un à deux mètres carrés, mais entre chacune d'elles il y a souvent un intervalle creusé d'un à deux pieds : de là secousses et soubresauts comparables à ceux de grenouilles électrisées.

Bientôt une nouvelle grande muraille encore plus majestueusement crénelée, bastionnée et babylonienne, nous montre ses portiques sombres en avant de nous : elle est haute de cinquante à soixante pieds et large de quarante ; c'est, paraît-il, la séparation entre la ville chinoise que nous quittons, et la ville tartare où nous entrons. Là une sorte de cirque sans gradins, mais formé de gigantesques murs, protège la porte principale comme une demi-lune ; de façon que, la première grille une fois passée, nous nous trouvons comme dans une spacieuse cage d'ours dominée par des créneaux et des toits vernissés.

Avant de sortir par une seconde grille (la porte centrale est réservée à l'Empereur), il faut faire plusieurs centaines de mètres. Comme nous passons sous la voûte, notre mandarin conducteur nous offre de monter au sommet de la muraille, afin d'embrasser Pékin d'un seul coup d'œil : aussitôt dit, aussitôt fait. Nous sommes assez haut pour distinguer les grandes lignes, et cette porte, Tchien-Mên, semble comme le pivot sur lequel il suffit de tourner pour se rendre compte de la marqueterie de cette cité bizarre.

Derrière nous est la ville chinoise, un trapèze géométrique, où des bois, des temples et des bourgs, avec des rues animées et commerçantes, sont enclavés dans des murailles surmontées des cinquante pagodes bastionnées dont je vous parlais à l'instant ; cinq portes monumentales donnent accès à cette ville sur la campagne.

Devant nous est la ville tartare, un grand carré, tranchant sur l'horizon par arêtes crénelées et mêmes murailles ninivites, avec une dizaine de portes fortifiées et d'innombrables forts à *cinq étages. Cette enceinte murale renferme trois villes concentriques séparées les unes des autres par des murs intérieurs ; la ville tartare d'abord, la plus vaste, avec de grandes artères, des casernes, et le cachet guerrier des conquérants ; puis la ville impériale avec des palais de mandarins, dont chacun comporte jusqu'à cent kiosques juxtaposés ; et enfin, au centre, la ville interdite, résidence de l'Empereur avec ses milliers de toits en tuiles jaune impérial et son Mê-chan, « mont de charbon ou des dix mille années », butte artificielle et sacrosanctum de l'Empire Céleste. — Notre mandarin nous montre du doigt et les sommets des murailles qui, pendant quarante-deux kilomètres de tour, pourraient porter quatre voitures de front, et les toitures vert clair des palais de mandarins, et les dômes bleu foncé des temples, et certains espaces qui sont tout faïence, et des ponts de marbre. Mais, grand Dieu ! sur quel échiquier de ruines sablonneuses doivent errer nos regards pour découvrir ces merveilles ! [...]*

Nous venons de traverser les trois quarts de Pékin, depuis les faubourgs de la ville chinoise, jusqu'aux abords de la cité interdite ; nous avons, en près de deux heures, passé en revue, sans avoir le temps de les détailler, les quartiers du commerce et les agglomérations des palais de mandarins ; c'est une vue d'ensemble dont plus tard nous chercherons les traits particuliers ; mais ma première impression est celle-ci : quand on n'a pas vu Pékin, on ne sait pas ce que c'est que la décadence. Thèbes, Memphis, Carthage, Rome, ont des ruines qui rappellent la secousse : Pékin se ronge lui-même, c'est un cadavre qui tombe chaque jour en poussière.

Quand, du haut des admirables murailles presque intactes qui entourent la ville tartare, j'ai jeté les yeux sur la cité interdite et la ville impériale renfermées dans son sein ; quand j'ai sondé la splendide perspective des bastions, des portes surmontées de pagodes, des fortifications aux angles des murailles, et que j'ai examiné les toits coniques et vernissés des temples qui surgissent au milieu d'une vraie forêt ; quand, faisant un demi-tour, j'ai porté mes regards sur la ville chinoise qui fait à l'autre un véritable socle, et qu'enfin je me suis imaginé tout cela vivant, frais, vert, coupé partout d'eaux limpides, garni de canons, peuplé et bruyant, j'ai rêvé que je retraçais par la pensée le Pékin d'il y a mille ans, et je suis resté confondu, admirant sans restriction cette merveille de l'extrême Orient.

Mais, peu à peu, j'ai pris le spectacle corps à corps : j'ai parcouru ces rues ravinées par les chariots à vingt pieds de profondeur, dans lesquelles les anciens égouts éventrés semblent un escalier géant pour atteindre l'étroit sentier qui borde les maisons de chaque côté du précipice ; descendant de ma charrette pour mieux voir, j'ai enfoncé jusqu'à mi-jambe dans une poussière fétide d'immondices séculaires, j'ai suivi le lit des fossés, des canaux et des rivières pour jamais à sec, sous des ponts de marbre rose ruinés et désormais inutiles : ces jardins, ces parcs, ces étangs autrefois merveilleux sont transformés en désert ; à côté d'arcs de triomphe de marbre, des huttes éboulées de marchands misérables élèvent au-dessus d'elles une forêt de perches avec des affiches de papier qui dansent au vent ; tout cela est affreusement uniformisé sous une couche épaisse et à travers un nuage incessant d'une poussière âcre et étouffante, — Non, me suis-je dit à cet aspect, cela n'est pas une ville ; n'est-ce pas plutôt un camp de Tartares ravagé par le simoun au milieu du désert ?

Cette ville immense, dans laquelle on ne répare rien, et où il est défendu, sous les peines les plus sévères, de rien démolir, se désagrège lentement, et se transforme chaque jour en poussière. C'est un spectacle affligeant que celui de cette décomposition lente qui accuse la mort bien plus sûrement que les convulsions les plus violentes. Dans un siècle Pékin n'existera plus ; il aura fallu l'abandonner ; dans deux, on le découvrira comme une autre « Pompéi », mais enseveli sous sa propre poussière.

PÉKIN DANS *RENÉ LEYS*

Le roman reprend à son compte la plupart des caractéristiques de Pékin, et la particularité du regard européen, étonné par tant de grandeur et d'organisation. C'est d'ailleurs l'image de la structure, géométrique et magique (« chef-d'œuvre de réalisation mystérieuse ») qui domine largement, reprise d'une manière récurrente dans l'image d'une ville érigée sur décision impériale (de Yongle notamment).

L'aspect humain de la foule grouillante est au contraire largement évacué, au même titre que les odeurs, les bruits, et les quartiers typiques où l'on va se plonger dans la chinoiserie (rues commerçantes, quartier des exécutions, etc.). Mais on peut largement imputer cette différence, non pas spécifiquement à notre roman, mais dans une plus large mesure, au dédain de Segalen pour ce qu'il appelle l'anecdotique, le touristique, le pittoresque, et à une sorte de projet, peut-être inconscient, mais assumé pleinement par l'auteur, de réhabilitation du prestige impérial de la Capitale du Nord. On mesure alors le contraste entre Segalen et son ami Gilbert de Voisins, qui ont pourtant découvert Pékin presque en même temps : dans *Écrit en Chine*, Augusto se livre à une description de Pékin qui s'arrête successivement sur les passants, les enfants, la foule dense, les charrettes embourbées, les marchands ambulants, un mandarin en palanquin, des soldats en goguette, des tireurs de pousse-pousse, des mafous (palefreniers), puis évoque les rues, la nuit, les « lampes fumeuses et les lanternes à caractères », enfin les odeurs qui « dépassent l'imagination olfactive la plus folle ». Loin de développer ces thèmes récurrents dans l'imagerie voyageuse, le Pékin de Segalen et de *René Leys* en particulier (puisque cela s'accorde si bien avec la figure toute-puissante de l'empereur) est un cadre pur, sans habitant ou presque, une structure exclusivement monumentale, minérale, désincarnée, magnifiée, statufiée.

De même, certains aspects très marquants pour les voyageurs (au nombre desquels Segalen) ont été délibérément gommés, comme le panorama que l'on pouvait avoir en regardant la ville d'une certaine hauteur, du haut de la Montagne de Charbon ou des remparts par exemple. Cette absence renforce évidemment un thème majeur de *René Leys*, celui de l'impossible pénétration, même par le regard, dans l'arche d'alliance qu'est le Palais. Au contraire, Segalen aimait particulièrement à se promener sur les hauteurs de Pékin.

Sans nous livrer à une interprétation complète de la dimension symbolique et poétique de Pékin dans *René Leys*, nous ne pouvons pas ne pas signaler deux faits remarquables et singuliers : d'une part l'aspect échiquier de la capitale, surface plane sur laquelle chaque déplacement met en jeu les rapports des pions entre eux, et qui relève à la fois d'une construction narrative fondée sur l'idée qu'il s'y joue une partie fatale et d'une volonté symbolique forte, française et chinoise[1]; d'autre part l'enrichissement soudain de cette horizontalité géométrique et ordonnée par la découverte de la profondeur mystérieuse de Pékin, dans l'épisode du nom inscrit dans l'aqueduc menant au Palais, qui ouvre sur une dynamique d'initiation et une sensation de vertige, assez proche d'un sentiment religieux au sens étymologique.

Le lecteur appréciera peu à peu l'importance de ce cadre spatial, qui joue en fait d'une manière sous-jacente le rôle d'un lieu symbolique qui déteint sur les personnages, et même, à maintes reprises, d'une entité agissante importante, voire d'un personnage. L'exploration prendra alors les couleurs d'un voyage dans la fantasmagorie d'une époque révolue, d'un imaginaire spécifiquement segalénien, ou bien encore teinté d'une aventure toute personnelle. Et cet aspect interactif n'est pas une des moindres caractéristiques du roman.

1. Voir, dans l'Annexe I, le feuillet 8 du dossier *Notes et Plans.* On pourra aussi consulter l'article d'Éliane Formentelli, « La marche du cavalier », in *Regard, espaces, signes, Victor Segalen,* Actes du colloque Victor Segalen des 2 et 3 novembre 1978. Paris, L'Asiathèque, 1979 ou l'étude de Noël Cordonier, « Victor Segalen : de la quiétude à l'effroi géométrique », in *Échiquiers d'encre, Le Jeu d'échecs et les Lettres (XIXe-XXe s.),* dir. J. Berchtold, Genève, Droz, 1998, pp. 217-230.

LÉGENDE DE LA CARTE DE PÉKIN

N.B. : Nous donnons en priorité les anciennes transcriptions — qui sont celles du roman et de Segalen.

Portes de la Ville tartare :

1. Te-cheng-men (Desheng-men).
2. Ngan-ting-men (Anding-men).
3. Tong-tche-men (Dongzhi-men).
4. Ts'i-hoa-men (Qihuamen) ou Tch'ao-yang-men (Chaoyangmen).
5. Ha-ta-men (Hatamen).
6. Ts'ien-men (Qianmen), ou Tch'eng-yang-men (Chang-yangmen).
7. Chouen-tche-men.
8. P'ing-tsen-men.
9. Si-tche-men (Xizhimen).

Portes de la Ville chinoise :

10. Tong-pien-men.
11. Cha-kouo-men.
12. Tso-ngan-men.
13. Yong-ting-men (Yongding-men).
14. Nan-si-men.
15. Tchang-i-men.
16. Si-pien-men.

Portes de la Ville impériale :

17. Héou-men (Houmen).
18. Tong-houa-men (Donghua-men)
19. Chen-ou-men.
20. Si-houa-men (Xihuamen).
21. Ta-Ts'ing-men (Daqing-men).

Portes de la Cité interdite :

22. Shenwumen
23. Donghuamen
24. Wumen
25. Xihuamen

Divers bâtiments et points de repère :

26. Montagne de Charbon.
27. Île des Hortensias sur Beihai (Lac ou Mer du Nord). Baita (Paé-t'a). Les trois lacs sont visibles (Beihai, Zhonghai, Nanhai).
28. Beitang (Peï-t'ang), deuxième cathédrale du nord de Pékin.
29. Tour du Tambour, Gulou (Kou-leou).
30. Tour de la Cloche, Zhong-lou (Tchong-leou).
31. Observatoire des Jésuites.
32. Quartier des Légations.
33. Rue des Légations.
34. Liulichang (Lieou-li-tch'ang).
35. Temple de l'Agriculture.
36. Temple du Ciel.

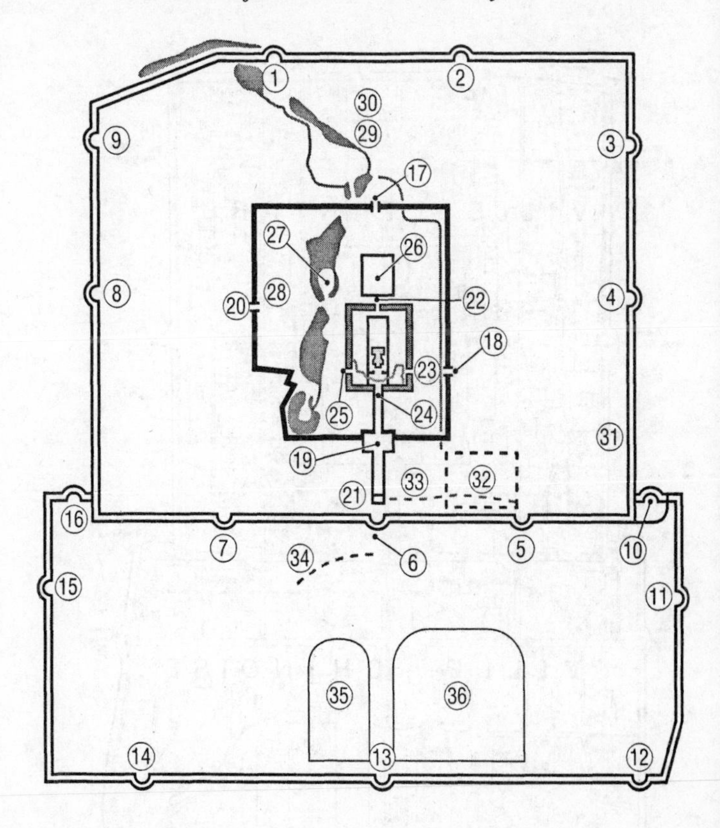

Le Pékin de *René Leys*

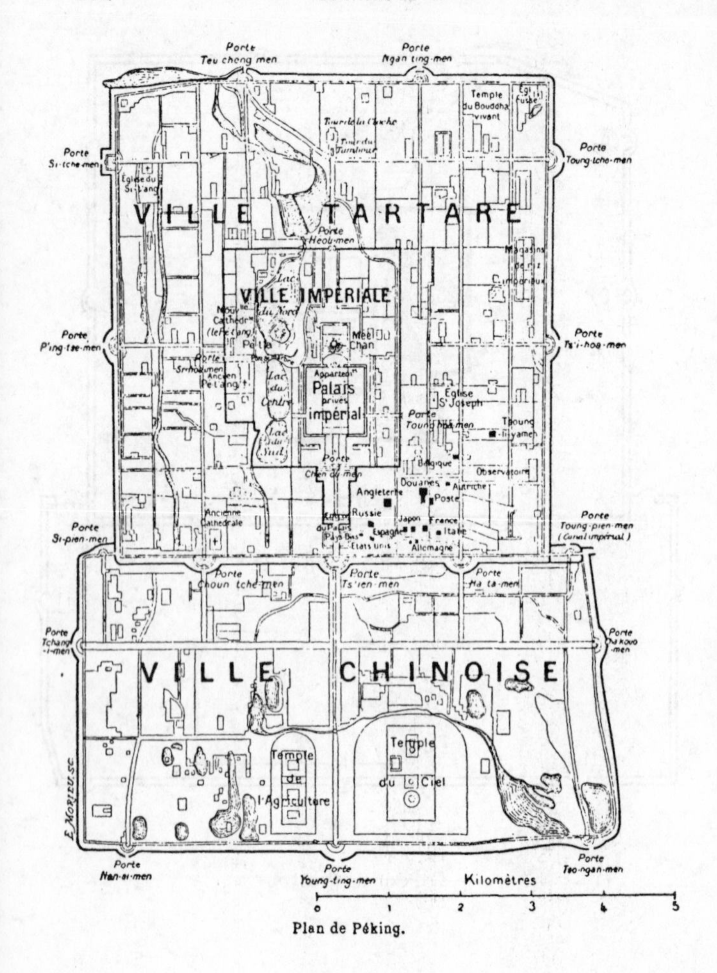

Plan de Péking.

(*L'Illustration*, 1900)

BIBLIOGRAPHIE

ÉDITIONS DE *RENÉ LEYS*

D'après René Leys, in *Revue de Paris*, 15 mars-1er mai 1921. Préfacé par Gilbert de Voisins. Texte établi par Jean Lartigue.

René Leys, Paris, Georges Crès, 1922. Couverture ornée du dragon de G.-D. de Monfreid. Reprise chez Plon (qui a racheté Crès) en 1929, sous couverture de relais.

René Leys, Paris, Les Cent Une, édition de luxe (134 exemplaires), 1952. Illustrée par Chou Ling.

René Leys, Paris, Gallimard, 1971. Nouvel établissement du texte. Reprise en 1978 (collection L'Imaginaire).

René Leys, Paris, éd. Chatelain-Julien, 1999. Nouvel établissement. Édition critique établie, annotée et présentée par Sophie Labatut. Préface de Michel Butor.

AUTRES ŒUVRES DE SEGALEN (CHOIX)

Œuvres complètes et anthologies

Stèles, Peintures, Équipée, Paris, Club du Meilleur Livre, préface de Pierre Jean Jouve, 1955 (reprise en partie chez Plon, 1970).

Œuvres complètes, Paris, Robert Laffont, coll. Bouquins, 1995. Présentées par Henry Bouillier. 2 volumes.

Voyages au pays du Réel, Œuvres littéraires, Bruxelles, Complexe, 1995.

Œuvres en volumes

Les Immémoriaux (1907), Paris, Seuil, coll. Points Roman, 1985.
Stèles (1912 et 1914), Paris, Mercure de France, 1982. Édition critique d'Henry Bouillier.
Stèles, Paris, Gallimard, coll. Poésie/Gallimard, préface de Pierre-Jean Rémy, 1973.
Stèles, Paris, La Différence, coll. Orphée. Présentation de Simon Leys, 1989.
Stèles, Paris, éd. Chatelain-Julien, fac-similé de « l'édition coréenne », 1994.
Stèles, Paris, Librairie Générale Française, coll. Livre de Poche classique, 1999. Édition critique de Christian Doumet.
Peintures (1916), Paris, Gallimard, 1983 (repris en collection L'Imaginaire en 1996).
Odes (1926), suivies de *Thibet,* Paris, Gallimard, Poésie/Gallimard, 1986, préface d'Henry Bouillier, établissement du texte de Michael Taylor.
Odes, Paris, éd. Chatelain-Julien, 1994. Fac-similé de l'édition originale.
Équipée (1929), Paris, Gallimard, coll. L'Imaginaire, 1983.
Briques et Tuiles (1967), Fontfroide, Fata Morgana, 1987 (rééd. 1995), coll. Bibliothèque artistique et littéraire.
Chine, la grande statuaire (1972), suivi de *Les Origines de la statuaire de Chine* (1976), Paris, Flammarion, coll. Champs, 1996.
Les Origines de la statuaire en Chine, Fontfroide, Fata Morgana, coll. Bibliothèque artistique et littéraire, 1987.
Imaginaires, Mortemart, Rougerie, 1972. [« Jardin mystérieux » est inspiré de Maurice Roy, comme *René Leys.*]
Le Fils du Ciel (1975), Paris, Garnier-Flammarion, coll. GF, 1985.
Essai sur l'Exotisme, Montpellier, Fata Morgana, 1979 (rééd. 1995), coll. Explorations.
Essai sur l'Exotisme, Paris, Livre de Poche, 1986, coll. Biblio Essais.

Correspondance

Lettres de Chine, Paris, Plon, 1967. Repris en collection 10/18.

Articles (en rapport avec René Leys*)*

« Chez le Président de la République chinoise » et « Une conversation avec Yuan Che-K'ai », in *René Leys*, édition critique, Chatelain-Julien, 1999 (*op. cit.*).

AUTOUR DE *RENÉ LEYS*

Ouvrages généraux

Bédouin, Jean-Louis, *Victor Segalen. Choix de textes de Victor Segalen*, Paris, Seghers, coll. Poètes d'aujourd'hui, n° 102, 1963.
Bouillier, Henry, *Victor Segalen*, Paris, Mercure de France, 1961, 1986 et 1995.
Courtot, Claude, *Victor Segalen*, Paris, Henri Veyrier, 1984.
Doumet, Christian, *Victor Segalen, l'origine et la distance*, Seyssel, éd. Champ Vallon, coll. Champs poétiques, 1993.
—, *Passage des oiseaux pihis*, Cognac, Le Temps qu'il fait, 1996. Photographies de Chine de Victor Segalen.
Jamin, Jean, *Exotisme et écriture, Sur Victor Segalen*, Qumran, Francfort et Paris, 1982.
Manceron, Gilles, *Segalen*, Paris, Jean-Claude Lattès, 1991.
Victor Segalen voyageur et visionnaire, éd. Mauricette Berne, catalogue de l'exposition tenue à la Bibliothèque nationale de France, 1999.

Choix d'articles

Bougnoux, Daniel, « Dix-neuf et un gongs pour boômer *René Leys* », in *Silex*, n° 1, 15 octobre 1976. Réédité in *Poétique de*

Segalen, Paris, éd. Chatelain-Julien et Daniel Bougnoux, 1999.

Cordonier, Noël, « Victor Segalen : de la quiétude à l'effroi géométrique », in *Échiquiers d'encre, Le Jeu d'échecs et les Lettres (XIXe-XXe s.)*, dir. J. Berchtold, Genève, Droz, 1998.

Formentelli, Éliane, « La marche du cavalier », in *Regard, espaces, signes, Victor Segalen*, Actes du colloque Victor Segalen des 2 et 3 novembre 1978. Paris, L'Asiathèque, 1979.

Loize, Jean, « Secrets d'un livre et de la Chine. Départs avec Victor Segalen », in *Cahiers du Sud*, 288, 1er trimestre 1948.

Manceron, Gilles, « Aux origines de *René Leys* », in *Europe*, no 696, avril 1987.

Glaudes, Pierre, « *René Leys* et le double-jeu », in Cahier de l'Herne *Victor Segalen*, Paris, L'Herne, 1998.

AUTOUR DE LA CHINE DE *RENÉ LEY*

Textes littéraires contemporains de Segalen

Claudel Paul, *Connaissance de l'Est*, Paris, Mercure de France, 1900, 1907 et 1960. Repris en coll. Poésie/Gallimard en 1974.

—, *Connaissance de l'Est*, Paris, éd. Chatelain-Julien, 1994, fac-similé de l'édition coréenne préparée par Segalen chez Crès en 1914.

Loti Pierre, *Les Derniers Jours de Pékin* (1902), in Pierre Loti, *Voyages (1872-1913)*, Paris, Robert Laffont, 1991, coll. Bouquins.

Malraux André, *La Condition humaine*, Paris, Gallimard, 1933.

Michaux Henri, *Idéogrammes en Chine*, Fata Morgana, 1975.

—, *Un barbare en Asie*, Paris, Gallimard, 1933, revue et corrigée en 1967, coll. L'Imaginaire.

Saint-John Perse, *Anabase* (1924), précédé d'*Éloges*, Paris, Gallimard, 1960, coll. Poésie/Gallimard.

Verne Jules, *Les Tribulations d'un Chinois en Chine* (1879), Livre de Poche (reprenant l'édition Hetzel), 1994.

Récits de voyage et témoignages d'époque

Beauvoir (comte de), *Pékin, Yeddo, San Francisco, Voyage autour du monde* (1872), Paris, Plon, 1902. [Le voyage date des années 1870. Description et plan de Pékin.]

Bourboulon Catherine de, *L'Asie cavalière, De Shang-haï à Moscou, 1860-1862*, Paris, Phébus, 1991. [Description de Pékin, de ses habitants, promenades à cheval et sur les remparts.]

Gilbert de Voisins Augusto, *Écrit en Chine* (1913), Paris, You-Feng, 1987. [Compagnon du premier voyage de Segalen en Chine, en 1909-1910. Plusieurs épisodes communs avec *René Leys*, notamment la visite de « Dame Wang ».]

Johnston Reginald F., *Au cœur de la Cité Interdite* (1934), Paris, Mercure de France, coll. Le Temps retrouvé, 1995. [Johnston est le célèbre précepteur britannique de Puyi, le dernier empereur de Chine. Sur la Cité interdite, ses rites et la chute des Qing vue de Pékin.]

Le Voyage en Chine, Anthologie des voyageurs occidentaux du Moyen Âge à la chute de l'Empire chinois, rassemblée par Ninette Boothroyd et Muriel Détrie, Paris, Robert Laffont, coll. Bouquins, 1992.

Les Grands Dossiers de l'Illustration, La Chine, Histoire d'un siècle, 1843-1944, Le Livre de Paris, SEFAG & L'Illustration, 1987.

Matignon (docteur J.-J.), *La Chine hermétique, Superstitions, Crime et Misère (Souvenirs de biologie sociale)*, Paris, Librairie orientaliste Paul Geuthner, 1936 (première édition : 1898). [Matignon était médecin de la Légation de France pendant les Boxers. Notes sur les mœurs chinoises, les maladies et les névroses — pages sur le statut des femmes chinoises, sur l'homosexualité et sur le suicide (à la feuille d'or notamment).]

Mémoires dans la Cité interdite, diptyque composé de : Dan Shi, *Mémoires d'un eunuque dans la Cité interdite*, Arles, Picquier, 1991 (édition de poche 1995). Et de Jin Yi, *Mémoires d'une dame de cour dans la Cité interdite*, Arles, Picquier, 1994. [Documents très précieux sur le fonctionnement interne de la Cité interdite et sur les personnalités des derniers habitants impériaux : Cixi, Guangxu, Longyu, le Régent ou Puyi.]

Pelliot Paul, *Carnets de Pékin, 1899-1901*, Paris, Imprimerie Nationale, Documents inédits du Collège de France, 1976. [Un récit de l'épisode des Boxers et de l'épopée des « Cinquante-cinq jours de Pékin » dans les Légations.]

Polo Marco, *La Description du monde*, Paris, UGE, 1998, coll. Livre de Poche (édition présentée par P.-Y. Badel).

—, *Le Devisement du monde, Le Livre des merveilles*, Paris, Phébus, 1996.

Rodes Jean, *La Chine nouvelle*, Paris, Librairie Félix Alcan, 1910. [Journaliste au *Temps* connu de Segalen, dont les analyses sur la Chine des derniers Qing reflètent à la fois la vision des Européens, et celle de Segalen. Portraits des protagonistes impériaux.]

—, *Les Chinois, Essai de psychologie ethnographique*, Paris, Librairie Félix Alcan, 1923.

Soulié de Morant G., *T'seu-Hsi, Impératrice des Boxers (1834-1908)*, You-Feng, Paris, 1997. [Récit à sensation de la vie de Cixi : l'histoire chinoise vue depuis les secrets impénétrables des alcôves de la Cité interdite, dont plusieurs épisodes se retrouvent dans *René Leys*.]

Vissière Arnold, *Premières leçons de chinois, Langue mandarinale de Pékin*, Leyde, Brill, 1909. [La méthode de chinois suivie par Segalen et le narrateur.]

Histoire et description de la Chine

Béguin Gilles et Morel Dominique, *La Cité interdite des Fils du Ciel*, Paris, Gallimard, 1996, coll. Découvertes (Histoire).

Bianco Lucien, *Les Origines de la Révolution chinoise (1915-1949)*, Paris, Gallimard, 1967, coll. Folio Histoire.

Darrobers Roger, *Le Théâtre chinois*, Paris, P.U.F., 1995, coll. Que sais-je ?

Dictionnaire de la civilisation chinoise, Paris, Encyclopædia Universalis et Albin Michel, 1998. Préface de Jacques Gernet.

Favier, Mgr, *Péking, histoire et description*, Lille, Desclée De Brouwer, 1900. [C'était la référence de Segalen.]

Gernet Jacques, *Le Monde chinois*, Paris, Colin, 1972.

Granet Marcel, *La Civilisation chinoise*, La Renaissance du

Livre, 1929, repris chez Albin Michel en 1968. Édition de poche Albin Michel, coll. Évolution de l'Humanité, 1988.
—, *La Pensée chinoise*, La Renaissance du Livre, 1934, repris chez Albin Michel en 1968. Édition de poche Albin Michel, coll. Évolution de l'Humanité, 1988.
Guide bleu de la Chine, Hachette, 1989-1992.
*La Chine au XX*e *siècle*, tome 1 : *D'une révolution à l'autre (1895-1949)*, sous la direction de Marie-Claire Bergère, Lucien Bianco et Jürgen Domes, Paris, Fayard, 1989.
La Cité interdite, Vie publique et privée des empereurs de Chine, 1644-1911, catalogue de l'exposition tenue au musée du Petit Palais du 9 novembre 1996 au 23 février 1997, Paris-Musées, 1996.
La Révolution de 1911, par le comité de rédaction de la collection « Histoire moderne de la Chine », Édition en langues étrangères, Pékin, 1978. [Interprétation maoïste de la révolution.]
Leys Simon, *Essais sur la Chine*, Paris, Robert Laffont, 1998, coll. Bouquins.
Pimpaneau Jacques, *Chine : culture et tradition*, Arles, Ph. Picquier, 1988.
—, *Histoire de la littérature chinoise*, Arles, Ph. Picquier, 1989.

Classiques chinois

Anthologie de la poésie chinoise classique, sous la direction de Paul Demiéville, Paris, Gallimard, 1962, coll. Poésie/Gallimard.
Cheng François, *L'Écriture poétique chinoise*, suivi d'une *Anthologie des poèmes des Tang*, Paris, Seuil, 1977, 1982 et 1996, coll. Points Essais.
Confucius, *Entretiens*, traduits par Anne Cheng, Paris, Seuil, 1981, coll. Points Sagesse.
Lao-Tseu (Laozi), *Tao-tö king*, Paris, Gallimard, 1967, coll. Connaissance de l'Orient.
Philosophes taoïstes : Lao-tseu, Tchouang-tseu, Lie-tseu, Paris, Gallimard, 1980, Bibliothèque de la Pléiade.
Tchouang-Tseu (Zhuangzi), *Œuvre complète*, Paris, Gallimard, 1969, coll. Connaissance de l'Orient.

Filmographie indicative

Les Cinquante-cinq Jours de Pékin, de Nicholas Ray (1963) [sur les Boxers, Cixi et les Légations].

Le Dernier Empereur, de Bernardo Bertolucci (1987) [sur Puyi et la Cité interdite].

Épouses et concubines, de Zhang Yimou (1991) [sur le statut des concubines dans les familles des riches Chinois].

Adieu ma concubine, de Chen Kaige (1993) [sur l'opéra de Pékin et les activités des quartiers interlopes durant les évolutions majeures du XXe siècle].

Fleurs de Shanghai, de Hou Hsiao-hsien (1998) [sur les maisons des courtisanes et prostituées chinoises dans la seconde moitié du XIXe siècle].

On n'oubliera pas l'excellent CD-Rom *Chine, Intrigue dans la Cité interdite*, jeu éducatif et visite intelligente, édité par la Réunion des Musées nationaux (Canal+ Multimédia et Cryo Interactive Entertainment, 1998).

NOTES

Page 35.

1. La première page du manuscrit de *René Leys* comporte cette indication : « Repris à Brest le 13 avril 1916 ». La dernière page mentionnera : « Kerascol, 29 août 16 ». C'est entre ces deux dates que fut rédigé *René Leys* pour la dernière fois (un premier manuscrit avait été écrit en 1913-1914, puis corrigé et remanié). Segalen étant décédé avant d'avoir édité son roman, ce second manuscrit est donc l'état définitif du texte ; et bien qu'il soit inachevé, il est tout à fait lisible. Notre établissement respecte donc la lettre de ce manuscrit de 1916.

L'épigraphe chinoise de la page suivante est une fantaisie de Segalen, composée à partir d'éléments disparates empruntés aux idéogrammes chinois : le premier caractère désigne un homme, un individu (*ren*) ; le second est composé de l'élément grand (*da*) — lui-même très lié au premier caractère, puisqu'il ne lui rajoute qu'un trait horizontal —, inséré dans la « clef » désignant la maison, l'intérieur, le dedans. Segalen traduisait ainsi ce rébus : « être mis grandement Dedans ».

Nous laissons à l'épigraphe et à la dédicace leur caractère mystérieux : elles prendront sens au cours du roman.

Page 39.

1. *Pei-King, 20 MARS 1911* : Pei-King est l'ancienne transcription de l'École Française d'Extrême-Orient (EFEO) désignant Pékin ; on utiliserait aujourd'hui le pinyin *Beijing* pour signaler le désir d'être au plus près de la prononciation et de

la culture chinoises. Segalen utilise aussi parfois la traduction littérale, Capitale du Nord, ou la francisation courante à l'époque, Péking.

La première date de ce journal, le 20 mars 1911, est la seule que Segalen ait mentionnée dans son manuscrit. Il commence ensuite ses chapitres, ou plutôt ses séquences, par des croix (des X majuscules) et des points de suspension. Nous avons repris et unifié cette présentation, contrairement aux éditions précédentes qui s'étaient fondées sur une chronologie postérieure, composée par Jean Lartigue, ami intime de Segalen et premier éditeur de *René Leys* après la mort de l'écrivain. Mais cette chronologie ne fait pas autorité : elle n'est pas de l'auteur, elle est fausse par endroits et de toute façon impossible (certaines incohérences viennent de l'organisation du récit lui-même).

2. *Documents dits humains* : allusion au roman naturaliste, que Segalen connaissait bien pour y avoir consacré ses premières recherches (*Les Cliniciens ès lettres*), et qui agissait comme repoussoir dans sa propre investigation créatrice. La citation est d'Edmond de Goncourt, dans la préface de *La Faustin* : « Je veux faire un roman bâti sur documents humains. »

3. *Un chef-d'œuvre de réalisation mystérieuse* : la ville de Pékin, dont Segalen fait ici une description presque onirique — mais entièrement vraie — était en soi un lieu particulier et symbolique, par son urbanisme et sa réalité chinoise déjà mythique d'une part, et par la stratification immémoriale des descriptions faites par les voyageurs occidentaux antérieurs à Segalen d'autre part. Nous renvoyons à l'Annexe II pour un descriptif de cette ville et de ses représentations.

Précisons cependant dès cet instant l'organisation homothétique des quartiers de Pékin, car les allusions à la « triple cité » ou aux « quatre villes » qui la composent reviennent constamment dans *René Leys* : la Cité interdite (ou Ville violette) est le centre névralgique, le milieu, le « Dedans » réservé à l'empereur — elle est d'ailleurs elle-même séparée en deux espaces, l'un ouvert sur l'Empire (le *waichao*), l'autre entièrement interdit à ce qui n'est pas la vie intime du monarque (le *neichao*) ; elle est entourée de la Ville impériale (ou Ville jaune) qui abritait les villégiatures, parcs, lacs et temples de la famille impériale, ainsi que la Montagne de Charbon ; autour de cet ensemble interdit au commun des mortels, la Ville tartare (ou mandchoue) est le lieu réservé aux conquérants de l'empire du Milieu; ses murailles imposantes délimitent une quatrième ville, au sud, la Ville chinoise, commerçante et beaucoup plus anarchique dans sa composition spatiale.

Page 40.

1. *Kouang-Siu,* ou Guangxu (1871-1908) : il règne à partir de 1875, d'abord sous la régence de Cixi (T'seu-hi) — âgé de quatre ans, il lui faut attendre avant d'avoir effectivement un pouvoir de décision. Du 11 juin au 21 septembre 1898, il prend le sort du pays en main, en tentant la Réforme des Cent Jours : il écarte sa tante du pouvoir et prend conseil auprès de Kang Youwei, grand lettré et réformiste légaliste notoire. Ce dernier propose une longue série de réformes. Cixi, affolée, reprend le pouvoir par un coup d'État violent, grâce à l'aide de Yuan Shikai qui trahit Guangxu. Elle déclare son neveu fou et l'enferme dans l'île de Yingtai, dans la Mer du Sud (Nanhai). La guerre des Boxers est un autre épisode de son règne, mais il était alors complètement écarté du pouvoir, et cela jusqu'à la fin de ses jours. Lors de la fuite de la cour, en 1900, Cixi fit tuer, dit-on, sa concubine préférée, qui le soutenait et cherchait à le faire revenir au pouvoir. Les écrits des journalistes européens ou des témoins de sa vie dans le Palais impérial concordent dans leur description des journées de Guangxu à ce moment de son existence. Ses troubles comportementaux semblent avoir été importants, et sa mésentente avec son épouse Xiaoding, future Longyu, était légendaire. Il mourut mystérieusement, sans doute empoisonné par Cixi agonisante. Sa figure fascina de nombreux Occidentaux, tant par sa neurasthénie chronique, image d'une décadence à la des Esseintes, que par sa stature de martyr immolé aux désirs tyranniques de sa tante. Son réformisme éclairé, tué dans l'œuf, rejaillit aussi sur un certain nombre de comportements au moment de la Révolution : beaucoup de Chinois croyaient possible une monarchie éclairée et constitutionnelle. Il fut considéré souvent comme le véritable dernier empereur de Chine, Puyi n'ayant de fait jamais régné en Chine. Segalen éprouvait une fascination mais surtout une sorte de tendresse

à son égard : c'est sa figure que l'on trouve ici, à l'ouverture de *René Leys*; mais c'est *Le Fils du Ciel* qui en fait son personnage principal.

2. *Son nom de vivant mais indicible*: le nom personnel de l'empereur devenait tabou dès qu'il accédait au trône car il prenait un nouveau nom, emblématique de son règne. Il était alors interdit de s'adresser directement à lui puisque, outre l'étiquette, d'une certaine manière il se confondait avec sa « période », la Chine, ses ancêtres et le Ciel. On utilisait alors des circonlocutions qui fluctuaient selon le rang, le degré de proximité familiale et le type de demande qu'on lui adressait. Le roman en offre un large éventail par la suite. L'habitude se conservait même lorsqu'il n'était pas présent et il était d'usage d'esquisser un geste de salut impérial pour le désigner, dans une sorte de périphrase gestuelle.

Page 41.

1. *Holocauste médiateur entre le Ciel et le Peuple sur la terr*e : Fils du Ciel, l'empereur de Chine était jadis considéré comme l'héritier incarné sur terre de l'esprit de ses ancêtres divinisés. Cette imbrication du politique et du sacré s'est peu à peu transformée en vision cosmologique d'un empereur détenteur de la force symbolique du Ciel, lieu des esprits et de l'esprit. Ainsi l'empereur est-il à la fois consacré par son ascendance et sa protection divine, et a-t-il une mission définie, qui est d'être justement l'intermédiaire entre la Terre et le Ciel, entre les hommes et les esprits. Dépositaire d'un *mandat* du Ciel (le *tianming*), d'une mission d'intermédiaire, l'empereur gouverne donc la Terre en fonction de ce mandat, et tant que le Ciel le lui accorde. Battu et renversé, l'empereur était considéré par les Chinois comme répudié par les esprits : car s'il avait pu être mis à bas, c'est qu'il n'était plus protégé par le Ciel, qui n'aurait pas permis qu'on le destitue s'il avait respecté son mandat.

2. *Dedans* est la traduction du terme chinois désignant le Palais, la Cité interdite : *Danei* (Ta-Neï), c'est-à-dire le grand intérieur.

3. La *Rue des Légations* était le quartier où se situaient les ambassades étrangères, dans l'enceinte de la Ville tartare, au sud-est de la Cité interdite. Il bénéficiait d'un statut spécifique

d'exterritorialité (acquis après les guerres sino-occidentales) et concentrait la plupart des étrangers résidents de Pékin. Sa physionomie était très différente du reste de la capitale : électrifié, il abritait des constructions à l'européenne, des bâtiments de la Poste et le fameux Hôtel des Wagons-Lits.

Page 42.

1. *Trois fois trois prosternations* : le salut devant l'empereur, le *koutou* — que Segalen traduit aussi par la « grande humiliation prosternée » — consistait en trois agenouillements successifs, chaque agenouillement étant constitué de trois mouvements de prosternation à terre (il fallait frapper le sol de son front assez fort pour que l'empereur l'entende).

Page 45.

1. Le *tael* (ou taël) était la monnaie chinoise impériale, étalonnée sur l'argent contrairement à la plupart des monnaies. Segalen en fait ainsi une monnaie noble, singulière et symbolique (la forme de ses lingots était aussi particulière). À la Belle Époque, le tael vaut trois francs et soixante centimes (taux donné par Segalen dans les marges du manuscrit). Pour information, la solde de Segalen en tant que médecin de marine était d'environ deux cent cinquante francs par mois au moment de son séjour en Polynésie.

Page 46.

1. *Compromis dans les affaires des Boxers* : à la suite des massacres que les Boxers ont perpétrés sur les Européens, et notamment sur les catholiques, et après la victoire définitive des Alliés, certains Chinois compromis se sont abrités derrière une conversion opportuniste de façade, afin de n'être pas inquiétés par le ressentiment des Occidentaux, sûrs de leur droit et devenus vindicatifs à l'égard des rebelles chinois. L'épisode des Boxers marquait encore profondément la réalité chinoise autour de 1910-1911.

Les *Boxers :* dès 1898, un violent mécontentement parcourt le peuple chinois ; une des branches de l'ancienne société du Lotus Blanc est en plein essor, c'est le Yihequan (« Les Poings d'Harmonie et de Justice ») connu par les Occidentaux sous le nom de Boxeurs (ou Boxers, comme on l'écrivait souvent à l'époque, à la suite des premiers journalistes anglais qui en parlèrent), car ils pratiquaient une sorte de boxe dans leurs rituels. Violemment xénophobes, ils sont soutenus par une majorité à la cour et l'impératrice Cixi, en sous-main, encourage la révolte contre les « Diables étrangers », transformant leurs revendications en croisade mystique et nationale. L'aspect des rituels boxers, de leurs processions, de leurs drapeaux, de leurs orchestres de percussion qui rythmaient les orgies sanguinaires des adeptes au moment de la guerre a été sans doute ce qui a le plus impressionné les Européens. Pirates sans quartier, « les Boxers arboraient partout des drapeaux rouges ornés de grands caractères noirs : "Hou-ts'ing mie yang", "Protéger la dynastie, Exterminer les étrangers" » (Soulié de Morant, *T'seu-Hsi, Impératrice des Boxers,* éditions You-Feng, 1997, p. 166). En juin 1900 les Boxers mènent une attaque générale sur Tianjin, Pékin et à travers tout le pays, attaquant les gares, les installations télégraphiques, des Européens isolés et les Chinois de confession chrétienne ; ils incendient les églises. Tianjin envoie une colonne de secours le 11 juin ; mais, battue, celle-ci doit se replier. Le 15 juin, à Pékin, les chrétiens chinois sont massacrés. Le 17 les Boxers s'en prennent à la gare de Pékin. Le 20, l'ambassadeur d'Allemagne Von Kettler (ou Ketteler), qui venait en parlementaire, est assassiné dans la rue. C'est le soulèvement et l'indignation chez les Occidentaux. Les troupes régulières chinoises se joignent aux Boxers. Le chemin de fer de Mandchourie est détruit. Attaques générales à Pékin. Le 23, les Légations sont cernées, bombardées et incendiées. Les Occidentaux s'y barricadent. Ce sont les fameux « cinquante-cinq jours de Pékin ». Un corps expéditionnaire (formé des nations occidentales et des Japonais), dirigé par l'Allemand Waldersee, marche sur Pékin où il n'entre que deux mois plus tard (le 14 août 1900). La capitale est pillée. La Cour s'enfuit au Shenxi, à Xian. Elle ne rentre à Pékin que bien plus tard, après avoir signé le protocole final du 7 septembre 1901.

Le mouvement boxer fut meurtrier, visant tout particulièrement les manifestations de colonisation religieuse et culturelle, comme les couvents et les monastères. À l'inverse, les Occidentaux triomphants profitèrent de leur victoire, et de la position affaiblie de Cixi, qui était par trop impliquée dans cette histoire, pour avoir des exigences pyramidales (indemnités de guerre, exterritorialités, concessions commerciales, etc.) et se livrer à une chasse aux sorcières, dont *René Leys* se fait l'écho dans la personne de maître Wang, obligé de s'inventer un passé *orthodoxe.*

2. *Hien-Fong,* ou Xianfeng (1831-1861), fut empereur à partir de 1851, au moment des guerres de l'opium et de la révolte des Taiping. Pendant l'invasion franco-anglaise qui devait aboutir au sac du Palais d'Été, il s'enfuit et mourut au cours de cette retraite. Cela permit à Cixi (Tseu-hi), sa concubine impériale, d'imposer son fils, Tongzhi (T'ong-tche) sur le trône, et de régner *de facto* jusqu'à sa mort en 1908.

3. *C'est un « Chinois des Bannières », le descendant de ces vaillants fils de Han, ralliés précocement aux Mandchous.*

L'appellation *fils de Han* est synonyme de Chinois (on dit d'ailleurs, pour parler d'un Chinois, un *hanren,* un « homme de Han »), et s'oppose souvent à Mandchou. Il s'agit, en fait, d'une référence à la période Han (entre 206 avant et 220 après J.-C.), qui apparut aux Chinois comme la dynastie fondatrice, proprement chinoise et pas encore sous influence bouddhique ou mongole. Les Chinois se désignèrent par la suite eux-mêmes par ce nom : *hanzi* (fils de Han).

Les *Huit Bannières* correspondent aux divisions sociotribales et militaires originelles de l'armée mandchoue quand elle conquit la Chine. Elles sont appelées ainsi à cause de leur emblème et les armures des soldats mandchous étaient de la même couleur que leur *bannière.* À ces huit bannières originelles s'était ajouté un certain nombre d'autres contingents, mandchous ou de culture différente, mais descendre des huit bannières légendaires était un signe de noblesse incommensurable.

Rappelons que la Chine fut envahie par les Mandchous en 1644; ils fondèrent la dynastie Qing (les Purs) et imposèrent au sommet de l'État une élite militaire et politique fondée sur des critères raciaux. Mandchous et Chinois (*hanren*) se trouvent souvent opposés dans *René Leys,* à partir des motifs de cette conquête épique et de la position conquérante des envahisseurs, face à l'acceptation peu honorable de la colonisation par les Célestes.

Le professeur appartient à l'ethnie chinoise, mais à une

frange qui s'est historiquement ralliée dès l'origine aux conquérants — alors qu'une grande partie des Chinois fiers du Nord ont refusé le métissage et se sont soumis sans se mêler aux Tartares. L'expression « vaillants fils de Han, ralliés précocement aux Mandchous » est donc un paradoxe qui situe le professeur dans une généalogie peu virile et pour tout dire un peu traîtresse, ce qui reprend le motif du ralliement opportuniste du professeur, ancien Boxer, au catholicisme.

Page 48.

1. Le *Ministère des Voies et Communications* s'occupait essentiellement de l'infrastructure des routes, des canaux et des chemins de fer.

2. Les *hou-t'ong* (*hutong*) sont des ruelles très étroites et sinueuses qui s'entremêlent dans les quartiers délimités par les grandes avenues rectilignes du tracé urbain. C'est un élément typique et pittoresque du Pékin ancien.

Page 49.

1. *L'Observatoire* (lieu des célèbres savants jésuites des XVIIe et XVIIIe siècles, comme Ricci, Schall ou Verbiest) est situé dans le coin sud-est de la Ville tartare, en dehors du quartier des Légations où logeait la très grande majorité des Occidentaux à Pékin — d'où l'adjectif « excentrique ».

Page 52.

1. La *cangue* est le supplice mineur chinois par excellence, et sa représentation envahit régulièrement les livres, articles de journaux ou films : il s'agit de coincer dans une planche en bois le cou et les deux mains du délinquant, qui erre alors dans les rues, portant le signe de son infamie et ne dépendant que de la charité publique, puisqu'il ne peut pas manger seul.

Page 54.

1. *Ts'ien-men* (Qianmen) était la porte la plus imposante de Pékin, située dans la muraille tartare. C'est là que se situe aujourd'hui la place T'ian-anmen.

Elle formait un véritable bâtiment, construit autour d'un

espace libre agrémenté de temples, dans lequel on entrait et qui formait une sorte d'entonnoir jusqu'à trois ouvertures (portes). Celle du centre était réservée à l'empereur puisque dans ses sorties de la Cité interdite, que ce soit pour les libations annuelles au Temple du Ciel et au Temple de l'Agriculture ou pour les visites de son royaume, il empruntait « l'axe magnétique et impérial » nord-sud. Par ailleurs Qianmen séparait l'espace *intérieur* (la Ville tartare, au milieu de laquelle se situe la Ville interdite) de l'espace *extérieur*, Ville chinoise et pays dans son ensemble, désignés sous l'appellation polysémique de « Ts'ien-men-waï » (Qianmenwai), le *dehors* de la porte Ts'ien-men. « Ts'ien-men-waï » désigne aussi plus spécifiquement les quartiers de plaisir situés dans la Ville chinoise, où le narrateur se rendra régulièrement dans la suite du roman.

Qianmen était aussi imposante matériellement, physiquement, monumentalement que symboliquement.

2. Il s'agit ici de la Ville impériale, composée de jardins émaillés de temples et de palais, et surtout des trois lacs (ou mers) : Nanhai, Zhonghai et Beihai où se situe l'Île des Hortensias, sur laquelle fut érigé le Baita (voir la note 3 page 56).

Page 56.

1. *Si-houa-men* : Xihuamen, la porte ouest de l'enceinte de la Ville impériale.

2. *La Ville Impériale, l'habitat maintenant ouvert à tous les premiers conquérants* : au départ, l'accès de la Ville impériale était refusé à tous les étrangers. À la suite des conflits qui les opposèrent à la Chine durant le XIXe siècle, les Occidentaux purent pénétrer dans cet espace, d'abord en l'envahissant puis en obtenant d'y installer des bâtiments occidentaux, par exemple une cathédrale, le Beitang (située à l'endroit où passe le narrateur, justement).

3. La *Tour Blanche* est le dagoba érigé sur l'Île des Hortensias.

Le *dagoba* est, d'une manière générale, une construction religieuse, dont la forme est en fait empruntée au Tibet, déjà imitateur de l'Inde. C'est un monument bouddhiste en forme de tumulus, contenant des reliques, mais qui peut aussi être simplement commémoratif. *Stupa* est un terme indien, qui, importé en Chine, a donné lieu à ce qu'on désigne le plus souvent sous le nom de pagode, c'est-à-dire une sorte de tour composée de plusieurs étages (qui sont des toits superposés), associée également aux sanctuaires bouddhistes. On parle, en chinois de *ta;* d'où Baita, ou Pei-t'a : tour blanche, de *bai* : blanc et *ta* : tour, pagode.

Le dagoba blanc fut construit en 1652 sous le règne de Kangxi (1662-1723) lors de la première venue du dalaï-lama à Pékin. Il est composé d'une terrasse carrée, d'une base à plusieurs étages, d'une partie centrale de forme outrepassée et d'une flèche à son sommet qui porte le « disque du Ciel et de la Terre ». Cela ressemble à une sorte d'obélisque convexe (« le gros bulbe ventru » dont parle le narrateur), et contient une statue de Bouddha (Fô, en chinois). Mgr Favier, évêque de Pékin au tournant du siècle et auteur d'un guide renommé sur la capitale, disait de lui : « On regarde cette tour blanche comme le palladium de l'empire. »

Pour Segalen l'origine hindoue de l'architecture de ce monument, et de tout ce qui relevait du bouddhisme en général, constituait un facteur de rejet. Cette religion, cette philosophie et cette esthétique lui semblaient importées, non authentiquement chinoises (voir *Chine, la grande statuaire*, où il parle de « l'hérésie bouddhique »).

Page 57.

1. Pour un repérage du chemin suivi par le narrateur jusqu'à cet endroit, voir le plan p. 361 : il part de sa maison (coin sud-est de la Ville tartare) et longe la muraille sud en passant entre Qianmen (Ts'ien-men), qui sépare la Ville tartare de la Ville chinoise, et Daqingmen (Ta-Ts'ing-men), qui est l'entrée sud de la Ville impériale ; puis il longe la Ville impériale dans sa partie sud, et ses lacs à l'ouest en remontant vers le nord, et s'engouffre dans la Ville impériale par la porte ouest Xihuamen (Si-houa-men). Entré dans la Ville jaune, il part vers l'est, c'est-à-dire vers la Cité interdite en voyant le Baita (« Tour Blanche »), puis il longe les murailles de la Cité interdite de nouveau vers le nord. C'est au coin nord-ouest de la Cité interdite qu'il rencontre son professeur.

2. Le *Pavillon d'angle* (*jialou*) désigne les bâtiments de guet

situés aux coins ou au-dessus des portes de la muraille tartare. Ici, celui du coin sud-est.

Page 58.

1. *Caprioles*: sic. Le néologisme est sans doute formé du télescopage entre *cabriole* et *caprice* — et rappelle l'adjectif *capricant* ainsi que son étymon *capra*, la chèvre.

Page 59.

1. « Montagne de Charbon » : Meishan, en chinois. On l'appelle aussi « Montagne du Paysage » (Jingshan) — de là « Montagne de la Contemplation ». Elle devrait son nom à l'existence d'un dépôt de charbon à son pied. Érigée sous Yongle des Ming, avec la terre provenant des travaux exécutés pour l'aménagement des lacs, elle se dresse juste derrière le Palais impérial, au nord, dans l'enceinte de la Ville impériale, et compte cinq pavillons rebâtis sous Qianlong (1736-1795). À l'extrême est de la Colline de Charbon, au pied d'un pavillon, se trouve l'arbre auquel Chongzhen, le dernier empereur Ming, se serait pendu le 17 mars 1644 au moment de l'invasion mandchoue. Cet arbre fut ensuite enchaîné, en punition. *Peintures* met en poème ce sacrifice funèbre qui équivaut en même temps, et paradoxalement, à une « Libération des Ming ».

Le Meishan était, avec le Temple du Ciel, un des endroits de Pékin qui avaient le plus frappé l'*exotisme* de Segalen.

2. Le *Kien-tsin-tien* (Qianqingdian ?) n'existe pas à proprement parler dans la Cité interdite. Cependant, il existe Qianqingmen, c'est-à-dire une « Porte de la Pureté Céleste », qui délimite la Cour extérieure (waichao), où l'empereur trônait, de la Cour intérieure (neichao). Le Palais de la Pureté Céleste, qui est installé au milieu de cet ensemble s'appelle le Qianqinggong. Or, si *gong* signifie palais, *dian* signifie à la fois temple et salle ; bref, le Kien-tsin-tien, s'il désigne quelque chose, semble bien être l'appellation erronée du Qianqinggong, milieu du milieu du Palais. L'hésitation graphique de Segalen sur le manuscrit semblerait montrer que l'auteur n'était pas sûr de son terme, et il est probable qu'il l'a recomposé lui-même, de mémoire. Cependant, il ne faut pas écarter

la possibilité, non pas d'une simple erreur, mais d'une falsification intentionnelle de la part de Segalen.

Page 60.

1. *Prince Lang*: il existait plusieurs vieilles familles mandchoues apparentées à la famille impériale, appelées selon les transcriptions flottantes Lang, Liang ou Leang. Mais il a été impossible d'identifier ce personnage précis, vraisemblablement influent dans le Pékin des années 1910.

Page 62.

1. En marge de ce paragraphe, dans le manuscrit, Segalen a noté : *Claudel.* Il voulait sans doute faire référence à la fin du poème « Ville la nuit » dans *Connaissance de l'Est,* dont il était un très grand admirateur. Après une description ambulatoire des quartiers grouillants et nocturnes d'une ville chinoise du Sud, le poème s'achève par : « Et c'est, en effet, de tout le passé que j'eus l'éblouissement de sortir, quand, dans le tohu-bohu des brouettes et des chaises à porteur, au milieu des lépreux et des convulsionnaires franchissant la double poterne, je vis éclater les lampes électriques de la Concession. » (Poésie/Gallimard, p. 36-37). On peut aussi penser à l'électrification du cocotier claudélien de *Connaissance de l'Est,* que Segalen décrit dans les *Lettres de Chine* (10/18, p. 30).

Page 64

1. Les *Cinq Relations* sont les *Wulun* (ou cinq relations sociales) : prince/sujet, père/fils, aîné/cadet, mari/femme, amis. Rappelons que Segalen en a fait le titre d'une de ses stèles.

Les *Trente-six vertus* n'existent pas telles quelles : trente-six, en chinois, est une expression signifiant un ensemble. Ici, les « Trente-six vertus obligatoires » semblent donc désigner emphatiquement le grand nombre de qualités que doit posséder l'honnête homme confucéen. Par ailleurs, il existe bel et bien une liste de vertus canoniques, ce sont les *Wuchang* (les cinq vertus fondamentales) : humanité, justice, bienséance, sagesse et sincérité.

Segalen évoque ici des notions fondamentales de l'apprentissage de la langue et de la civilisation chinoises, montrant ainsi le côté débutant et néophyte du narrateur, en même temps qu'il fait un clin d'œil distancié à cette liste un peu trop ordonnée.

Page 66.

1. *Huit Bannières*: voir la note 3 page 46. Ce sont les bannières mandchoues d'origine, les castes de la plus vieille noblesse mandchoue.

2. Les *Pao-Yi* (Baoyi) sont, à l'origine, des Chinois qui contribuèrent à la victoire des Mandchous sur la Chine au XVIIe siècle. Durant la conquête tartare, il se trouva des généraux et des lettrés (connaissant à la fois le chinois et le mandchou) qui collaborèrent avec les vainqueurs. Ils furent incorporés dans les Bannières et quelquefois rattachés à la famille des empereurs Qing. Les Mandchous les appelèrent *booi*, « gens de la maison » (en chinois, *baoyi*) et les gardèrent à leur service de génération en génération. Les baoyi jouèrent au XVIIe siècle et au XVIIIe siècle un rôle d'informateurs auprès des Mandchous et d'intermédiaires avec les élites chinoises. Ils étaient chargés de l'administration intérieure du Palais et du contrôle des ateliers qui fournissaient la Cour en produits de luxe. C'est pour cela qu'ils sont à la fois « esclaves » (Chinois sujets des envahisseurs mandchous) et intégrés aux régiments historiques des Conquérants, les Bannières.

Page 67.

1. *Dans un salut mandchou, — non chinois*: le narrateur insiste sur cette caractérisque car Wang est chinois, et non mandchou (bien que son épouse le soit) ; René Leys est européen (mi-belge, mi-français). Ils sont donc tous deux parfaitement au fait des coutumes mandchoues dominantes.

Page 68.

1. Un *yamen* désigne habituellement un bâtiment officiel où siège un représentant de l'État, ministre, préfet ou équivalent chinois du maire. Ici, et ailleurs dans *René Leys*, il est utilisé pour désigner une construction authentiquement chinoise — par opposition aux bâtisses occidentales —, c'est-à-dire en

englobant souvent aussi les maisons individuelles typiques du vieux Pékin, les *siheyuan.* C'est dans ce genre de construction que le narrateur s'est installé, admiratif de la répartition en différentes cours intérieures, sur un plan carré, de bâtiments d'un niveau seulement, dont les pièces sont réparties et séparées à l'aide de cloisons fines, souvent mobiles et tendues de papier.

Page 69.

1. *Embus :* sic. La métaphore est picturale.

Page 72.

1. Les *maisons de thé* étaient une particularité chinoise, sou vent mentionnée par les voyageurs. C'étaient des lieux où les clients pouvaient, tout en buvant leur thé, déguster quelques plats et assister à un spectacle. Des chanteurs, des bateleurs, des lutteurs et des acteurs (jouant des dialogues comiques ou des pièces d'opéra) se produisaient sur leurs scènes. Leurs dimensions variaient, les plus grandes pouvant abriter un théâtre. À l'orchestre ou *étang* les spectateurs étaient assis sur des bancs autour de longues tables. Sur les murs de la salle courait une galerie avec des places pour les personnages importants et des loges réservées aux femmes, qui pouvaient se fermer par un rideau. Le public était très mêlé et l'on y reconnaissait toutes les classes de la population. L'atmosphère était bruyante et animée : les serveurs parcouraient la salle pour apporter le thé, vendre des fruits séchés, des cacahuètes, les programmes ; des marchands ambulants proposaient des objets. Les maisons de thé étaient aussi, pour les Européens notamment, l'antichambre des maisons closes ou des fumeries d'opium. Elles étaient donc à la fois considérées comme des lieux de spectacle et de sociabilité, et comme des lieux de perdition.

Page 75.

1. L'empereur est Kouang-siu (Guangxu).

Le *Temple du Ciel* est situé au sud-est de la Ville chinoise, en face du Temple de l'Agriculture par rapport à l'axe central

C'est en fait tout un périmètre sacré, avec un parc, entouré par un mur de six kilomètres environ.

L'empereur y accomplissait, chaque année, deux cérémonies. La première avait lieu au solstice d'hiver : après trois jours de jeûne, il se rendait au Temple du Ciel pour accomplir le « Sacrifice de la Banlieue ». Il empruntait l'axe impérial, « magnétique », qui va de la Cité interdite vers le sud. Dans ces grandes occasions, la garde et la noblesse faisaient cortège autour de l'empereur, qui passait au milieu des rues barrées, réservées à son seul passage. La seconde cérémonie avait lieu le quinzième jour du premier mois de l'année lunaire. L'empereur se rendait au Temple de la Prière pour de Bonnes Moissons afin de rendre hommage au Ciel, d'obtenir sa confiance et de bonnes récoltes. Il priait le Ciel devant les tablettes des dieux célestes et des ancêtres impériaux.

Ces cérémonies réservées à l'empereur visent, depuis l'antiquité, à faire concorder les travaux de la vie humaine avec le cours de la nature. Le Temple du Ciel est « la transposition spatiale d'un concept d'organisation du monde, à la fois cosmogonique et politique, sur lequel a reposé la légitimité impériale » depuis l'origine. L'empereur, Fils du Ciel, représentant des hommes entre le Ciel et la Terre, aménageait l'espace et le temps, avec le calendrier ; la société, en octroyant titres et rangs ; le sacré, avec la publication de la hiérarchie des cultes (Guide Bleu de la Chine, Hachette, 1992, p. 582). Chaque cérémonie était l'occasion d'une extase mystique avec le Ciel, et d'une reconduction du Mandat céleste.

Segalen était particulièrement fasciné par le Temple du Ciel : il a par exemple fait imprimer l'édition princeps de *Stèles* à quatre-vingt-un exemplaires parce que c'était le nombre symbolique, lié à l'empereur, des dalles de la plus haute terrasse.

Page 77.

1. *Régent* Tch'ouen, ou Chun (1883-1951) : Caifeng ou Zaifeng (« Tsai-feng »), frère de Guangxu, père de Puyi. Il fut nommé régent à la mort de Cixi, qui voulait contrebalancer le pouvoir grandissant de Yuan Shikai (qui, chinois, risquait d'enlever la réalité du pouvoir aux Mandchous). Traditiona-

liste à tendance réactionnaire, lié aux intérêts intérieurs du Palais, il était peu dangereux politiquement et avait déjà rempli une mission délicate : en 1901, c'est lui qui était allé à Berlin présenter les excuses publiques de la Chine pour l'assassinat de Von Ketteler, à l'origine du Siège des Légations de Pékin. Considéré comme mou, influençable et peu enclin aux réformes, les Occidentaux ne l'aimaient guère. Il semble cependant que, malgré lui peut-être, un certain nombre de réformes furent accomplies sous sa régence. On retrouve dans *René Leys* une présentation double de ce personnage : face aux croyances occidentales du narrateur qui voit en lui un homme faible et dangereusement passéiste, René Leys dévoile un double de Guangxu, c'est-à-dire de la figure même de l'empereur traditionnel mais éclairé, voulant le bien de son peuple, antique et moderne à la fois.

2. *Le petit Empereur de quatre ans* : Puyi, le « dernier empereur » de Chine.

3. *Yuan* est Yuan Che-K'aï, ou Yuan Shikai (1859-1916) : homme d'État chinois (et non mandchou). Plutôt traditionaliste, mais préconisant certaines réformes nécessaires, notamment militaires, il embrasse la carrière militaire en 1882. Durant les « Cent Jours de Réforme » en 1898, il soutient d'abord l'empereur Guangxu avant de le trahir pour le parti de Cixi. Durant l'affaire des Boxers, il cherche à supprimer leurs partisans, ce qui lui vaut l'amitié des Occidentaux. Il devient ministre des Affaires économiques et Grand Conseiller en 1907. Mais quand Cixi meurt en 1908, il est obligé de s'éloigner, car le Régent Chun le poursuit de son inimitié. C'est l'épisode de l'édit « l'autorisant » à partir en province soigner une jambe malade (fictive). Le 10 octobre 1911, il est rappelé par la Cour, car, ayant formé une armée modernisée et dévouée, il apparaît comme le seul recours militaire et diplomatique possible : non seulement il faut le ménager car, s'il passait à l'ennemi, l'Empire serait perdu, mais encore il semble en bonne posture pour négocier avec les Révolutionnaires tout en paraissant fidèle à la monarchie (réformiste moderniste, il a pourtant toujours été antirépublicain). En outre, les puissances occidentales lui font confiance. Mais il pose ses conditions : la création d'une Assemblée nationale et un poste personnel pour lui-même à la tête de toutes les

forces militaires. On s'achemine alors vers une monarchie constitutionnelle. La Cour accepte en novembre, le Régent est contraint de démissionner et Yuan est nommé Premier ministre. Ensuite, il négocie avec les Révolutionnaires, stationnés dans le Sud, et, au moment de la création de la République chinoise, demande à en devenir président à la place de Sun Yatsen : cela permettrait, dit-il, d'opérer un passage en douceur de l'ancien régime au nouveau, sans brusquer les équilibres intérieurs, et sans froisser les puissances occidentales. En 1912, il est élu par l'Assemblée nationale de la République chinoise président du gouvernement provisoire, puis président de la République en 1913. Il tente, en vain, de rétablir l'empire à son profit en 1915, en confisquant le pouvoir et en essayant de fonder une nouvelle dynastie; mais il meurt et reste sans descendance politique, ouvrant la voie à l'époque chaotique des Seigneurs de la Guerre.

Segalen l'admirait, voyant en lui à la fois un continuateur du système impérial chinois, la plus belle fiction politique encore en place, dit-il, et une figure moderne, capable d'amorcer une nouvelle ère. Dans son admiration, on retrouve la confiance que les Européens mettaient en Yuan Shikai à l'automne 1911 ; mais par la suite, Yuan apparut comme un traître ambitieux, à l'origine de la défaite impériale et de l'avortement de la république — image qui, encore aujourd'hui, lui reste attachée. Le caractère bonapartiste semble une constante de son itinéraire, et cela avait d'ailleurs été remarqué par Segalen, qui l'appelait quelquefois, par boutade, « Yuan-Poléon Ier ».

Page 78.

1. La *Vieille Impératrice* est T'seu-hi, ou Cixi (1835-1908) : fille d'un petit fonctionnaire mandchou du clan des Yehonala, elle est choisie avec sa sœur pour faire partie du harem impérial et devient concubine de Xianfeng (Hien-Fong, 1851-1861). Elle donne naissance à un garçon, fils aîné de l'empereur, qui sera l'empereur Tongzhi (T'ong-tche, 1862-1874) — d'où son destin exceptionnel. À la mort de Xianfeng, lors de sa fuite après l'invasion franco-anglaise de 1860, elle intrigue pour mettre son fils sur le trône, et pour devenir corégente. Tongzhi meurt

à dix-neuf ans de la petite vérole. Contre toutes les coutumes, Cixi fait mettre son neveu sur le trône (un enfant de quatre ans) : cette filiation est contestée car, outre le fait qu'elle renforce un peu trop le clan Yehonala, il n'est pas d'usage de choisir un empereur de la même génération (même plus jeune) que le précédent (cousin germain de Tongzhi, il ne pouvait l'honorer comme ancêtre, ce qui est le fondement de l'organisation familiale, politique et religieuse). Ce sera l'empereur Guangxu (1875-1908). Il ne parviendra jamais à échapper vraiment à la tutelle de la douairière, même après sa majorité. Ses velléités de réformes en 1898 échoueront : Cixi le déclare fou, reprend le pouvoir par un putsch et le fait interner sur une île de la Mer du Sud. Réactionnaire, elle est impuissante devant le démantèlement de la Chine par les puissances étrangères, et refuse de faire des réformes en protégeant les factions traditionalistes, par exemple la secte des Boxers, qui prônaient un retour aux traditions et l'expulsion des étrangers. Cixi, devant le succès des Boxers, espéra reconquérir le pouvoir effectif sur la Chine. Mais le débarquement allié arrêta son soutien : la cour s'enfuit dans le Nord et ne revint à Pékin qu'un an plus tard. C'était la deuxième fois que Cixi était obligée de fuir devant l'invasion occidentale. Cette fois les Alliés occupèrent la Cité interdite. Cixi fit négocier les traités par le prince Qing, modéré, qui revint en faveur, ainsi qu'un jeune ambitieux d'alors, Yuan Shikai. Elle meurt en 1908 (le 15 novembre), quelques heures après la mort mystérieuse de Guangxu (14 novembre). On a supposé qu'elle l'avait fait empoisonner pour qu'il ne lui survive pas. C'est sur son lit de mort qu'elle désigne le successeur au trône, Puyi, fils de Caifeng, frère cadet de Guangxu. C'était un choix politique : le futur Régent haïssait Yuan Shikai, qu'il considérait comme le principal responsable de l'internement de son frère, et Cixi essayait sans doute d'équilibrer les ambitions dévorantes de Yuan (rappelons que Yuan était chinois et que s'il prenait le pouvoir c'était la fin de la dynastie mandchoue des Qing). La figure de Cixi, au pouvoir pendant toute la seconde moitié du XIXe siècle, fut extrêmement marquante, politiquement et fantasmatiquement.

2. Le *Grand Conseil* : le Junjichu, littéralement « le Bureau des Affaires militaires », était réuni dès l'aube. Ce « Conseil

d'État» délibérait tous les jours des affaires militaires et de toutes les questions civiles importantes, sous la direction de l'empereur. Il transmettait ses décisions à l'exécutif. Le Junjichu devint de fait l'organisme de décision le plus puissant jusqu'en mai 1911, date où il fut aboli devant les pressions réformistes.

3. *« qui s'en est allé montant au char du Dragon, s'abreuver aux neuf fontaines »* : les neuf fontaines désignent l'au-delà, l'autre monde ; il s'agit d'une périphrase classique pour évoquer la mort d'un empereur (dont le symbole est le dragon).

4. *Ts'ien-men-waï, c'est le... C'est le... « dehors de la Porte Ts'ien... »* : la traduction est littérale, voir la note 1 page 54.

5. Le système horaire chinois fonctionne par *veilles* qui sont indexées sur la longueur du jour et de la nuit et ont donc des longueurs variables (chaque jour, quelle que soit sa durée, comporte le même nombre de veilles). Les veilles de la nuit s'opposent aux heures du jour. Une journée entière (jour et nuit) compte cinq veilles et sept heures. Segalen envisageait une chronologie chinoise pour rythmer *René Leys*, projet abandonné ou coupé dans son élan par sa disparition prématurée.

Page 79.

1. *Heou-men* (Houmen), signifie littéralement « Porte de derrière » (donc, comme l'écrit Segalen, « Porte Postérieure »). C'est la porte de la muraille de la Ville impériale qui ouvre en plein nord sur la Ville tartare. Le pont de Heou-men désignerait donc le pont directement proche de la porte, enjambant les douves qui entourent la muraille. La demeure du Régent était en effet située dans la Ville tartare, juste au nord du Palais.

2. La *Mer Septentrionale* est une traduction possible de Beihai (Lac du nord). Voir la note 2 page 54.

Page 80.

1. *Police secrète* : si la tradition d'un corps policier espionnant les faits et gestes de la population est ancienne en Chine, et très célèbre sous différentes époques, les Qing en ont visiblement très peu fait usage. Les agents secrets existaient déjà sous les Han (206 av. J.-C. - 220 ap. J.-C.) mais celui qui leur

donna un pouvoir vraiment terrifiant fut Zhu Yuanzhang fondateur de la dynastie des Ming (1368). Ils furent sous son règne omniprésents. Il fit même contrôler les « contrôleurs » (nom que leur donnait le peuple) par une seconde police secrète. Le pouvoir des eunuques sous les Ming était d'ailleurs largement lié à cette influence policière, puisqu'ils composaient la majeure partie des contrôleurs. Il n'existe pas de système comparable sous les Qing : le pouvoir avait plutôt recours à des informateurs, des *zhentan* (agents-détectives), qui espionnaient les milieux suspects et réformistes.

Cela dit, le mystère qui planait sur l'organisation de la Cité interdite permettait de croire en l'ubiquité omnipotente d'un système policier et s'il n'existait pas, à proprement parler, de police secrète, la rumeur pouvait laisser entendre facilement que la Maison impériale (le Neiwufu), tenue par les Eunuques et qui entrait souvent en compétition avec les ministères, était dangereusement informée. La garde impériale pouvait elle aussi avoir des informateurs et des délateurs. Bref, les mots de « Police secrète », n'étant pas forcément liés à un organisme défini ni actif, pouvaient être modelés au gré des fantasmes les plus édifiants. On ne sait pas vraiment d'ailleurs si Segalen croyait ou non en l'existence d'une police secrète effective, ou si la rumeur et la fable, avec son cortège sacré, lui suffisaient pour la fiction de *René Leys*.

Page 83.

1. *Je l'ai vu regarder sans rien dire une peau de tambour...* : la mention d'une hypersensibilité de Guangxu à la musique, et notamment aux percussions est un fait véridique, diagnostiqué par les médecins, et entrant dans les symptômes relevés de sa possible neurasthénie.

2. *« Grosse Cloche » boômant ses doubles veilles* :

La *Grosse Cloche*, ou Tour de la Cloche, désigne le Zhonglou (Tchong-leou), qui marque les veilles. Elle se trouve au nord de la Tour du Tambour. Détruite plusieurs fois, elle fut reconstruite sous Qianlong (1736-1795), après une première édification sous les ordres de Yongle (l'édificateur de Pékin, quasi divinisé par le narrateur de *René Leys*). Le son de la cloche rythmait la vie de toute la population.

La *Tour du Tambour* (Kou-leou, Gulou) avait été construite une première fois en 1272 par l'empereur mongol Qubilaï. Elle était le centre géométrique de sa capitale. Elle scandait aussi les veilles, mais à l'aide d'un « énorme tambour [qui] est placé au milieu de l'étage supérieur du monument et [qu'on] frappe à chaque veille, en même temps que la cloche du *Tchoung-leou* qui se trouve à environ 100 mètres plus au nord » (Favier, *Péking, histoire et description*, Desclée De Brouwer, 1900).

Boômant est un néologisme imitatif (trois syllabes, les deux o se prononçant séparément).

3. *[— Du Poison ?]* : ici, le manuscrit pose un problème de lecture : les crochets signifient-ils la suppression de cette question ? ou bien s'agit-il de la forme du monologue intérieur du narrateur ? Est-ce une note de régie, un programme, ou bien cela fait-il partie de la lettre du texte fictionnel ? Cela arrive à plusieurs reprises dans *René Leys*, qui est resté inachevé. Certains problèmes de lecture demeurent, du fait de cet inachèvement : l'hyper-ponctuation, la fluctuation des majuscules, les guillemets insérés ou oubliés, tout ne semble pas toujours cohérent. Là aussi, nous avons pris le parti de laisser autant que possible le texte *en l'état*, et nous n'avons corrigé que les erreurs manifestes. Mais les suppressions laissent parfois des phrases mystérieuses : « rien donc saurait être déplacé », p. 84, où Segalen a remplacé l'interrogatif *quoi* par *rien*, sans rajouter la négation ; ou « Je n'insiste », p. 124, qui est peut-être volontaire, par exemple.

Page 84.

1. *Jusqu'à la détresse ou la ....* : sic. Les éditions antérieures avaient remplacé arbitrairement ces points de suspension par le mot *passion*.

Page 85.

1. Si le chapeau melon est typiquement européen, le char à mule est typiquement chinois — d'ailleurs déjà arboré par Jarignoux comme signe extérieur de chinoiserie lors de sa première visite au narrateur. Segalen joue souvent de l'identité ambivalente, entre Orient et Occident, de René Leys.

Page 87.

1. *Tong-Houa-men* est la porte orientale de l'enceinte de la Cité interdite.

Page 88.

1. Le *chapeau chinois* a été imposé par les conquérants mandchous, son port était très réglementé. Loti notait dans *Les Derniers Jours de Pékin* (fin avril 1901) : « Depuis ce matin, la province entière a quitté par ordre le bonnet hivernal pour prendre le chapeau d'été, conique en forme d'abat-jour de lampe, sur lequel retombent des touffes de crins rouges ou, suivant la dignité du personnage, des plumes de paon et de corbeau. Or, il est de bon ton de dîner coiffé, et cela fait tout de suite Chine de paravent, les chapeaux de ce style » (Laffont, 1991, p. 1151).

Page 89.

1. *Prince Tch'ouen* : voir la note 1 page 77.

Page 90.

1. *Na-T'ong,* ou Natong : Mandchou influent, longtemps aux affaires (ministre des Finances et des Affaires étrangères notamment) ; conciliateur pendant les Boxers, il se situe plutôt du côté des conservateurs vers 1911 — et refusera la monarchie constitutionnelle.

Page 91.

1. La femme mandchoue, appartenant à la caste dominante, n'a pas les mêmes caractéristiques physiques, ne suivant pas la même mode, que l'élégante chinoise, ce qui n'empêche pas Segalen de jouer sur les deux esthétiques, faisant ici parodiquement référence aux Classiques chinois (*Livre des Odes, Shijing,* ou « Classique de la Poésie », longtemps faussement attribué à Confucius). Une différence essentielle consiste en la coutume typiquement chinoise du « lotus d'or » — c'est-à-dire les pieds bandés — alors que les femmes mandchoues usaient de chaussures à socques très hauts, incommodes, mais ne faisaient subir aucune malformation à leurs

pieds. Les coiffures extrêmement sophistiquées et sculpturales, le maquillage artiste (baudelairien pourrait-on dire), l'esthétique vestimentaire étaient également l'occasion d'un intense *exotisme* — dans les écrits des voyageurs de l'Orient en général. Cette jeune madame Wang a d'ailleurs un modèle, rencontré à Pékin en 1909. Segalen en trace un premier portrait dans une lettre à son épouse : « J'ai reçu cette après-midi la visite d'une jeune Mandchoue, qui, accompagnée de son mari, interprète chinois, est venue chez moi avec un exotisme interloquant. Coiffure édifiée des heures durant, cheveux plats, lèvres peintes d'un rouge étonnant, joues plaquées d'un rose Maurice Denis très exact, sourcil prolongé... Enfin, tout ce qu'il y a de plus textuel dans l'ex-Européen, l'ex-centrique... Ma semi-conversation chinoise l'a déridée tout de suite, mais quelle distance effroyable ! quel exotisme, ô dieux ! Ah ! je suis bien servi » (*Lettres de Chine*, 10/18, 1967, p. 80-83). À la suite de la même rencontre, son ami Gilbert de Voisins se livre lui aussi à un portrait pittoresque : « Vêtue de soies brodées de rouge et tissées d'or, d'un éclat merveilleux, elle a, sous sa couche de fard, l'air d'une idole. [...] Mme Hai-Wen présente mille singularités aimables. Quand elle a cessé de manger d'un plat, elle reste immobile, stupéfiée, dirait-on, les yeux fixés sur un point de l'espace. Je la croirais livrée, toute entière, à une méditation profonde, si, de temps en temps, elle ne se curait les oreilles avec la tête de ses épingles de coiffure. La première fois, le geste m'a gêné ; puis, je me suis forcé à croire que ce n'était là qu'une charmante fantaisie » (*Écrit en Chine*, éd. You-Feng, 1987, p. 103).

Page 95.

1. *Les noms classiques des « Cent Familles »* : dans l'antiquité chinoise, seuls les nobles possédaient un nom de famille ; c'est à partir de la dynastie Han (deux siècles avant et après J.-C.) que l'usage du nom de famille s'est répandu dans la population. Les caractères employés comme noms de famille étaient peu nombreux aussi l'expression « les Cent noms de famille » (*baixing*) désigne-t-elle le peuple en général.

Mon nom breton de « Segalen » : le narrateur s'appelle comme l'auteur, mais il serait hâtif d'assimiler les deux figures.

Mon « Épi de Seigle » breton : Segalen, qui avait souhaité qu'on écrive son nom sans accent sur le [e], afin qu'il fasse plus celtique, et qu'on prononce [ène] et non [in], en faisait remonter l'étymologie au radical « seigle ». Gilles Manceron, dans la biographie *Segalen*, cite une lettre du 26 juillet 1912 (aux parents de Segalen) : « Rien ne vaut un nom de terroir franc et sonore comme le mien —, à condition de le prononcer *lène* à la bretonne. »

2. Le *Ministère des Rites* était en fait essentiellement chargé d'organiser les concours d'accession au mandarinat.

Page 96.

1. Le *Prince Kong*, ou Gong (1833-1898) est le frère de Xianfeng (Hien-Fong) : voir la note 2 page 46. Il créa notamment le Zongli Yamen en 1861 (Affaires étrangères). Il fut extrêmement influent grâce à ses bons rapports avec les Occidentaux.

2. Le *Palais d'Été* (Yuanmingyuan) avait été construit par Qianlong au XVIIIe siècle. C'était une résidence somptueuse, extrêmement appréciée des souverains, dont le bâtiment principal avait été construit à partir de plans à l'occidentale — d'où sa comparaison courante avec Versailles. Il fut mis à sac et détruit en 1860, lors de la deuxième guerre de l'opium, par les troupes franco-anglaises, en représailles, tandis que la Cour s'enfuyait vers le nord. Ce fut un symbole extrêmement fort. Par la suite, Cixi (T'seu-hi) fit construire un palais d'été plus proche de Pékin et moins monumental.

Page 97.

1. *Tchong-leou*, *Kou-leou* : voir la note 2 page 83.

2. *Ts'ien-men center* : on hésite entre *center* et *centre* à la lecture du manuscrit, raturé à cet endroit; mais l'aspect parodique du guide Baedeker semble possible.

3. *Yong-Lo* (Yongle) : empereur Ming (1403-1424) qui transféra la capitale de Nankin à Pékin, anciennement Dadu (Grande Ville), rebaptisée Beijing (Capitale du Nord), où il érigea la Cité interdite et reprit la tripartition des murailles. Segalen éprouvait une réelle fascination pour ce grand empereur, constructeur de la Ville, urbaniste fondateur du « chef-d'œuvre de réalisation mystérieuse », érigé d'un seul coup dans la plaine environnante, qu'était Pékin à ses yeux.

Page 98.

1. Les *Monts de l'Ouest* (Xishan) se trouvent à une soixantaine de kilomètres à l'ouest de Pékin, au-delà des Collines Parfumées (Xiangshan), dans la région du Tanzhesi. C'était le cadre de promenades agréables et de visites culturelles, tant pour les Chinois que pour les résidents étrangers de Pékin.

Page 102.

1. Le *Broussonetia Purpurea* désigne en fait le mûrier, fétiche touristique de la Chine.

2. Les désignations *Prince T'aï* et *Prince Ts'i* alternent dans le manuscrit : Segalen n'avait pas encore choisi définitivement entre ces deux noms.

Page 105.

1. Le jeu des *doigts montrés* est très populaire en Chine : il consiste à lever rapidement un certain nombre de doigts que l'adversaire doit évaluer simultanément, en énonçant à haute voix le nombre qui, ajouté au premier, fera dix. On l'accompagne souvent de comptines. Il est de coutume de boire chaque fois qu'on perd, ce qui fait que ce jeu est souvent pratiqué lors des repas arrosés entre amis. Les *Fleurs de Shanghai* (1998) de Hou Hsiao-hsien en font un leitmotiv cinématographique.

Page 106.

1. *Mont des Martyrs* : une des étymologies possibles de Montmartre.

2. *Kan-pei* (*ganbei*) est l'interjection lancée lorsqu'on porte un toast, avant de boire cul sec un petit verre d'alcool. Il signifie littéralement vider, assécher le verre.

Page 109.

1. *Doit-elle demeurer chaste à l'égard des Templiers* : c'est-à-dire à l'égard des occupants masculins du Temple des Délices Temporelles, qui sont eux-mêmes aussi chastes que des chevaliers templiers. On a longtemps cru que Segalen avait fait un lapsus avec *à l'égal.*

Page 110.

1. *Juste après le Siège des Légations et l'entrée des troupes Européennes* : c'est-à-dire à la fin de l'épisode des Boxers, quand les troupes occidentales ont envahi Pékin (voir la note 1 page 46).
2. *Pi-p'a* (*pipa*) : nom de la guitare chinoise traditionnelle à quatre cordes.
3. *Teu-Kouo-jen* (*deguoren*) : les Allemands, en chinois.

Page 114.

1. *Celui de la Reine Noire pour Salomon, de l'Africaine pour Vasco de Gama, de toutes les autres pour Loti* :

Salomon fut visité par la reine de Saba, qui avait entendu vanter ses mérites et voulut en juger par elle-même ; il répondit à ses questions et elle lui dit son admiration, avant de retourner dans ses États. Il n'est pas cependant fait mention d'un quelconque amour dans le texte biblique. Vasco de Gama (env. 1469-1524), navigateur célèbre qui doubla le cap de Bonne-Espérance, n'est associé à aucune Africaine connue. Quant à Loti, Segalen raille sans répit l'orgueil amoureux de l'auteur de *Madame Chrysanthème.*

Ce n'est donc pas dans les textes classiques (Bible ou récits de voyage) qu'il faut chercher la source des mentions amoureuses concernant Salomon ou Vasco de Gama, mais dans les opéras contemporains de Segalen — on retrouve ici sa grande culture musicale, bien qu'en ce point précis du roman, le ton soit plutôt sarcastique et moqueur pour ce puriste, moderniste, wagnérien, debussyste et grand amateur de musique. Ainsi, *La Reine de Saba* est un opéra de Gounod, créé en 1862, à partir d'une idée de Nerval, où l'intrigue relate les amours rocambolesques de Salomon et de la reine de Saba. *L'Africaine,* de même, est un opéra en cinq actes de Meyerbeer, créé en 1865, dont l'histoire est pleine de rebondissements. Il y a tout à parier que Segalen connaissait ces opéras, et leurs sujets volubiles, et qu'il s'en moque ici à travers la parole du narrateur.

Page 116.

1. Le *fong-chouei* (*fengshui*) signifie littéralement « vent et eau ». Cette expression désigne, en chinois, la géomancie. Le

fengshui est utilisé pour trouver les endroits les plus favorables à l'établissement des maisons, des constructions, après une étude des courants aériens (*feng*) et des courants aquatiques (*shui*), en fonction de l'emplacement du Yin et du Yang (de l'ombre et de la lumière, de l'ubac et de l'adret, etc.). De cette manière, on recueillait les influences favorables venant du sud et on écartait celles, néfastes, du nord. Les grands prêtres étaient chargés d'étudier les influences fastes et néfastes des lieux et des moments, par exemple pour l'édification de monuments impériaux ou publics.

Le *fengshui* était donc une notion fondamentale de l'imaginaire religieux, cosmique et superstitieux chinois, et, s'il a souvent été évoqué par les explorateurs de la Chine, il était l'objet d'une véritable fascination pour Segalen. Ainsi, lors de son dernier séjour à Pékin en 1917, il écrivit à sa femme : « Le ciel est évidemment resté le même. Le Ciel visible. Mais le Fong-chouei, qui est précisément le Ciel invisible, ou plutôt cette divination totale du Lieu, du Soi-même et du non soi, — le Fong-chouei de Péking s'émiette, s'évapore, n'est plus. »

Page 117.

1. *Han-jen (hanren)* : un Chinois, voir la note 3 page 46.
2. *Sa jambe malade... c'est une apocope toute littéraire, un euphémisme* : allusion à la maladie de Yuan Shikai (voir la note 3 page 77). Yuan, en fournissant ainsi un écho à l'édit que lui avait imposé le Régent en 1909, se vengeait et délivrait, comme on dit familièrement, la réponse du berger à la bergère.

Page 118.

1. *Sun Yat-sen* (1866-1925) : Sun Zhongshan (en pinyin) est né en 1866 entre Canton et Macao. Formé à Honolulu, converti au christianisme, éduqué à Hong-Kong par des missionnaires britanniques, il fait des études de médecine à Canton. En 1894, il fonde le Xingzhonghui, « l'Association pour la Résurrection de la Chine ». Dans les premières années du XXe siècle, il crée le Guomindang, « le Parti national du peuple ». Il voyage au Japon et en Amérique où il recueille des fonds et prêche la révolution. Il passe également deux années

en Europe où il jette les bases de sa théorie, le *Sanminzhuyi*: «Les Trois principes du peuple» ou «Triple démisme» (nationalisme, démocratie, justice sociale), qui fut exprimé lors du célèbre discours de Tokyo. Au moment de la Révolution de 1911, il revient des États-Unis et de Grande-Bretagne pour être élu président de la République à Nankin, en décembre. Il prend ses fonctions le 1er janvier 1912. Mais devant la faiblesse de cette république (ni argent, ni force militaire), il cède le pouvoir à Yuan Shikai. Il s'oppose à ce dernier lorsqu'il tente de rétablir l'empire à son profit. Après diverses tentatives (ratées) de retour au pouvoir, il meurt à Pékin le 12 mars 1925. Son beau-frère, Jiang Jieshi (Tchang Kaï-chek), prendra sa succession.

Page 119.

1. *Li Hong-tchang*, ou Li Hongzhang (1823-1901) : homme d'État et diplomate chinois. Sa carrière se développe au cours de l'insurrection des Taiping (1851-1864). Gouverneur général du Zhili et Surintendant au commerce des ports du Nord, il veut introduire la technologie occidentale en Chine et crée une marine (marchande et de guerre), tout en contribuant à la construction des premières lignes de chemin de fer, sous capitaux étrangers mais devant être rachetées par la suite. Durant la guerre sino-japonaise (1894-1895), il sait que la Chine ne peut rivaliser avec le Japon. Mais la cour ne l'écoute pas. En mars 1895 il se rend au Japon comme négociateur au traité de Shimonoseki. Ayant perdu la faveur de la cour en 1898, il ne joue aucun rôle durant les «Cent Jours de Réforme». Mais la rébellion des Boxers en 1900 entraîne son rappel à Pékin où il négocie avec les huit puissances (Angleterre, États-Unis, Russie, France, Allemagne, Japon, Italie, Autriche-Hongrie). Il signe le protocole d'accord final du 7 septembre 1901. Il meurt deux mois plus tard.

Page 121.

1. *Au fond d'un beau puits d'eau fraîche*: la référence est culturelle, certes, dans la mesure où l'histoire chinoise comporte de nombreuses allusions à des assassinats par noyade dans un puits; mais elle est surtout littéraire : dans *Le Fils du Ciel*, livre-

miroir de *René Leys*, un des épisodes essentiels décrit la mort de la concubine favorite de Guangxu, noyée dans un puits, sur ordre de l'impératrice Cixi.

Page 125.

1. Le *long* est un dragon à cinq griffes, symbole de l'empereur, qui figurait souvent sur ses vêtements. Seuls les membres de la famille impériale et les fonctionnaires distingués pouvaient arborer cet animal. Les autres portaient le *mang*, dragon à quatre griffes. Le *Double Dragon* désigne peut-être cette particularité, bien que le privilège soit très rare. En tout cas, c'est ce mot (*long*) qui se prête à plusieurs calembours dans les lignes suivantes.

Page 133.

1. *Fô* : nom chinois de Bouddha (abréviation de *Fotuo*).

Page 135.

1. Le *Palais de la Grande Harmonie*, ou Palais de l'Harmonie Suprême (Taihedian) est le palais de réception principal de la Cité interdite. On y accède de l'extérieur après avoir franchi Qianmen, Qiananmen, Wumen puis la cour traversée par le Ruisseau aux Eaux d'Or (Jinshuihe) et la Porte de l'Harmonie Suprême (Taihemen). Ce chemin impérial ne sera pas suivi par le narrateur.
2. *Tong-Houa-men* : voir la note 1 page 87.

Page 137.

1. L'histoire des délégations diplomatiques occidentales en Chine est du domaine de l'épopée, la Chine ayant longtemps refusé de reconnaître des puissances qui, par ailleurs, se croyaient omnipotentes. La question s'est longtemps cristallisée autour du *koutou* (voir la note 1 page 42). On pourra se reporter au *Voyage en Chine* (*Anthologie des voyageurs occidentaux du Moyen Âge à la chute de l'Empire chinois*, par Ninette Boothroyd et Muriel Détrie, 1992, Laffont, coll. Bouquins).

Cet épisode de *René Leys* a plusieurs correspondances : c'est la transcription d'une visite réelle de Segalen au Régent en

1910, effectuée avec le personnel de la Légation française; c'est aussi le reflet inversé d'une scène semblable, racontée du point de vue des Chinois, dans *Le Fils du Ciel.*

Page 139.

1. *La grosse poutre qui barre solidement le seuil*: les poutres horizontales transversales sont une caractéristique de l'architecture chinoise, tant dans la construction des maisons, que dans celle des bâtiments publics ou du Palais. Le seuil comporte une marche (les maisons étaient surélevées par un soubassement de terre battue, mais ne comportaient pas d'étage). L'encadrement de la porte inclut une barre qu'il faut enjamber pour entrer ou sortir. Une coutume est liée à l'architecture de ces poutres : dans le Palais, seul l'empereur peut ne pas les enjamber, en se faisant porter.

2. *Pouddha*: sic. Il peut s'agir d'une erreur manuscrite de Segalen (la suite reprenant « Bouddha »), mais il est possible que *Pouddha* soit un composé ironique de Bouddha et de poussah.

Page 140.

1. L'invasion de Pékin et de la Cité interdite lors de la révolte des Boxers avait permis aux troupes (japonaises notamment) de faire des relevés précis et des plans de ce qui était jusque-là mal cartographié.

2. *La figuration plane de cette ville, de la capitale, de ce qu'elle enferme... Péking*:

Le dossier *Notes et Plans* comportait un plan chinois d'époque identique. Voir aussi, pour un descriptif global de la ville et un plan simplifié, l'Annexe II.

Sur cette page du manuscrit, Segalen a noté en marge : « Si j'avais à faire de ceci un livre, quel plus beau sceau ? Quelle plus belle "justification" que le plan de Péking ? » avec une réflexion en bas de page : « Le donner, en guise de crescam, sur la couverture ». Le *crescam* désigne à coup sûr l'emblème que l'éditeur de Segalen, Crès, apposait sur la page de garde de ses volumes, dont la devise (« je croîtrai », ou « que je croisse ») reprend le nom même de l'éditeur (Crès-cam). Ainsi, il semble que Segalen envisageait de mettre un plan de

Pékin à l'ouverture de son livre, comme un sceau, mais pas à l'intérieur de la fiction.

Page 141.

1. *K'iao-leou* (*jialou*) : pavillon d'angle, voir la note 2 page 57.

Page 142.

1. La Ville impériale s'appelle *Ville jaune* en chinois par homophonie entre *huang* (empereur) et *houang* (jaune). Le jaune est, pour les mêmes raisons, une couleur réservée à l'empereur. Si les murs de la Cité interdite sont pourpres, et correspondent effectivement à peu près à sa désignation de Ville violette, la raison de cette dernière appellation provient principalement de la symbolique chinoise : l'empereur, axe central autour duquel l'Empire gravite, correspond à l'étoile Polaire (associée à la couleur violette), qui est dans la cosmologie chinoise le pivot de la voûte céleste.

Page 143.

1. *Tchong-Kao* (Zhonggao) signifie littéralement Pavillon (ou plutôt Palais) du Milieu. Mais ce nom ne désigne pas un bâtiment précis de la Cité interdite. Sans doute faut-il y voir une allusion au *neichao*, l'espace réservé à l'empereur, « impossible de vue ».

Page 145.

1. Le théâtre chinois était en effet, comme partout, considéré comme une antichambre de la prostitution. C'est pourquoi depuis longtemps le métier avait été interdit aux femmes. Comme dans le théâtre élisabéthain, les rôles féminins étaient tenus par des hommes qui, par contrecoup (et compte tenu d'une culture morale plus tolérante vis-à-vis de l'homosexualité masculine) étaient souvent soupçonnés de vendre leurs charmes. Cela était d'ailleurs visiblement assez courant derrière les maisons de thé de Qianmenwai, à côté des fumeries d'opium. Mais depuis les Qing, avec Qianlong et Cixi en particulier, l'opéra de Pékin était aussi devenu un divertisse-

ment impérial. Cixi avait ainsi fait aménager le Pavillon des Sons Agréables (Changyinge) dans la Cité interdite pour y accueillir une scène de théâtre.

Page 147.

1. *Un grand homme tout vêtu de rouge* : le rouge, dans l'opéra de Pékin, est symbole de noblesse ; il s'agit ici d'un guerrier. Le spectacle associe à la représentation dramatique proprement dite des acrobaties, une gestuelle codifiée très solennelle, du chant, de la musique et des bruits tonitruants (gong, pétards, etc.). On pourra consulter *Le Théâtre chinois* de Roger Darrobers (1995, P.U.F, coll. « Que sais-je ? »).

Page 149.

1. *Hamlet* était un des livres de chevet de Segalen : il le lisait encore à l'heure de sa mort mystérieuse. L'histoire fut reprise dans un opéra d'Ambroise Thomas (livret Carré et Barbier, 1868), auquel il est aussi fait allusion ici. *Lakmé*, de Delibes, lui apparaissait comme une réussite musicale, fondée sur l'expérimentation poussée de ce que Segalen appelait les « synesthésies » dans ses premières œuvres. Enfin, *Louise* (1900) est une dernière œuvre musicale et naturaliste, écrite et composée par Charpentier.

Segalen fut lui-même un spectateur assidu et un amateur averti de théâtre et surtout d'opéra. Le mélange confinant au burlesque de ces œuvres de qualités très différentes est donc aussi en partie une satire autoparodique.

Page 156.

1. *Après la bombe, quoi ? Le poignard ? ou bien le ...... ?* : le premier jet du manuscrit stipulait ici : *ou bien le Poison ?* Le poison, qui ouvre le livre par son éventuelle prescription à Guangxu, constituait au départ une des obsessions du narrateur, un des leitmotive chinois de *René Leys*. Mais Segalen a choisi de le supprimer presque partout, ce qui approfondit le mystère policier.

Page 158.

1. *Long-Yu*, ou Longyu, Xiaoding de son nom d'impératrice (1868-1913) est impératrice douairière en 1911 : c'est la veuve de Guangxu, avec qui elle ne s'est jamais entendue. Nièce de Cixi, elle espérait visiblement mener la politique chinoise en tant que corégente mais elle fut surtout accaparée par les luttes intestines du Palais. Réactionnaire, elle s'opposa au Régent, puis entreprit une réconciliation de façade dans les derniers mois des Qing. Le terme *falote*, qui l'accompagne tout au long de *René Leys*, correspond d'ailleurs à la représentation courante qu'en avaient les Occidentaux de l'époque.

2. *Vingtième jour de la sixième lune* : sans doute le 15 juillet 1911. C'est un des seuls exemples de datation interne du roman.

3. Un *arc de triomphe* (*pailou*) est une sorte de portique qui commémore la vertu des particuliers (notamment des veuves) ou bien un haut fait, souvent militaire. À Pékin, les *pailou* ne pouvaient être bâtis que sur ordre de l'empereur, ce qui en faisait des monuments somptuaires, érigés à l'occasion d'une victoire, d'un mariage impérial ou du décès d'une impératrice douairière par exemple. Ils constituaient d'ailleurs des points de repère topographique : ainsi, les deux ensembles principaux, Arcs de Triomphe de l'Est et Arcs de Triomphe de l'Ouest, servaient couramment pour désigner deux quartiers de la Ville tartare. Les *Arcs de Triomphe de l'Est* se situent à l'est de la Ville impériale, à mi-chemin de la muraille tartare ; il semblerait que les Européens contemporains de Segalen aient beaucoup fréquenté les établissements de ce quartier (restaurants, billards, etc.).

4. *Tsi-ming-Kong* : sans doute le Cininggong, Palais de la Tranquillité Compatissante, dans l'ouest de la Cité interdite.

Page 160.

1. *Comme aurait fait Sadi-Carnot* : Sadi Carnot, président de la Troisième République, venait d'être assassiné en 1894 par l'anarchiste Caserio ; le conditionnel passé a une valeur d'irréel très forte. La comparaison est évidemment sarcastique dans la bouche du narrateur, fasciné par l'authentiquement chinois, et se double de la poignée de main occidentale

presque hérétique par rapport aux saluts mandchous ou chinois.

Page 162.

1. *En costume contemporain ; en costume de femme mandchoue* : les habits conventionnels du théâtre chinois étaient inspirés de la mode vestimentaire sous les Song et les Ming. Il était interdit de s'habiller de manière contemporaine, pour des raisons de censure autocratique évidentes. Sur la nature masculine des acteurs, voir la note 1 page 145.

Page 164.

1. *Tout à fait « le cou du ver blanc »* : citation du Livre des Odes, voir la note 1 page 91.

Page 166.

1. *Vite ! un 3f50 en 300 pages !* : les volumes à trois francs cinquante étaient les livres populaires, à grande diffusion, de l'époque. Ils publiaient des auteurs à succès comme Loti, ou des romanciers qu'on continuait à appeler *naturalistes* — c'est-à-dire les héritiers de plus en plus lointains du Naturalisme — susceptibles d'obtenir un prix Goncourt, que Segalen stigmatise à plusieurs reprises dans le roman. Il n'en garde pas moins une attitude paradoxale (écrire un roman en dénonçant le genre lui-même), ce dont on trouve des traces tout au long de *René Leys* et de ses avant-textes (voir l'Annexe I).

Page 171.

1. *Gaudilleux* peut être forgé à partir d'une faute sur *godille*, mal orthographié, ou reproduisant la prononciation empâtée de Jarignoux. L'adjectif peut aussi reprendre le sens de *se gaudir*, se moquer, railler : un synonyme serait *risible* ou *ridicule*. On pourrait aussi hésiter avec la graphie de *gandilleux*, peut-être formé à partir de l'ancien verbe *gandir*, faire des détours, ou du nom *gandin* (« jeune élégant qui a des habitudes efféminées », dit le Nouveau Larousse illustré) — mais ces sens sont lointains, leur morphologie devrait être incompatible

avec le suffixe choisi par Segalen, et la leçon du manuscrit penche plutôt pour notre lecture.

Page 172.

1. *Les derniers troubles du Sseu-tch'ouan* : c'est dans le Sichuan qu'eurent lieu les premières manifestations de mécontentement à l'égard du pouvoir central, manifestations qui furent les prémices de la Révolution (voir la chronologie de la Révolution).

Page 173.

1. *La petite Japonaise « pour l'hygiène »* est une expression reprise littéralement de la correspondance de Segalen. L'usage de courtisanes semble avoir été courant chez les résidents occidentaux en Chine et cette expression correspond peut-être à une formulation euphémisante qui a visiblement choqué Segalen : elle apparaît toujours comme une citation distanciée.

Page 176.

1. *Car le Temple du Ciel est en jeu à chaque dynastie !* : les cérémonies au Temple du Ciel reconduisaient le Mandat impérial et garantissaient la filiation divine de la dynastie (voir la note 1 page 41 et la note 1 page 75).

2. *Marco Polo* était considéré par Segalen comme le premier « exote » véritable. Le *Livre des Merveilles* était un de ses livres de chevet, il en tira la notion de Divers, qu'il a développée dans son *Essai sur l'Exotisme*, et il le pasticha à plusieurs reprises.

Page 177.

1. Un *comprador* est un marchand chinois enrichi au contac des étrangers. C'est une figure typique de la Chine du Sud mais Segalen y voyait les mauvais aspects du mercantilisme et de la prostitution (selon ses propres termes) morale devant les grandes puissances.

2. *Khoubilaï-Khan* (Qubilaï, 1215-1294) fut Grand Khan des Mongols en 1260. C'est lui qui accueillit la famille Polo dans

sa capitale, Khanbalik, située à peu près sur l'emplacement du futur Pékin. Il avait fini de conquérir la Chine, avait été proclamé empereur en 1280, continuant ainsi la seule dynastie mongole de la Chine, la dynastie Yuan. Sa figure fascinait Segalen, comme elle fascina de nombreux auteurs, au premier rang desquels on trouve Coleridge et son « Kubla Khan ».

Page 178.

1. *Robert Hart* (1835-1911), agent des services consulaires britanniques, fut employé par les Chinois dans les Douanes Maritimes Impériales. Cet exemple d'intégration est tout à fait exceptionnel et il était très connu à l'époque de Segalen.

Page 180.

1. Sur Cixi, voir la note 1 page 78. Elle tint les rênes du pouvoir en gros de 1861 à 1908; Victoria régna de 1837 à 1901.
2. *La Dynastie finira « par les fautes du Clan Ye-ho-na-la »* : Cixi, simple concubine issue de la famille obscure Yehonala, donna à l'empereur Xianfeng un fils qui devint empereur (Tongzhi) grâce à des intrigues actives; elle imposa par la suite son propre neveu Guangxu, à qui elle maria sa nièce Xiaoding (devenue Longyu à son veuvage), puis désigna Puyi, son petit-neveu, comme empereur en 1908. Puyi était le fils du Régent Chun (Caifeng), qui était le propre frère de Guangxu. Les liens familiaux, claniques, sont donc très étroits chez les derniers dirigeants Qing. Les rumeurs colportaient la malédiction attachée à cette famille qui avait enfreint les règles du culte des ancêtres (puisque Tongzhi et Guangxu étaient de la même génération) — en la transformant en prédiction, comme cela se faisait traditionnellement en Chine en temps de décadence dynastique

Page 182.

1. *Un bel arc de triomphe que l'on réserve aux veuves exemplaires* : voir la note 3 page 158. La tradition des *pailou* devient ici franchement burlesque, dans un avatar scabreux de l'épisode de la matrone d'Éphèse.

Page 183.

1. Le récit de la *première nuit de noces de Guangxu* est plausible, étant donné le peu de sympathie et d'intérêt qu'il avait pour son épouse. Il circulait peut-être dans les milieux pékinois et fut raconté à Segalen par Maurice Roy, le modèle de René Leys — mais il n'y en a nulle trace imprimée.

2. *Il y a l'introduction par les Eunuques et les soins des suivantes* : *Le Fils du Ciel* contient de ces scènes impériales, avec les « petites servantes empressées », invisibles dans *René Leys.* La suite du roman fera de nouveau allusion à ces employées de la Cité interdite.

Page 185.

1. L'écriture *cursive* est un tracé lié des différents traits des caractères, dont le déchiffrement est très ardu pour qui n'y est pas habitué de longue date.

Page 187.

1. Le *Phénix* est en effet le symbole de l'impératrice, tout comme le dragon est celui de l'empereur. Les formules « Mère de l'Empire » et « Aïeule des Dix Mille Âges » sont des appellatifs réservés à l'impératrice.

L'assaut des légations en 1900 fait référence aux « Cinquante-cinq jours de Pékin », pendant la guerre des Boxers (voir la note 1 page 46).

Page 188.

1. La *Mer du Sud,* c'est-à-dire Nanhai : le lac du sud de la Ville impériale. La *Tour Blanche* désigne toujours le Baita (voir la note 3 page 56)

Page 189.

1. *P. S. [j'allais lire « Police Secrète »... !]* : *P. S.* était un des titres d'abord envisagés pour le roman : Segalen entendait jouer sur les initiales de Police Secrète et de Post-Scriptum, comme ici. Par ailleurs la lettre de René Leys a pour modèle presque littéral une lettre que Maurice Roy a envoyée à Segalen.

Page 194.

1. « L'Hugolâtrie » fait sans doute référence à *Ruy Blas*, autre histoire d'adultère royal, où un « ver de terre [est] amoureux d'une étoile ».

Page 195.

1. La *Veste de cheval* (*magua*, Segalen écrit Ma-Koua) peut désigner un habit courant mais ici c'est l'autorisation impériale de porter le *magua* jaune qui est en jeu. C'était une des récompenses les plus convoitées de l'ordre militaire.

Le grade de *Grand Trésorier Payeur de tous les Princes du Dedans* est plus obscur car il désignerait plutôt le Trésorier de la Maison impériale (Neiwufu), en charge de la gestion des deniers et des domaines impériaux. Or le Neiwufu était tenu uniquement par des Chinois, eunuques de surcroît.

Page 196.

1. Les *deux Hou* sont les deux provinces centrales de la Chine. Elles ne formaient qu'une province avant d'être séparées en « Hou » du Nord et du Sud : Hou-Pei et Hou-Nan (Hubei et Hunan).

Le *Casque de Fer* est une décoration militaire enviée mais nous n'avons pas retrouvé de précision à son sujet.

2. *Pou-louen* (Pulun) avait été le principal concurrent de Guangxu car il était petit-fils de Daoguang (Tao-Kouang, règne 1821-1850), par la branche cadette certes, tandis que Guangxu était le simple neveu d'une concubine (Cixi).

3. *Longyu* est le nom que prit Xiaoding, épouse de Guangxu, peu après son veuvage, au moment où elle devint impératrice douairière et corégente.

4. *T'ong-tche*, ou Tongzhi (1862-1874) : fils de Xianfeng et de Cixi, imposé sur le trône par celle-ci qui exerça la régence avant sa mort prématuree. L'une des concubines de Tongzhi, qui lui avait survécu, mourut en 1908 : on lui fit des funérailles somptueuses — dernière manifestation grandiose des Qing.

Page 199.

1. *Vieux caractères « Tchouan »* : les Dazhuan (grands caractères *zhuan*, ou *tchouan*) sont des caractères anciens (dynastie des Zhou, XIIe-IIIe siècles avant J.-C.), souvent gravés sur les bronzes.

Page 200.

1. *Un poème qui reprenne les mêmes rimes (comme il est d'usage), celles dont j'ai dû me servir, et qui leur fournissent un écho* : cette pratique de bouts-rimés en écho était traditionnelle en poésie. On l'utilisait souvent dans les échanges entre amis lettrés.

Page 201.

1. Les *provinces du Sud*, souvent en scission avec le pouvoir central de Pékin, étaient un foyer permanent de révolte. À l'aube du XXe siècle, c'était l'endroit le plus contestataire, étant donné la tradition millénariste et le développement des mouvements réformistes ou révolutionnaires. Sun Yatsen y avait fondé le Guomindang et tenté un coup d'État à Canton avant de partir récolter des fonds auprès de la diaspora chinoise.

Page 202.

1. *Li Lien-ying*, ou Li Lianying (mort en 1911), était le chef des eunuques de Cixi. On lui prêtait toutes les turpitudes et toutes les intrigues, et il était détesté du personnel de la Cité interdite. Si l'on en croit ce passage de *René Leys*, le grand eunuque Ma devrait être le chef eunuque attaché à Longyu, mais nous n'avons pas retrouvé sa trace, ou plutôt les documents consultés mentionnent Zhang Langde comme chef eunuque, favori et intrigant auprès de Longyu.

Page 203.

1. *T'ong-t'ong* (*tongtong*) signifie le tout, l'ensemble, comme le traduit Segalen.

2. Le *Ministère de l'Intérieur*, le « Li-Pou », s'occupait en fait des nominations de tous les mandarins civils, de leurs éventuelles sanctions et, en règle générale, de tout ce qui concer-

nait les officiers civils de l'Empire. Cependant, la confusion est parfois faite avec le Neiwufu.

Page 204.

1. *Le lit tiède, fait de briques creuses, adouci de coussins de soie, et qu'en hiver on chauffe par la bouche extérieure comme un four, en y brûlant des herbes odorantes* : dans les parties privées de la Cité interdite, les *kang*, sortes d'estrades où l'on dormait, lisait, travaillait ou conversait, étaient souvent chauffés de l'intérieur. D'autres systèmes de chauffage étaient possibles : soit par des canalisations qui passaient sous le sol des pièces d'apparat, soit par des braseros. C'est dans ces braseros, ou dans des brûle-parfums, que l'on faisait se consumer des « herbes odorantes ». Segalen poétise le quotidien impérial.

2. « *Petit triangle de soie qui pend entre les seins et le ventre, et forme une ceinture un peu haute, à la mode mandchoue* » : l'allusion est difficilement identifiable. Ce qui est certain, c'est que les femmes mandchoues ne se déshabillaient jamais entièrement, même dans le bain. Le triangle de soie peut faire penser à un vêtement de lingerie féminine (des pièces rectangulaires de tissu sont portées, depuis les Ming, en guise de soutiens-gorge) ou bien à une pièce de tissu liée à un rite chamanique par exemple (en cela il serait typiquement mandchou). Le narrateur lui-même entretient l'ambiguïté.

Page 205.

1. Les « *petites servantes empressées* » : voir la note 2 page 183. Le *Livre des Odes* : voir la note 1 page 91.

Page 209.

1. *Dès qu'il sera officiellement nommé Fermier Général de la Gabelle du Sel* : l'expression sonne français, mais la gabelle était aussi l'un des plus anciens impôts chinois, entièrement soumis à l'époque au contrôle des puissances occidentales.

Page 210.

1. *Mafou :* palefrenier, valet de pied, employé.

Page 217.

1. Le *Temple de l'Agriculture* fait pendant, dans le sud de la Ville chinoise, au Temple du Ciel (voir l'annexe II). C'est là que l'empereur traçait cérémonialement chaque année le sillon qui inaugurait la saison agricole.

2. *Venelles « mortes »* : sur les *hutong*, voir la note 2 page 48. Impasse se dit *silu* en chinois, de *si* : mourir, et *lu* : route, voie, rue. La traduction est donc littérale.

Page 218.

1. *Tout peut se tourner bout pour bout, rien ne sera changé* n'est pas une phrase du Daodejing (Tao-tõ king), doctrine de Laozi (Lao-tseu), ni des classiques taoïstes, Zhuangzi ou Liezi (Tchouang-tseu ou Lie-tseu) du moins dans leurs traductions courantes. Elle n'est pas incompatible pour autant avec la règle du *wu wei* (non-agir) et la philosophie-religion dans ses préceptes principaux. Il s'agit peut-être de la formulation d'une traduction contemporaine de Segalen, ou d'un commentaire du Tao, ou bien encore d'une expression formée par lui ou par Maurice Roy. Toujours est-il que cette formule a un effet de citation récurrent tout au long de *René Leys*, et apparaît mimétiquement comme un des principes dynamiques du roman, par un procédé de mise en abyme : le retournement bout pour bout, l'inversion et le reflet spéculaire sont parmi les moteurs principaux du récit.

Page 220.

1. *Pei-King* (Beijing) signifie littéralement Capitale du Nord, par opposition à Nankin (Nanjing), Capitale du Sud. C'est le nom que prit Pékin au XVe siècle (voir l'annexe II). *Chouen-te-fou* (Shundefu) veut dire préfecture (*fu*) de la province de Shunde.

2. *Peï-t'ang* (Beitang) : Cathédrale du Nord (ici la deuxième), dans la Ville impériale (la Ville « Intérieure »), près de l'endroit où le narrateur et René Leys s'étaient « rencontrés » la première fois.

Le *Peï-t'a* désigne le Baita (voir la note 3 page 56)

Page 224.

1. C'est le premier acte de la Révolution de 1911 : le « double-dix ». Ici, l'histoire entre en action dans *René Leys* et à partir de ce moment, toute la trame temporelle se confond avec la réalité historique. Pour un descriptif, un point de repère et une présentation selon la vision d'alors, on se reportera à la chronologie de la Révolution, p. 298.

Wou-tch'ang (Wuchang), *Han-Yang* (Hanyang) et *Han-K'eou* (Hankou) sont trois villes jumelles situées sur le Yangzi, au cœur de la Chine ; elles forment aujourd'hui la mégalopole de Wuhan.

2. *Wells* faisait lui aussi partie des auteurs « exotes » — cette fois dans le temps et non dans l'espace — dont Segalen parle dans l'*Essai sur l'Exotisme.*

3. *Il ne peut y avoir « révolution » en Chine* : à cause de la doctrine du Mandat céleste (*tianming*). Voir la note 1 page 41. Une révolution se dit *geming*, c'est-à-dire : retirer le Mandat. C'est aussi la traduction politique du précepte pseudo-taoïste du retournement bout pour bout (voir la note 1 page 218).

Page 225.

1. *La Rencontre dans le champ de mûrier* est une pièce connue du répertoire des Yuan qui relate le retour d'un mari, après vingt ans de séparation, auprès de sa femme dont il éprouve la fidélité en ne se faisant pas reconnaître.

Page 226.

1. *Rrrhao!* (*hao* en pinyin), ici dans une transposition imitative, signifie : bien, bravo. C'est l'exclamation qui remplace l'applaudissement.

Page 227.

1. « *K'ai-paolée* » : de *kai*, ouvrir et *bao* (*pao*), langes. C'est-à-dire démaillotée, dont les langes ont été ouverts. L'expression est forgée par Segalen et renvoie aux discussions et aux métaphores que le narrateur et René Leys ont échangées auparavant sur la jeune concubine.

2. Le *Yang :* le Yangzi, le Fleuve Bleu.

Page 228.

1. *Kouang-Tong* (Guangdong) : province de Canton.
2. *Zaïmph, Mâtho mêlé de Schahabarim* : références à *Salammbô,* autre roman « exote ».

Page 231.

1. *Kouan-ti* (Guandi) est la figure mythologique de Guanyu, fameux général mort en 219 avant J.-C. C'est le dieu de la Guerre, protecteur de la dynastie mandchoue, et un autel lui est consacré dans Qianmen (Ts'ien-men) à l'endroit même où a lieu la rencontre de cette troupe joyeuse. On le représente presque toujours avec une figure rouge (couleur du guerrier, comme dans l'épisode de l'Homme Rouge, p. 147 sq.) et une barbe noire.
2. Le *Lieou-li-tch'ang* (Liulichang) est le nom d'une rue célèbre de Pékin et du quartier attenant (Ville chinoise, juste au sud-ouest de Qianmen).
3. *K'ang-Yeou-Wei,* ou Kang Youwei (1858-1927) : lettré, philosophe et homme politique chinois, légaliste, à l'origine des réformes lancées pendant les « Cent Jours », sous la houlette de Guangxu. Il fut contraint à l'exil (au Japon), mais resta toujours fidèle aux Mandchous et à l'Empire, prônant une monarchie moderne et sociale. Théoricien, on lui appliqua l'épithète de « Jean-Jacques Rousseau chinois ».

Les épisodes de la Révolution dépassaient de beaucoup cette doctrine réformiste puisqu'ils remettaient tout en cause ; c'est en cela qu'une « reprise » de ce mouvement semble peu crédible au narrateur.

Page 232.

1. La *Wei* est la rivière qui arrose la vallée de Xian ou de Kaifeng, principaux berceaux de la civilisation chinoise — que Segalen prisait fort, aux dépens des provinces du Sud qu'il trouvait moins intéressantes. Les Mandchous viennent d'une région plus nordique encore, tout en « siégeant » à Pékin. Les Wolof sont un peuple du Sénégal ; *arbi* signifie *arabe* en argot. Ce passage avait été pudiquement oublié dans la première édition de *René Leys.*

Page 235.

1. *Subtilisé comme un mage* : pendant longtemps le bruit courut que Leys était un mot flamand signifiant *mage.* Gilles Manceron (*Segalen,* Lattès, 1991) montre que la traduction en serait plutôt *laisse* — donc le nom de famille du personnage serait associé à une idée de lien, d'intermédiaire, d'intercesseur. Segalen n'a laissé aucun indice permettant de comprendre le passage entre le premier nom envisagé (Maurice Roy, nom véritable du modèle dont il s'est inspiré) et celui que nous connaissons. René est le deuxième prénom de Maurice Roy ; c'est aussi un prénom très littéraire. Quant à Leys, nous pensons que tout s'éclaire lorsqu'on le lit à l'envers : Syel — c'est-à-dire Ciel, phonétiquement. René Leys est la figure inversée, « tournée bout pour bout » de l'empereur fils du ciel et le roman intitulé *René Leys* est le deuxième panneau (en miroir) qui forme, avec *Le Fils du Ciel,* œuvre maîtresse de Segalen, un diptyque impérial.

Page 241.

1. Segalen se livre ici au pastiche d'un édit impérial, lesquels étaient publiés en nombre dans les journaux de Pékin (voir la chronologie de la Révolution).

Page 242.

1. Le Japon était un foyer de formation révolutionnaire chinoise. Le Canal Impérial (Grand Canal) est l'une des constructions les plus symboliques de l'Empire, il relie Hangzhou (Hang-tcheou) à Tianjin (Tien-tsin) et à Pékin, donc les bassins du Fleuve Bleu (Yangzi) à ceux du Fleuve Jaune ; il prit place dans un réseau fluvial construit depuis les Sui (VIe siècle) jusqu'aux Yuan (XIVe siècle). Les Ming, chassés du trône par les Qing en 1644, n'avaient pas été exterminés : leur descendance était assurée ; ils avaient eu des velléités, surtout près de Nankin où ils résidaient, de revenir au pouvoir — velléités renforcées dans la mesure où les Qing étaient des Mandchous, c'est-à-dire des étrangers, des non-Han. La Mongolie, province nordique, a toujours oscillé entre l'influence russe et l'influence chinoise ; c'était d'ailleurs une conquête tardive de

l'empire du Milieu. Les Français, très présents au Yunnan, province limitrophe de l'Indochine, y avaient des appétits d'autant plus aiguisés que les Anglais avaient progressivement monopolisé les régions de Canton et de Shanghai, grâce à la cession de Hong-Kong en 1842 par exemple.

Ces craintes fondées voisinent avec des angoisses plus superstitieuses, dont le contenu est presque entièrement symbolique : les cataclysmes climatiques correspondent à l'image d'une maladie, d'une décadence, d'un dérangement qui atteint physiquement l'Empereur aussi bien que l'Empire (le Mandat céleste est alors remis en cause). Le Ciel est évidemment le lieu de ces signes d'abandon par les esprits des Ancêtres. Le dragon, la tortue, la couleur jaune sont liés à la représentation de l'empereur (et ici de la Chine dans son ensemble), mais ils sont métamorphosés par des attributs occidentaux qui les détruisent. La séquence est à la fois sarcastique (l'effet de coq-à-l'âne met en relief l'irrationalité de la peur des Chinois) et faussement absurde.

2. *Jehol* dans le Hebei (aujourd'hui Chengde). Un palais de résidence estivale y fut construit par Kangxi (1662-1722) ; c'est là que la cour s'était réfugiée en 1860.

3. *Monsieur « Lei »* est la transcription phonétique de Leys en chinois — tout comme « Monsieur Sié » était celle du nom du narrateur auparavant.

Page 245.

1. *L'on ne sait pas si tout Pei-King ne va pas brûler cette nuit* : c'était le bruit qui courait régulièrement à Pékin ou Tianjin, où Segalen résidait alors, et qui provoqua des paniques durant les deux derniers mois de 1911 au moins.

Yuan Shikai est arrivé à Pékin le 13 novembre, vers 17 heures (voir la chronologie de la Révolution). La scène est minutieusement décrite ici.

Page 246.

1. Passer *par la porte latérale*, c'est respecter l'ordre impérial : seul l'empereur a le droit d'emprunter la porte centrale. Les habits de Yuan Shikai montrent son respect pour l'ancien régime — mais il aurait pu aussi, toujours dans la tradition chi-

noise, réclamer pour son compte le Mandat céleste et renverser les Qing (ce que, d'ailleurs, il tentera de faire en 1915, voir la note 3 page 77).

Page 247.

1. *Yuan K'o-ting* (Yuan Keting) était effectivement le fils aîné de Yuan Shikai. Paralysé à la suite d'une chute de cheval, il eut pour médecin personnel... Segalen, ce qui permit à l'auteur d'en approcher le père et d'obtenir deux entrevues, sources de deux articles pour *Lectures pour tous* (« Chez le Président de la République chinoise », 1er octobre 1913 ; « Une conversation avec Yuan Che-K'ai », 15 juin 1914).

Page 249.

1. *Ts'ien-men-nei*, c'est-à-dire la Cité interdite, qu'il contourne pour aller dans le nord de la Ville tartare.

2. *C'était son sosie, celui qui prend sa place, officielle, par prudence* : l'utilisation d'un sosie était courante, dit-on, pour préserver la personne physique de l'empereur. Mais cela relève davantage du mythe que de la réalité. Cette transposition d'une caractéristique impériale sur Yuan Shikai vient des récits de Maurice Roy lui-même, mais c'est l'utilisation qu'en fait Segalen dans *Le Fils du Ciel* qui semble ici la référence majeure.

Page 254.

1. *Jardin Mystérieux* était le surnom chinois de Maurice Roy (*Mi Yuan*). Segalen l'avait envisagé comme un des titres possibles du roman avant de choisir *René Leys* (voir l'Annexe I) ; il en fit finalement une ébauche de nouvelle, recueillie dans *Imaginaires.*

Page 257.

1. Segalen joue ici sur le contraste entre l'ancien et le moderne. Les soldats de Yuan Shikai sont formés sur le modèle des armées européennes, et reçoivent des armes des mêmes pays (mauser, mannlicher), lorsque ces pays passent à un armement plus moderne. Les armées mandchoues, archaïques, ont pour modèle les Bannières (voir note 3 page 46).

2. C'est-à-dire les fameuses « vieilles concubines T'ongtche » (voir la note 4 page 196).

Page 259.

1. Le fait d'envisager cette possibilité — comme l'écrit Segalen dans d'autres manuscrits, le « réfugiement » de l'Impératrice dans une maison particulière — peut paraître invraisemblable. Mais cela a réellement été projeté par le personnel diplomatique occidental autant que par les Mandchous menacés, pendant les jours agités de la Révolution.

Page 276.

1. Le suicide à la *feuille d'or* fait partie de l'imagerie fantasmatique chinoise. Il consiste à absorber de l'opium enrobé d'une feuille d'or. En pratique, cela a donné lieu à toutes les suppositions : il peut s'agir d'une overdose (l'or se dissolvant dans l'estomac et libérant une trop grande quantité d'opium pour l'organisme), ou bien au contraire c'est l'opium qui permet de mourir sans douleur de la toxicité de l'or. On a parlé aussi d'asphyxie : la feuille d'or étant aspirée violemment et venant boucher le conduit respiratoire. À l'époque de Segalen, c'est surtout un cliché lié à la figure impériale, puisque c'est le moyen de se suicider des nobles et des femmes mandchoues, notamment celles du sérail impérial.

2. Référence aux *clefs*, qui sont les éléments fondamentaux de la structure des caractères, et dont l'origine est figurative. La description en est faussement naïve, car elle reprend les symboles originels de la langue chinoise.

Page 279.

1. Ne pas perdre la *face* était la traduction en français d'un des préceptes majeurs des Chinois : il s'agit de n'être pas pris en faute, ou en apparence de faute, et, si cela arrive, d'effacer la faute (qui risque de rejaillir sur l'honneur de la famille entière, ancêtres compris) par le suicide. La plupart des Européens de l'époque considéraient cette habitude comme ridicule ; Segalen en fait l'éloge.

ANNEXE I

SUR UNE FORME NOUVELLE DU ROMAN

Page 316.

1. *Sar* : sans doute Péladan, littérateur français connu dans les années 1890, qui s'était autoproclamé *sâr* et mage. Son excentricité était connue.

PREMIER MANUSCRIT

Page 329.

1. *Augusto* Gilbert de Voisins et *Henry* Manceron, amis très proches de Segalen, à l'origine du projet de *René Leys,* puisque c'est à eux que Segalen lut les *Annales secrètes d'après MR,* dossier composé sur la personnalité de Maurice Roy, modèle de René Leys, en octobre 1913. MR est le monogramme qui désigne le jeune homme. Voir aussi Notice p. 291.

NOTES ET PLANS

Page 336.

1. La page s'arrête ici.
2. *MR* : Maurice Roy. Nous laissons le monogramme qui le désigne.
3. Les caractères chinois signifient Qianmenwai (Ts'ien-men-waï).

Page 337.

1. *PS* : Police secrète. Nous conservons aussi les initiales telles quelles.
2. *I.D* : Impératrice douairière, c'est-à-dire Longyu. Même conservation des initiales.
3. *Poulouen-Kersalut-Amouroux :* modèles de Jarignoux.
4. *Clan des auto* : il s'agit sans doute du clan des « auto-

chtones », c'est-à-dire des Mandchous et des Chinois, dont une scène, ébauchée dans le premier manuscrit, fut abandonnée dans le second.

Ch. Petit : personne non identifiée, autre modèle possible de Jarignoux.

Page 338.

1. *Pailles*, ou *failles* (manuscrit difficilement lisible).
2. Les caractères chinois signifient *Zhongguohao* : c'est le nom d'un journal chinois.
3. *γονοϱϱ* : désigne la gonorrhée, c'est-à-dire la blennorragie, dont avait été victime Maurice Roy, et qui déchaînait les sarcasmes de Segalen.

Page 340.

1. Les caractères chinois signifient Tianjin (Tientsin).

Page 341.

1. *Houang-ho* : Fleuve Jaune.

Page 343.

1. *F. O.* : lieu non identifié.

Page 344.

1. *Hatamen Ta Kiai* : on écrirait aujourd'hui *Hatamendajie*; c'est l'avenue de la porte Hatamen.

Page 345.

1. *Bargone* est le véritable nom de Claude Farrère, que Segalen connaissait bien.

COLLECTION FOLIO

Dernières parutions

6149. Marcel Conche	*Épicure en Corrèze*
6150. Hubert Haddad	*Théorie de la vilaine petite fille*
6151. Paula Jacques	*Au moins il ne pleut pas*
6152. László Krasznahorkai	*La mélancolie de la résistance*
6153. Étienne de Montety	*La route du salut*
6154. Christopher Moore	*Sacré Bleu*
6155. Pierre Péju	*Enfance obscure*
6156. Grégoire Polet	*Barcelona !*
6157. Herman Raucher	*Un été 42*
6158. Zeruya Shalev	*Ce qui reste de nos vies*
6159. Collectif	*Les mots pour le dire. Jeux littéraires*
6160. Théophile Gautier	*La Mille et Deuxième Nuit*
6161. Roald Dahl	*À moi la vengeance S.A.R.L.*
6162. Scholastique Mukasonga	*La vache du roi Musinga*
6163. Mark Twain	*À quoi rêvent les garçons*
6164. Anonyme	*Les Quinze Joies du mariage*
6165. Elena Ferrante	*Les jours de mon abandon*
6166. Nathacha Appanah	*En attendant demain*
6167. Antoine Bello	*Les producteurs*
6168. Szilárd Borbély	*La miséricorde des cœurs*
6169. Emmanuel Carrère	*Le Royaume*
6170. François-Henri Désérable	*Évariste*
6171. Benoît Duteurtre	*L'ordinateur du paradis*
6172. Hans Fallada	*Du bonheur d'être morphinomane*
6173. Frederika Amalia Finkelstein	*L'oubli*

6174. Fabrice Humbert	*Éden Utopie*
6175. Ludmila Oulitskaïa	*Le chapiteau vert*
6176. Alexandre Postel	*L'ascendant*
6177. Sylvain Prudhomme	*Les grands*
6178. Oscar Wilde	*Le Pêcheur et son Âme*
6179. Nathacha Appanah	*Petit éloge des fantômes*
6180. Arthur Conan Doyle	*La maison vide* précédé du *Dernier problème*
6181. Sylvain Tesson	*Le téléphérique*
6182. Léon Tolstoï	*Le cheval* suivi d'*Albert*
6183. Voisenon	*Le sultan Misapouf et la princesse Grisemine*
6184. Stefan Zweig	*Était-ce lui ?* précédé d'*Un homme qu'on n'oublie pas*
6185. Bertrand Belin	*Requin*
6186. Eleanor Catton	*Les Luminaires*
6187. Alain Finkielkraut	*La seule exactitude*
6188. Timothée de Fombelle	*Vango, I. Entre ciel et terre*
6189. Iegor Gran	*La revanche de Kevin*
6190. Angela Huth	*Mentir n'est pas trahir*
6191. Gilles Leroy	*Le monde selon Billy Boy*
6192. Kenzaburô Ôé	*Une affaire personnelle*
6193. Kenzaburô Ôé	*M/T et l'histoire des merveilles de la forêt*
6194. Arto Paasilinna	*Moi, Surunen, libérateur des peuples opprimés*
6195. Jean-Christophe Rufin	*Check-point*
6196. Jocelyne Saucier	*Les héritiers de la mine*
6197. Jack London	*Martin Eden*
6198. Alain	*Du bonheur et de l'ennui*
6199. Anonyme	*Le chemin de la vie et de la mort*
6200. Cioran	*Ébauches de vertige*
6201. Épictète	*De la liberté*
6202. Gandhi	*En guise d'autobiographie*
6203. Ugo Bienvenu	*Sukkwan Island*
6204. Moynot – Némirovski	*Suite française*
6205. Honoré de Balzac	*La Femme de trente ans*

6206. Charles Dickens	*Histoires de fantômes*
6207. Erri De Luca	*La parole contraire*
6208. Hans Magnus Enzensberger	*Essai sur les hommes de la terreur*
6209. Alain Badiou – Marcel Gauchet	*Que faire ?*
6210. Collectif	*Paris sera toujours une fête*
6211. André Malraux	*Malraux face aux jeunes*
6212. Saul Bellow	*Les aventures d'Augie March*
6213. Régis Debray	*Un candide à sa fenêtre. Dégagements II*
6214. Jean-Michel Delacomptée	*La grandeur. Saint-Simon*
6215. Sébastien de Courtois	*Sur les fleuves de Babylone, nous pleurions. Le crépuscule des chrétiens d'Orient*
6216. Alexandre Duval-Stalla	*André Malraux - Charles de Gaulle : une histoire, deux légendes*
6217. David Foenkinos	*Charlotte*, avec des gouaches de Charlotte Salomon
6218. Yannick Haenel	*Je cherche l'Italie*
6219. André Malraux	*Lettres choisies 1920-1976*
6220. François Morel	*Meuh !*
6221. Anne Wiazemsky	*Un an après*
6222. Israël Joshua Singer	*De fer et d'acier*
6223. François Garde	*La baleine dans tous ses états*
6224. Tahar Ben Jelloun	*Giacometti, la rue d'un seul*
6225. Augusto Cruz	*Londres après minuit*
6226. Philippe Le Guillou	*Les années insulaires*
6227. Bilal Tanweer	*Le monde n'a pas de fin*
6228. Madame de Sévigné	*Lettres choisies*
6229. Anne Berest	*Recherche femme parfaite*
6230. Christophe Boltanski	*La cache*
6231. Teresa Cremisi	*La Triomphante*

6232. Elena Ferrante — *Le nouveau nom. L'amie prodigieuse, II*
6233. Carole Fives — *C'est dimanche et je n'y suis pour rien*
6234. Shilpi Somaya Gowda — *Un fils en or*
6235. Joseph Kessel — *Le coup de grâce*
6236. Javier Marías — *Comme les amours*
6237. Javier Marías — *Dans le dos noir du temps*
6238. Hisham Matar — *Anatomie d'une disparition*
6239. Yasmina Reza — *Hammerklavier*
6240. Yasmina Reza — *« Art »*
6241. Anton Tchékhov — *Les méfaits du tabac* et autres pièces en un acte
6242. Marcel Proust — *Journées de lecture*
6243. Franz Kafka — *Le Verdict – À la colonie pénitentiaire*
6244. Virginia Woolf — *Nuit et jour*
6245. Joseph Conrad — *L'associé*
6246. Jules Barbey d'Aurevilly — *La Vengeance d'une femme* précédé du *Dessous de cartes d'une partie de whist*
6247. Victor Hugo — *Le Dernier Jour d'un Condamné*
6248. Victor Hugo — *Claude Gueux*
6249. Victor Hugo — *Bug-Jargal*
6250. Victor Hugo — *Mangeront-ils ?*
6251. Victor Hugo — *Les Misérables. Une anthologie*
6252. Victor Hugo — *Notre-Dame de Paris. Une anthologie*
6253. Éric Metzger — *La nuit des trente*
6254. Nathalie Azoulai — *Titus n'aimait pas Bérénice*
6255. Pierre Bergounioux — *Catherine*
6256. Pierre Bergounioux — *La bête faramineuse*
6257. Italo Calvino — *Marcovaldo*
6258. Arnaud Cathrine — *Pas exactement l'amour*
6259. Thomas Clerc — *Intérieur*
6260. Didier Daeninckx — *Caché dans la maison des fous*
6261. Stefan Hertmans — *Guerre et Térébenthine*

6262. Alain Jaubert	*Palettes*
6263. Jean-Paul Kauffmann	*Outre-Terre*
6264. Jérôme Leroy	*Jugan*
6265. Michèle Lesbre	*Chemins*
6266. Raduan Nassar	*Un verre de colère*
6267. Jón Kalman Stefánsson	*D'ailleurs, les poissons n'ont pas de pieds*
6268. Voltaire	*Lettres choisies*
6269. Saint Augustin	*La Création du monde et le Temps*
6270. Machiavel	*Ceux qui désirent acquérir la grâce d'un prince...*
6271. Ovide	*Les remèdes à l'amour* suivi de *Les Produits de beauté pour le visage de la femme*
6272. Bossuet	*Sur la brièveté de la vie* et autres sermons
6273. Jessie Burton	*Miniaturiste*
6274. Albert Camus – René Char	*Correspondance 1946-1959*
6275. Erri De Luca	*Histoire d'Irène*
6276. Marc Dugain	*Ultime partie. Trilogie de L'emprise, III*
6277. Joël Egloff	*J'enquête*
6278. Nicolas Fargues	*Au pays du p'tit*
6279. László Krasznahorkai	*Tango de Satan*
6280. Tidiane N'Diaye	*Le génocide voilé*
6281. Boualem Sansal	*2084. La fin du monde*
6282. Philippe Sollers	*L'École du Mystère*
6283. Isabelle Sorente	*La faille*
6285. Jules Michelet	*Jeanne d'Arc*
6286. Collectif	*Les écrivains engagent le débat. De Mirabeau à Malraux, 12 discours d'hommes de lettres à l'Assemblée nationale*
6287. Alexandre Dumas	*Le Capitaine Paul*
6288. Khalil Gibran	*Le Prophète*

6289. François Beaune — *La lune dans le puits*
6290. Yves Bichet — *L'été contraire*
6291. Milena Busquets — *Ça aussi, ça passera*
6292. Pascale Dewambrechies — *L'effacement*
6293. Philippe Djian — *Dispersez-vous, ralliez-vous !*
6294. Louisiane C. Dor — *Les méduses ont-elles sommeil ?*
6295. Pascale Gautier — *La clef sous la porte*
6296. Laïa Jufresa — *Umami*
6297. Héléna Marienské — *Les ennemis de la vie ordinaire*
6298. Carole Martinez — *La Terre qui penche*
6299. Ian McEwan — *L'intérêt de l'enfant*
6300. Edith Wharton — *La France en automobile*
6301. Élodie Bernard — *Le vol du paon mène à Lhassa*
6302. Jules Michelet — *Journal*
6303. Sénèque — *De la providence*
6304. Jean-Jacques Rousseau — *Le chemin de la perfection vous est ouvert...*
6305. Henry David Thoreau — *De la simplicité !*
6306. Érasme — *Complainte de la paix*
6307. Vincent Delecroix/Philippe Forest — *Le deuil. Entre le chagrin et le néant*
6308. Olivier Bourdeaut — *En attendant Bojangles*
6309. Astrid Éliard — *Danser*
6310. Romain Gary — *Le Vin des morts*
6311. Ernest Hemingway — *Les aventures de Nick Adams*
6312. Ernest Hemingway — *Un chat sous la pluie*
6313. Vénus Khoury-Ghata — *La femme qui ne savait pas garder les hommes*
6314. Camille Laurens — *Celle que vous croyez*
6315. Agnès Mathieu-Daudé — *Un marin chilien*
6316. Alice McDermott — *Somenone*
6317. Marisha Pessl — *Intérieur nuit*
6318. Mario Vargas Llosa — *Le héros discret*
6319. Emmanuel Bove — *Bécon-les-Bruyères* suivi du *Retour de l'enfant*
6320. Dashiell Hammett — *Tulip*
6321. Stendhal — *L'abbesse de Castro*

6322. Marie-Catherine Hecquet	*Histoire d'une jeune fille sauvage trouvée dans les bois à l'âge de dix ans*
6323. Gustave Flaubert	*Le Dictionnaire des idées reçues*
6324. F. Scott Fitzgerald	*Le réconciliateur* suivi de *Gretchen au bois dormant*
6325. Madame de Staël	*Delphine*
6326. John Green	*Qui es-tu Alaska ?*
6327. Pierre Assouline	*Golem*
6328. Alessandro Baricco	*La Jeune Épouse*
6329. Amélie de Bourbon Parme	*Le secret de l'empereur*
6330. Dave Eggers	*Le Cercle*
6331. Tristan Garcia	*7. romans*
6332. Mambou Aimée Gnali	*L'or des femmes*
6333. Marie Nimier	*La plage*
6334. Pajtim Statovci	*Mon chat Yugoslavia*
6335. Antonio Tabucchi	*Nocturne indien*
6336. Antonio Tabucchi	*Pour Isabel*
6337. Iouri Tynianov	*La mort du Vazir-Moukhtar*
6338. Raphaël Confiant	*Madame St-Clair. Reine de Harlem*
6339. Fabrice Loi	*Pirates*
6340. Anthony Trollope	*Les Tours de Barchester*
6341. Christian Bobin	*L'homme-joie*
6342. Emmanuel Carrère	*Il est avantageux d'avoir où aller*
6343. Laurence Cossé	*La Grande Arche*
6344. Jean-Paul Didierlaurent	*Le reste de leur vie*
6345. Timothée de Fombelle	*Vango, II. Un prince sans royaume*
6346. Karl Ove Knausgaard	*Jeune homme, Mon combat III*
6347. Martin Winckler	*Abraham et fils*

Composition Nord compo
Impression Maury Imprimeur
45330 Malesherbes
le 22 février 2018.
Dépôt légal : février 2018.
1er dépôt légal dans la collection : février 2000.
Numéro d'imprimeur : 225052 .

ISBN 978-2-07-041182-5. / Imprimé en France.

333229